ROSE EMMA

Roman

Tome I

Gisèle Mayrand Desroches

ROSE EMMA

Roman

Tome I

Les éditions
Belle Feuille

Catalogage avant publication de Bibliothèque et Archives nationales du Québec et Bibliothèque et Archives Canada

Mayrand Desroches, Gisèle, 1945-

    Rose Emma : roman historique

    L'ouvrage complet comprendra 3 v.

    ISBN 978-2-9810734-4-0 (v. 1)

    I. Titre.

PS8626.A935R67 2009   C843'.6 C2009-942626-9

PS9626.A935R67 2009

Infographie des pages couvertures et intérieures :
Patrick Charpentier (Le Patchwork Communications Graphiques)
Correction : Marcel Debel et Patrick Charpentier
Mise en page : Marcel Debel
Illustration de la page couverture : Promenade Mirabeau-Aix en Provence, France. Photo prise par Knud Nielson du site Internet « Stoklib Epictura ».

Distribution :
Coopérative de Diffusion et de Distribution du livre (CDDL)
www.cddl.qc.ca
Courriel : info@cddl.qc.ca
Télécopie : 450-714-4236
Téléphone : 450-714-4037
Sans frais : 1-877-777-6024

La maison d'édition désire remercier tous les collaborateurs à cette publication.

Les Éditions Belle Feuille
68, Chemin St-André
Saint-Jean-sur-Richelieu
Québec J2W 2H6
Téléphone : 450-348-1681
Courriel : marceldebel@videotron.ca

Dépôt légal
    Bibliothèque et Archives nationales du Québec--2009
    Bibliothèque et Archives Canada--2009

Toute ma gratitude à

Lyane ma fifille, ton soutien inconditionnel et ta tendresse accompagnent tous mes projets, merci, merci ma chérie…

Pauline, Annie, vous avez propagé la bonne nouvelle, vous êtes les auxiliaires de ma confiance, merci beaucoup !

Aux amies qui ont eu la gentillesse de s'intéresser à mes premiers essais ainsi qu'aux personnes du clan Desroches, Monique entre autres, votre solidarité me va droit au cœur, un gros merci …

Du même auteur

À paraître :
-Rose Emma Tome II
-Ma vérité sous les projecteurs

CHAPITRE I

MARÂTRE ET CENDRILLON

Rose Emma gisait sur la chaise longue complètement abandonnée à la brûlure du soleil, voilée par de légers coups de vent ondulatoires qui parcouraient son corps et diffusaient l'intense chaleur sur sa peau. Son immobilisme prolongé neutralisait ses pensées et ainsi libérée, Rose Emma s'envola hors d'elle-même, oubliant les pas assez ceci et les trop cela, ces adverbes déloyaux qui squattaient dans son intériorité depuis l'aube de sa vie de femme. Trop souvent, ses questionnements exacerbés réveillaient son vague à l'âme niché en profondeur et quand ce mitard surgissait, il lui fallait recourir à sa capacité d'analyse rationnelle et le mâter avant que la chimère ne descende dans sa spirale névrotique et s'éternise sur sa tourmente. Mais pour l'instant, Rose Emma ne battait pas d'un cil, alanguie, sous le chaud soufflet du vent.

Lorsque le soleil chatouilla les feuilles sur le toupet du grand saule et projeta des ombrages sur le ventre de l'endormie, nonchalamment, Rose Emma s'arracha à sa faiblesse généralisée, réajusta son maillot de bain, se dirigea lentement vers l'arrosoir et bravement s'y exposa. Le choc, presque douloureux, la ramena brutalement à la réalité et d'un seul coup, elle réintégra ses esprits. En ce mercredi après- midi torride, la lecture d'un bon livre à l'ombre lui semblait appropriée, mais sa douche glacée l'avait bien revigorée et Rose Emma se trouvait fort jolie dans sa robe soleil imprimée de petites fleurs bleues, elle décida de prendre une marche pour tuer le temps. De toute façon, un autre après-midi d'oisiveté insupportable se profilait et le goût de bouger, de s'activer à quelque chose s'imposait à elle. La rue désertée de jeux et de cris d'enfants semblait figée dans une inertie généralisée, semblable à son humeur du moment, car elle marchait sous cette chaleur sans but arrêté et pourtant, inconsciemment, elle se dirigeait vers une rencontre qui allait ressurgir telle une obsession au cours de sa vie ultérieure.

En entrant chez sa sœur, un jeune homme lui était apparu, assis à la table de la cuisine en train de fumer une cigarette. Rose Emma l'observait malgré elle, sa manière de fumer, assis sur les reins comme disait sa mère et elle se détourna promptement pour cacher son envie de rire. Jacqueline posa la théière de grès bouillante sur la table et s'occupa du service tout en lui présentant son jeune beau-frère. Rose Emma se détendit progressivement en écoutant André leur raconter quelques anecdotes durant son service militaire et tout en l'observant, elle détecta une lueur nostalgique à peine perceptible au fond de ce regard noisette et au détour d'une observation amusante, son rire franc déferla en cascades dans toute la pièce et produisit presque simultanément un effet d'induction jusqu'au cœur de Rose Emma. Elle le sentit s'emballer dans sa poitrine tout en souriant, riait plus fort qu'à son habitude, très captivée par les propos du jeune beau-frère de sa sœur. Même Jacqueline fronçait les sourcils, sa sœur aînée plutôt réservée affichait une exubérance qui ne correspondait pas à son comportement habituel.

André était rentré depuis peu. Il y était allé «d'l'autre bord» comme il disait, n'évoquant jamais le mot «guerre». Un chanceux, un miraculé qui revenait entier, après avoir sacrifié les années insouciantes de sa jeunesse, celles que tout l'or du monde ne peut remplacer. Il avait parcouru tant d'endroits magnifiques lorsqu'il défilait à bord de son cortège militarisé sur de grandes artères célèbres où s'érigeait un patrimoine inestimable de monuments, d'hôtels et théâtres, connu du monde entier. Des châteaux majestueux échelonnés sur la Loire, des ponts d'amoureux, des chemins tortueux bordés d'anciens murets de pierres et telle une surprise, le turquoise océanique embrassait tout le panorama de sa couleur. L'air se chargeait de minuscules gouttelettes salines et s'agglutinaient sur les visages. André, en oubliait l'arme qu'il ne quittait presque jamais devant ces extraordinaires apparitions. Tant de beauté l'avait émerveillé durant ces quelques semaines de sursit, avant que son unité ne reçoive son ordre de mission.

Puis un jour, au détour d'une région, le soldat avait côtoyé l'horreur de la destruction massive. Tout ce qui avait tenu à cœur ou avait été la motivation d'une vie s'amoncelait en monticules de cauchemars gris. Poussière grisâtre collée sur les vêtements, sur les visages d'enfants affolés, agrippés aux mains de femmes en survivance, à la recherche d'un abri. Tout semblait devenu provisoire, les maisons, la nourriture, la vie...André y contribuait à ce chaos infernal, engloutissait tout dans ses avancées, en chemin vers une quête interminable, habité constamment par la nausée de la peur logée entre son cœur et ses tripes. Parfois elle remontait dans sa gorge, l'obligeait à se détourner, il lui fallait serrer les poings et vaincre à tout prix la crue qui soudainement embuait son regard.

Mais, en cet après-midi ensoleillé, André avait si bien gardé son auditoire captif en ne racontant que du beau de son périple outre-mer, Rose Emma se leva d'un bond en entendant le coucou lui chantonner son retard. Même si elle savait que sa belle-mère avait fait le nécessaire pour le souper du fils, elle retrouva bien vite ses démons, embrassa sa sœur à la sauvette tout en saluant maladroitement le jeune homme. Elle dévala l'escalier et se mit en marche accélérée. Experte dans les marathons et espérant devancer son mari, elle marcha aussi rapidement que ses pensées qui défilaient tel un film en accéléré et s'entremêlaient d'images de voyages épiques, de rires spontanés et le souffle court, alors qu'elle amorçait le dernier droit de sa course, le visage sévère de sa belle-mère traversa son film et la ramena brusquement à la réalité.

Elle entra dans le vestibule surchauffé et une odeur de cire en pâte et de bouilli de légumes se disputaient la primeur. Elle s'attarda un petit instant afin d'inspirer profondément et se composer un visage avenant, puis elle traversa l'étroit couloir qui menait à la cuisine à l'arrière de la maison. La boîte à lunch ouverte sur le comptoir lui indiqua qu'elle avait perdu son marathon, car son mari trônait au bout de la table, en train d'avaler une cuiller de soupe à maman, avant de lever un œil en direction de sa femme : «Rose Emma, ça fait combien de fois, j'veux te voir à maison quand j'arrive de travailler. Où est-ce que t'étais encore passée?

— J'prenais une marche, pis j'me suis retrouvée pas loin de chez Jacqueline. J'ai décidé d'aller prendre une tasse de thé avec elle. Son beau-frère vient de revenir des vieux pays. Y nous en a parlé, de la France surtout…ben j'ai pas vu l'heure!»

Elle souriait à son mari, espérant gagner sur le coup d'œil rapide qu'il venait de diriger vers sa mère assise dans sa tricoteuse, le regard tourné vers la fenêtre, ne perdant pas un mot de la discussion. Yvan, évaluait son humeur et ne pas l'importuner l'emportait sur les sourires et les arguments de sa femme. «J'aim'rais ben que t'aides un peu plus dans maison. Y m'semble que tu pourrais faire ta part…au lieu de t'sauver à tout bout d'champ.

— Pour l'aider Yvan, faudrait que ta mère se contente de ma manière de travailler, j'demande pas mieux…»

Piquée dans sa fierté d'être enguirlandée comme une enfant, mais surprise de sa réplique devant sa belle-mère, habituellement, elle baissait les yeux, penaude. Rose Emma leur tourna le dos et se dirigea vers le grand escalier, monta lentement vers sa chambre et ferma la porte. Elle s'alluma une cigarette et en inspira une grande bouffée, la fumée tourbillonnait autour de la lumière du crépuscule et elle expulsa les vibrations malsaines qui rôdaient en toute impunité dans cette maison. Pourtant, une sensation d'exubérance persistait en elle depuis son départ en catastrophe, un présage d'espérance, quelque chose depuis toujours interdit à proximité de ses démons, s'immisçait en elle.

Quelques mois venaient à peine de s'écouler depuis son mariage et déjà, elles lui semblaient loin ces soirées à la salle de danse, au temps du règne d'Yvan le don juan, le meilleur danseur de « boogie-woogie ». Il inventait des acrobaties et peu de midinettes pouvaient les exécuter. Rose Emma Levèrs, épatait la bande de jeunes encerclée autour d'eux, éberluée devant les prouesses de son chevalier qui la faisait virevolter par-dessus, en dessous de lui, sur les airs du swing que l'orchestre déchaînait à tue-tête. Yvan, reconnu pour ses complets de tweed, ses souliers de danse hors de prix et ses cheveux châtains lissés en arrière et cette mèche rebelle qui revenait vers son front à la fin de la démonstration. Rose Emma le trouvait tellement beau lorsqu'il la gardait coincer dans ses bras quelques secondes, haletant. Puis, il la délaissait et rejoignait ses chums. Dans les yeux de l'amoureuse, Yvan semblait couronné d'un nimbe lumineux.

Son conte de fée avait perduré jusqu'au printemps, mais cet été-là, son chevalier avait gagné le concours de danse tant attendu à la plage municipale, en compagnie d'une autre. Yvan, régnait sur une cour de filles folles de lui qui se précipitaient au moindre signe de sa part, mais la plupart du temps, Rose Emma gardait une longueur d'avance parmi le « fan club » du don juan. L'amoureuse de dix-sept ans feignait l'indépendance, mais son regard ne le perdait jamais de vue dans une salle.

Rose Emma repensait à l'étape la plus heureuse de sa jeune vie, même si les échos de la guerre vivaient parmi eux, omniprésents. L'apothéose avait été la demande en mariage d'Yvan, un soir qu'ils se promenaient tranquillement sur la rue principale. Elle ne s'y attendait pas, ils se fréquentaient sérieusement depuis peu de temps. « Inapte » au service, grâce aux relations de sa mère, il avait échappé à la liste des jeunes hommes pour aller se battre. À dix-neuf ans, Yvan s'était marié pour authentifier son statut au plus vite devant l'insistance maternelle, à qui il obéissait tel l'otage converti à sa cause. Ainsi, selon les judicieux raisonnements de celle-ci, son fils profitait de la maison familiale et occupait une des vastes chambres du deuxième étage, en compagnie de sa nouvelle épouse.

Située dans le quartier cossu de la petite localité, cette résidence imposante anoblissait ses gens. En effet, qui, ne connaissait pas les Mayer avec un «y», madame tenait mordicus à cet héritage «phonétique» de son défunt mari, car ce nom l'avait intégrée parmi le clan le mieux nanti de la ville. La matriarche avait engendré trois fils et son aîné évoluait dans le sport professionnel et cette auréole supplémentaire suscitait bien de l'admiration dans la communauté. Léone, dit Valois Mayer, veuve et confortablement assise sur son pouvoir de génitrice exceptionnelle, régnait incontestablement sur tous les membres de sa famille. Rose Emma Levèrs, cette jeune fille de la campagne avait trouvé un bon parti et quittait la chambre qu'elle partageait avec sa sœur cadette pour vivre dans cette grande maison où les boiseries, la hauteur des plafonds et cette rampe de chêne vernis qui terminait sa chute sur un imposant socle de bois sculpté. Chaque fois qu'elle ouvrait la porte du vestibule, Rose Emma éprouvait toujours cette envie de toucher à sa blondeur et redessiner de sa main le bel arrondi moulé. Le dimanche après la messe, le dîner était servi dans la salle à manger sur cette grande table, endimanchée de toile blanche. Ni le sucre, ni le sirop d'érable ne souffrait de rationnement car même durant les jours de semaine, la table semblait mise pour un banquet.

Rose Emma laissa choir l'hebdomadaire paroissial d'avril et parmi tant de mauvaises nouvelles concernant les alliés en cette année mille neuf cent quarante trois et au hasard d'une autre page, un jeune couple de mariés posait fièrement. Le cœur serré, Rose Emma regardait son propre reflet sur cette photographie. Oui, ces jeunesses semblaient tellement bien assorties, un peu comme celles du cinéma et la jeune mariée aurait mérité la couverture d'un magazine, tant sa blondeur ourlée jusqu'au milieu du dos ressortait au travers du voile d'organdi brodé de guipure tout le tour. Ses parents avaient beaucoup ménagé pour la parer telle une princesse et sa robe de satin aux multiples volants de dentelle surpiqués sur le devant, se terminait par une petite traîne qui flottait sur le tapis de Turquie de l'allée centrale. Un moment particulièrement émouvant lorsqu'elle s'était avancée au bras de son père, engoncé dans son complet à rayures gris, la carrure trop droite et le visage figé par l'émotion et l'attention qu'il suscitait. Même madame Mayer s'était attardée sur son passage, examinait les petits détails qui confirmaient l'élégance de sa future belle-fille. Une mariée toute menue, pourvue d'une paire d'yeux uniques, un peu comme les chats et ce teint rosé de la jeunesse en pleine santé. Tous ces attributs ne pouvaient certainement pas repousser les regards les plus exigeants. Rose Emma recevait ces attentions admiratives de manière réservée et sa timidité lui conférait cette allure princière tandis que son prince tout en noir, ceinturon et jabot, affichait une assurance pour deux, lorsque son père déposa sa main sur celle de ce jeune homme magnifique.

La bonne humeur avait régné dans la grande salle paroissiale, transformée en jardin botanique. Les paniers de roses poussaient ça et là, même les tables rondes disposées en demi cercle autour de la grande table d'honneur en étaient inondées. Un contentement de privilégié se lisait sur le visage des invités, tous heureux de participer à l'événement d'importance en ces temps de privations. L'abondance débordait des assiettes et chacun savait également que cette mise en scène flamboyante ne manquerait pas de défrayer la manchette durant tout l'été. Le grand frère prodige vola la vedette lors de son entrée tardive, attirant un attroupement qui refusait de se dissiper. Le nouveau marié agacé, habitué lui aussi à un certain vedettariat, avait accepté les vœux du grand frère d'une main froide. Puis, l'après-midi s'était acheminé sur les embrassades du départ. Les quelques jours du voyage de noces débutaient par un trajet en train jusqu'à Québec et mère avait glissé furtivement des billets supplémentaires dans la main de son fils et maladroitement, elle lui signifiait l'heure du départ. La jeune mariée était réapparue, endimanchée d'un tailleur rose, assorti d'un joli chapeau de paille naturel garni d'un long ruban de taffetas rose et le vent s'amusait à le faire virevolter jusqu'à son entrée dans l'immense voiture de sa belle-mère. Madame Mayer avait mandaté son deuxième fils Albert pour les conduire à la gare.

Rose Emma stoppa son film de souvenirs et soupira très fort afin de revenir dans le présent plus rapidement. Elle réalisait combien son mariage la désenchantait sur tous les rapports, comme si elle s'était enlisée dans un long tunnel. Il la distançait de sa jeunesse, du plaisir et l'obligeait à émerger en adulte passive et soumise, alors qu'elle n'avait pas encore fêté ses dix-neuf ans. L'austérité de sa belle-mère embaumait l'atmosphère de cette belle résidence, éclaboussait les personnes qui y vivaient et teintait le quotidien de morosité. Rares, entendait-on des rires éclatés spontanément dans l'air transis. Le sens de l'humour étant proscrit, seule la visite du fils sportif stimulait la dame suffisamment pour lui soutirer quelques sourires, redevables de toute cette reconnaissance dans la communauté. Des photographies de son illustre enfant tapissaient les murs du grand salon, figé sur la pellicule en compagnie d'hommes tous anglophones et tous issus de la grande cité. Pour Léone, Montréal ne lui inspirait pas confiance puisque la ville n'abritait que des étrangers.

Madame Mayer administrait tout et Rose Emma ne comptait plus les tentatives à huit clos dans le lit conjugal, autour de la question épineuse à propos de l'argent. « Yvan, j'aimerais ça avoir un peu plus d'argent chaque semaine sans avoir à quémander ta mère. J'ai toujours eu des p'tites dépenses quand j'étais fille, même si on était pas riche. On vas-tu vivre de même toute notre vie ! T'es assez grand pis assez intelligent pour t'administrer tout seul, tu penses pas ?

— La mére nous met d'l'argent de côté pour plus tard. Tu comprends pas qu'à s'prives elle aussi par les temps qui courent. Y'a des rationnements partout. Y'a du monde qui ont d'la misère en verrat, t'en rends-tu compte ? »

Il se rapprocha, le regard coquin : « À part de ça…t'as pus besoin de te pomponner pis de t'acheter cinquante-six affaires, j't'aime de même, naturelle. »

Il lui enserra les pieds autour des siens, l'embrassa et la poigne du mari insista et le lit craqua de nouveau ce soir-là. L'épousée n'osait pas refuser son devoir conjugal et leurs ébats fréquents calqués sur le rythme fougueux du mari, ne démentaient point son intérêt envers sa femme. Rose Emma occultait tout ce qui concernait ses insatisfactions au lit et se contentait de ce que son mari lui procurait. Elle ne s'imaginait pas en train de lui parler de son plaisir, encore moins de ses préférences. Lui, tellement habitué à tout recevoir sans rien demander, à tout prendre comme un droit légitime, il ne lui venait pas à l'idée que sa femme puisse avoir à se plaindre de quoi que ce soit. Encore qu'il craignait qu'elle devienne enceinte si tôt dans leur nouvelle vie, il ne faisait rien pour l'éviter. Ne prêchait-on pas qu'empêcher la famille était péché ?

Depuis trois mois, ils se prévalaient de la légitimité des rapports intimes du mariage, mais Rose Emma, vivait chaque fin de mois anxieuse, à espérer le flux sanguin salvateur. Cette fonction mensuelle tant attendue lui procurait des nuits complètes en toute tranquillité et la bouillotte sur son ventre endolori renforçait son besoin de s'appartenir entièrement quelques jours par mois. Belle-maman avait déjà commencé quelques allusions, qu'il serait temps de fonder une famille, qu'un petit-fils était impératif pour assurer la continuité de leur nom. Rose Emma saisissait son utilité au sein de cette entité familiale et elle consistait à en porter les mâles, car personne ne lui demandait son avis sur quoi que ce soit. Un jour, elle remontait le sceau de linges souillés, sa belle-mère constatant qu'un autre mois ne portait pas son fruit, lui argua cette remarque du haut de son autorité, qu'une femme n'en était une qu'après avoir donné des descendants. « Ma fille, je commence à redouter, vos entrailles sontelles stériles ? Une fervente chrétienne n'empêche jamais la famille et vous savez, ma fille… c'est un péché de s'y soustraire. Il est temps, soyez attentive aux jours du mois propices à votre fertilité. Vous avez un devoir et c'est d'assurer la descendance des Mayer, veillez-y… »

Elle n'attendit point de réponse, car sa réflexion avait été énoncée en se détournant promptement du regard de sa bru pour s'engouffrer dans son vivoir. Belle-maman, réitérait sa commande comme si son fils n'avait rien à voir dans son accomplissement. Tenait-elle le même discours devant celui qui n'avait pas répondu à ses attentes en épuisant son temps et plusieurs sommes rondelettes du patrimoine dans des collèges et combien de cours avait-il débutés, enthousiaste et aussitôt abandonnés, par manque d'intérêt, quand l'effort demandait de la constance. Engagé à titre de mécanicien par son frère sur l'insistance maternelle, sa réputation de fainéant le précédait dans la petite ville. Très entichées de lui, beaucoup de jeunes filles en mal de popularité lui accordaient une importance assidue.

Rose Emma ne semblait pas s'attirer une quelconque appréciation, ni dans ses efforts de dialogue envers sa belle-mère, car cette femme possédait un talent incontesté pour étouffer toute interaction dans l'œuf. Un petit-fils la réhabiliterait peut-être aux yeux du pouvoir absolu, mais on lui forçait la main et personne ne s'informait de son opinion ou de ses sentiments. Elle passait sa nouvelle vie à subir la volonté du plus fort - sa belle-mère - son mari - sa religion et sa famille admirative. Rose Emma s'interdisait de se plaindre pour ne pas les décevoir. Ses parents considéraient une chance d'avoir marié leur fille à un « nom » respecté dans la petite ville.

Le mois suivant, comme si ses gênes avaient assisté à l'entretien et perçu la menace, Rose Emma revivait son anxiété mensuelle qui retardait depuis plus d'une semaine et la rendait très nerveuse, à fleur de peau. Personne ne s'était donné la peine de lui demander si elle se sentait prête à enfanter, le désirait-elle vraiment ? Son mari la pensait faite pour ça, donc, c'était une normalité. Sa mère, pleine de bonne volonté, la rassurait par des phrases toutes faites et le malaise entre elles la privait de tant de questions sans réponse, tant d'inquiétudes non démystifiées et si peu de personnes vers qui se tourner.

Qui l'affranchira de son ignorance devant l'inconnu d'une grossesse et de son aboutissement tant redouté, l'accouchement ! Elle avait beau se dire, tellement de femmes accouchaient depuis la nuit des temps, cet état de fait ne la rassurait pas parce que, elle-même, Rose Emma Levèrs, voulait un droit de regard sur tout ce processus évolutif dans son ventre. On laissait faire la nature comme disaient les vieux. Or, enfanter, en connaissance de son corps et le désirer, lui semblait pourtant une étape essentielle, mais sa peur morbide de devoir admettre l'évidence, stigmatisait ses pensées.

Les jeunes femmes comme elle allaient-elles à la délivrance comme l'agneau qu'on mène au sacrifice ? Cette fatalité de souffrance était-elle son lot et consentante ou pas, elle la subira un jour ? Oui, un jour ou l'autre, ce jeune corps prendra place sur le lit conjugal et elle sera seule avec elle-même, après la première contraction de son ventre – un serrement d'une telle force, indéfinissable, incontournable – elle se dira « c'est donc ça les douleurs ! ». Rythmées sur les forces de la Vie qui arrivera en son temps, la peur des complications surgira au travers de la douleur, de la sueur et des heures. Peur de mourir, sous la violence incessante des dernières poussées et enfin, l'expulsion, allant parfois jusqu'à la déchirure de sa chair, soumise à la force vitale. Le corps encore endolori, la jeune femme oblitérera les derniers soubresauts de son adolescence, car le don de soi s'imprégnera devant le petit visage de son enfant. Ce jour-là, il prendra place dans le cœur de la femme, sans faire aucune discrimination d'âge.

Les jours passaient et la probabilité se confirmait dans le corps de Rose Emma. La négation la portait à imaginer un sournois mal de ventre familier, l'accroire puéril, désespéré, afin de calmer son désir incommensurable de voir apparaître une infime tache rougeâtre dans son sous-vêtement. Pour la première fois, elle s'était refusée à son mari. Il s'en montra frustré à la mesure de sa surprise. « Si tu voulais pas faire ça… c'était à toé d'faire une sœur maudit verrat ! »

Il lui tourna le dos et respira bruyamment, puis un premier ronflement lui laissa la voix libre pour se morfondre le temps qu'elle voulait, imaginait des scénarios qui la délivreraient de ce fardeau obsessionnel. Brusquement, le visage du militaire rieur traversa son marasme comme une vacance inattendue et Rose Emma la chassa aussitôt et soupira dans le noir. Elle n'avait pas eu le temps d'analyser l'impact de cette rencontre, bien vite éclipsée par sa crainte d'être enceinte. Ce vertige continuel l'empêchait de rêvasser tranquillement et la gardait prostrée, en attente. La question fatidique avait été posée par son mari, un soir, qu'il sollicitait son dû. « T'es dont ben sensible tout d'un coup ! »

Alors qu'elle échappait une plainte en repoussant sa main de son sein. Le silence de sa femme le fit réagir. Yvan s'étira et alluma la petite lampe à la tête du lit. Il plissa les yeux pour mieux l'observer. « T'es-tu... en famille ? »

Rose Emma guettait les tons de bleu dans les yeux de son mari, essayant de détecter sa toute première réaction. « Ah ben maudit verrat... ! T'es-tu sûre ? »

Il se recula pour enregistrer la surprise et comme s'il s'adressait à lui-même : « mère va être contente... ».

Silencieux, il se rapprocha de sa femme, lui appuya la tête sur son bras. Ils se regardaient et un étrange sentiment de fierté mêlé de stupeur les habitait. Rose Emma essayait de se faire à l'idée alors qu'Yvan entrevoyait le deuil de son adolescence.

Madame Mayer reçut la bonne nouvelle comme une normalité et regardait sa belle-fille comme telle. Selon son raisonnement, n'était-ce pas pour ce rôle de procréatrice que la femme avait droit à un chapitre dans la vie de l'homme ? Le mâle, se complaisait dans son narcissisme en compagnie de ses pairs, le clan, tout en haut de la chaîne humaine possédait ce magnifique pouvoir de répondre à l'appel des ses sens selon son désir et sa convenance et force majeure, le mâle avait besoin de la femelle pour lui assurer une descendance.

« Ne fumait-on pas au salon entre hommes après le repas, discutant de sujets pertinents d'actualité pendant que les femmes potinaient des balivernes en faisant la vaisselle à la cuisine. Partager les tâches d'entretien ne leur traversaient même pas l'idée tant il allait de soi que les femmes se lèvent et fassent le service. N'y avait-il pas des tavernes exclusivement pour eux, interdiction aux femmes d'y entrer ? Des « club houses » également avaient promulgué cette règle tacite, *Gentlemen only, Ladies forbitten* = Golf. Une chambre des communes, composée exclusivement d'hommes votait des lois dans lesquelles les droits testamentaires n'avantageaient que leurs intérêts. Les biens matériels leur étaient acquis pendant et après leur mariage, quelle que soit la raison de la séparation. Le mari, n'en avait-il pas été le pourvoyeur exclusif ? La majorité des sports professionnels de même que la prêtrise se vivaient par les hommes seulement. Pour une opération, l'aval du mari devait apparaître avec sa griffe sur la formule de consentement de sa femme ! »

Pourquoi, Madame Mayer aurait-elle fait du sentiment envers sa bru sur cet événement ? Toutefois, la perspective d'un héritier mâle et les félicitations admiratives des paroissiennes sur le parvis de l'église lui procuraient assurément une attention satisfaisante.

Rose Emma était admise dans le clan des femmes de tous âges, là où les fables et recettes circulaient en circuit fermé, là où l'on perpétuait l'ignorance au détriment de l'éducation et la transmettait aux jeunes femmes intimidées. Elles n'avaient d'autre option que ce rituel et, prier ! Sa mère, émue, la félicita, mais incapable d'un allant spontané vers sa fille, chacune demeura figée devant l'autre. Rose Emma aurait tant souhaité ressentir son assurance que tout ira pour le mieux. Toute la parenté des femmes se mobilisa pour préparer la venue de cet enfant. Le trousseau gonflait au rythme du ventre de la mère. Les femmes tricotaient et brodaient en cœur durant cette phase de productivité invraisemblable. « Jacqueline, arrête de faire des p'tites pattes de laine, j'en ai de toutes les couleurs. Y'aura jamais le temps de toutes les user cet enfant-là.

— Ben d'abord, aimerais-tu mieux que j'y fasse le p'tit gilet qui va avec la bonnette blanche, entrelacée de rubans de soie.

— J'aimerais ben ça, j'y garderais pour le baptême…

— Ta belle-mère, a pas encore sorti son trousseau de baptême qui vaut une fortune. C'est certain que c'te bébé là va voir les fonds baptismaux avec ça sur le dos.

— Oui, mais y'aura ton p'tit ensemble en dessous pour le tenir bien au chaud. La soie, c'est froid, pis y faut qui porte qu'chose qui vient des Levèrs, mon bébé. »

Le sourire affectueux de sa sœur lui rendit son plaisir. Effectivement, durant les semaines suivantes, madame Mayer fouillait dans son vieux coffre de métal et faisait le tri des trésors enfouis dans la boule à mites depuis des décennies. L'ensemble de baptême, enlevé du papier de soie avec beaucoup de précaution, reposait sur la table de la salle à manger. Une longue mante à collerette, un jupon et la robe enjolivés de rubans et de dentelle provoqua un attendrissement puéril quand Rose Emma imagina son bébé naissant paré de la sorte. Elle ravala son émotion car sa belle-mère levait un regard affairé sur elle et stoppa toute effusion. « Y'est tellement beau cet ensemble-là, madame Mayer.

— Le châle est un peu jauni, mais je vais le passer au bleu à laver. »

La femme se parlait à elle-même, examinant la magnifique pièce de laine fine et de fils de soie, jadis tricotée par les mains expertes de sa mère. Ce qui expliquait sans doute le soupçon d'émotion chez la femme de marbre. Rose Emma se risqua et engagea la conversation. « C'est un grand honneur que vous allez faire à notre enfant…

— Les traditions, quand elles se vivent, sont sûres d'être transmises. Mes trois garçons l'ont porté, c'est normal que le premier petit-fils le porte à son tour ! »

Rose Emma n'osa point demander la question qui lui brûlait les lèvres, à savoir, si une première petite fille encadrait sa vision de la tradition, mais elle préféra admirer les rubans de satin piqués en forme de fleurs sur le tissu de lin ainsi que sur la minuscule bonnette, décorée de plusieurs rangées de dentelle plissées tout le tour. C'était la venue d'un petit prince qu'on attendait et le bleu primait sur toutes les couleurs. Quelques articles jaunes contrastaient parmi le blanc et le bleu. Il n'y avait jamais eu aucune trace de rose dans ce coffre…

Yvan remarquait les joues rosies de sa mère s'affairant parmi les barboteuses jaquettes et petites camisoles qu'il avait lui-même portées. Il se targuait d'être la cause de ce regain de vitalité, lui, le dernier fils sans profession, sera le premier à produire un héritier mâle. Grâce à cette naissance, il procurera une grande fierté à sa mère et il sera réhabilité de toutes ces années fainéantes à son actif. Elle l'admirera. Il sera enfin quelqu'un devant elle.

Un soir, dans l'intimité de leur chambre, le futur père plaqua sa grande main sur le ventre de sa femme pour en réitérer la possession légitime. Rose Emma se dégagea du geste qui lui déplut et elle évita de regarder son mari, couronné de l'aura du géniteur fécond. «J'peux pas m'faire à l'idée que j'va être père. Y'm semble, j'suis pas encore assez vieux pour ça. Depuis qu'tu mets des «smocks» de maternité, j'me dis que c'est ben vrai, pis y faut que j'm'y fasse. On n'a pas l'choix à c't heure !

— On dirait que t'es pas si content qu'ça d'avoir un enfant. T'as l'air tellement fier devant ta mère. Si tout va comme prévu, y va venir au monde dans le mois de la fête de ma mère, le mois de Marie. Quand j'pense au jeune vicaire qui m'demandait tout l'temps si j'empêchais la famille. Ça m'gênait parce que j'avais envie d'y dire de s'mêler de ses affaires. Comme si je faisais exprès, pour pas tomber enceinte !

— Maudit verrat que ça passe vite, on dirait que j'ai vieilli tout d'un coup…»

Son visage chercha une explication rassurante ou quelqu'un qui le délivrerait de cette réflexion existentielle. Il réalisait subitement tout l'impact de cette naissance sur sa vie ultérieure. Il éteignit la petite lampe de chevet et se rapprocha rapidement du visage de sa femme. Yvan voulait oublier son futur rôle et se replongea dans celui du mari jeune et fougueux comme son désir, inondant sa femme de baisers enjoués, sans que le ventre pointu ne l'empêche de jouir du plaisir de caresser la peau douce de sa dulcinée. Rose Emma semblait mieux répondre aux ébats de son mari depuis qu'elle était enceinte. Laissant son appréhension attendre son moment, la vie en elle et les baisers de son mari enveloppaient ses craintes et jamais elle ne s'était sentie aussi peu tourmentée que durant sa grossesse.

Il eut été opportun de se poser la question à propos des hasards, existaient-ils? Les événements semblaient avoir reçu quelques tournants de coïncidences. C'était un lundi pluvieux, ressemblant plutôt à une journée d'automne, Rose Emma avait ressenti un serrement dans le ventre s'irradiant dans le bas de son dos. Elle montait une tisane au miel à sa belle-mère, clouée au lit, combattant une grippe qui ne semblait pas vouloir la quitter. Personne n'osait faire une remontrance à Léone, n'empêche, les cloches étaient revenues de Rome sous un froid de canard au matin de Pâques et son manteau de printemps de toile couleur miel porté trop tôt, avait contribué à l'œuvre détestable. La fièvre assaillait belle-maman et après avoir épuisé sa panoplie de remèdes miracles, elle n'avait eu d'autre choix et à contre cœur, elle demanda son médecin justement ce matin-là. Rose Emma s'arrêta au milieu de l'escalier, serra la rampe à s'en blanchir les doigts, respira difficilement, puis elle reprit sa montée lorsque son ventre se détendit. La tête ailleurs et un peu abasourdie, elle entra dans l'immense chambre. «Vous me semblez bien soucieuse ma fille!»

Rose Emma marmonna un non évasif, posa la tasse sur la table de chevet encombrée, se pencha pour remonter les oreillers de la malade. La contraction lui fit échapper une plainte. Tenant son ventre à deux mains, la douleur la cloua sur place. «Bonté Divine…vous? Allez téléphoner… dites à votre mère de s'en venir tout de suite!»

Il avait fallu le visage rougi par la fièvre de sa belle-mère pour que Rose Emma constate l'énervement dans la voix nasillarde de cette femme. C'était la première fois qu'elle ne semblait pas en total contrôle d'elle-même et de la situation. Rose Emma se retira dans sa chambre et s'étendit sur son lit. Elle entendait son cœur battre le silence de la pièce et commençait à entrevoir ce qui l'attendait durant les prochaines heures, avant sa délivrance. Cette vie-là, avait choisi de se manifester dans son univers pour faire d'elle, une mère.

Le médecin examina ses deux patientes, prit le temps de s'asseoir auprès de madame Mayer mère, pour une brève discussion après lui avoir fait une piqûre de pénicilline et par le fait même, l'avertir que sa bru, ayant quelques semaines à l'avance, ne délivrerait qu'en soirée. Ainsi, le docteur Millette, en toute quiétude, avait savouré un bon repas du soir, avait fumé son cigare accompagné d'un porto de prix, calé dans un fauteuil de cuir anglais du grand salon de sa résidence, avant de retourner chez les Mayer.

Rose Emma avait eu droit au masque de chloroforme à l'arrivée du docteur, à la fin du travail, juste avant les poussées ultimes de l'espoir qui furent sollicitées encore et encore. La mère demandait une trêve et réclamait une dernière inhalation et sans avertissement, sa fille se libéra soudainement de son corps! Encore engourdie, elle entendit des pleurs mêlés d'éclats de voix et il lui avait fallu un effort de volonté pour ouvrir les yeux. Un petit visage ridé tout rose débordait du ballot bien ficelé et il s'amenait vers elle. Jacqueline, sa douce petite sœur, lui lava le visage et replaça tant bien que mal sa tignasse trempée de sueur, pendant qu'Yvan pénétrait dans l'intimité de leur chambre. Madame Levèrs plaça le poupon dans le creux du bras de sa fille et elle se retira, émue de partager avec son aînée, la souffrance autant que le bonheur qui y était attaché. Rose Emma interpella son mari aussitôt qu'il s'approcha du lit. «As-tu vu comme elle te ressemble?»

Elle appréhendait la déception sur le visage impressionné de son mari. «T'es correcte pis la p'tite est normale, c'est ça qui compte.»

Rose Emma ne voulut pas savoir si les yeux graves et fatigués d'Yvan exprimaient la joie ou la déception. C'était une héritière qui avait choisi de venir perturber les plans du clan Mayer et la nouvelle maman remercia le ciel de savoir sa belle-mère alitée et surtout, ne pas avoir à lui faire face durant ces moments de grâce! Aucune question n'avait été posée à son sujet. Yvan se sentit de trop dans sa chambre parmi tout ce monde et il se retira en promettant de revenir plus tard. Après les soins post-partum, le médecin quitta le lieu du miracle en le laissant entre de bonnes mains. La mère et la petite soeur le remplaçaient pour dorloter leur héroïne. Rose Emma se sentit bien dans des draps frais, après avoir été lavée et recoiffée. Des petits vaisseaux sanguins avaient cédé dans ses yeux durant les efforts de poussée et lui faisaient un regard d'accidentée. Bien qu'épuisée, mais sous la supervision expérimentée de Cécile, Rose Emma avait nourri sa fille au sein. Après un premier pincement douloureux, le colostrum eut un effet calmant sur la mère et l'enfant. Elles goûtaient ensemble un moment d'intimité unique frôlant le bonheur total, la félicité.

Le nouveau père, très excité, distribua beaucoup de cigares contre beaucoup de traites de bière à l'hôtel. Yvan fêta l'heureux événement. Il était rentré trop saoul pour se rappeler que son frère l'avait ramené et l'avait laissé dans les vaps sur le sofa du vivoir. La nausée le réveilla au petit matin et les aspirines arrivaient trop tard pour soulager son mal de bloc carabiné. Après un bain chaud et une immersion d'eau froide sur la tête, Yvan entra sur la pointe des pieds dans sa chambre et fut décontenancé à la vue du moïse collé sur le lit conjugal. Sa femme et sa fille dormaient profondément. Un frisson le saisit. Faisant marche arrière, il ressortit de la pièce, à demi soulagé. Gardant la main sur la poignée, il refoula une autre tentative, puis il trouva refuge sur un lit impersonnel dans une des chambres d'invités.

En fin de matinée, Yvan traversa le long corridor avec sa fille bien emmaillotée dans ses bras et entra dans la grande chambre clair-obscur de sa mère. Il fit le geste de lui mettre le poupon dans les bras, mais elle se contenta de la regarder en écartant la petite couverture. «Elle a hérité des Levèrs cette petite.»

Yvan répliqua aussitôt. « Elle me ressemble, vous… »

La mère lui coupa la parole. « Je sais. Elle a hérité de ton front jusqu'à la forme de tes sourcils. Je m'apprêtais à te le dire. Il va lui en falloir beaucoup du front d'ailleurs et surtout, il faudra qu'elle soit jolie pour espérer une vie intéressante.

— Vous êtes déçue… »

Il n'acheva pas sa phrase, honteux de l'avoir dite en regardant sa fille dormir paisiblement. Le sourire grimacé de sa mère en guise de réponse, lui demanda un effort considérable. Difficile de cacher ce qui bouillait en elle. Elle se leva et se dirigea vers son lit, lui signifiant que l'entretien se terminait, puis elle se retourna. « Je vois que tu es heureux alors, félicitations mon fils. Au fait, lui a-t-on désigné un prénom à cette enfant ? J'ai réservé l'église pour jeudi après-midi à une heure précise. »

Yvan se sentit bousculer, il recula jusqu'à la porte. « Mère, Rose Emma voudrait assister au baptême de la p'tite. Je pense que dimanche…

— Je ne crois pas que se soit indiqué pour elle de sortir si tôt et puis les autres mères n'assistent pas à la cérémonie du baptême de leur enfant alors, fait le nécessaire auprès d'elle. Dis-lui aussi, j'ai demandé un traiteur…il servira un buffet dans la salle à manger, disons, vers trois heures. »

Elle s'étendit sur son lit et ferma les yeux. « J'en parle à Rose Emma… bon ben, j'vous laisse vous reposer. »

Très mécontent de l'accueil froid de sa mère, Yvan regagna ses quartiers. Rose Emma reprit sa fille et attendait le compte-rendu de son mari. « Bon, ta mère veut pas attendre à dimanche pour la célébration, c'est ça hein ?

— C'est jeudi, à une heure… vers trois heures, y va avoir un buffet dans salle à manger. »

Yvan débita sa leçon sans conviction. Sa femme commençait à rougir. « Attends que j'finisse de nourrir la p'tite, j'ai besoin de calme… »

Yvan se retira, l'air maussade. Rose Emma se sentit les joues en feu tant la colère voulait exploser lorsque, un coup sec, frappé à sa porte, laissa apparaître sa belle-mère sur le seuil, emmitouflée d'une volumineuse robe de chambre aux couleurs écossaises. Elle s'adressa à sa bru d'une voix nasillarde et rauque. « Vous semblez bien récupérer ma fille… »

Fixant la scène de l'allaitement un moment, elle s'arrêta directement dans les yeux de sa bru. « Il vaut mieux procéder au baptême le plus tôt possible. On ne sait jamais ce qui peut advenir en ces temps de fragilité pour l'enfant. Pensez aux limbes ma fille et…il n'est pas de mise de vous présentez à l'église dans votre état. Votre place est ici, à l'abri des courants d'air.

— Madame Mayer, je suis jeune et forte, j'peux… »

Léone lui coupa la parole. « J'insiste, vous devez suivre la procédure traditionnelle. J'espère que vous comprendrez. C'est pour votre bien… au fait, elle tient beaucoup de votre famille, cette enfant. Choisissez-lui un prénom selon votre lignée. »

Elle lui tourna le dos et se dirigea vers la sortie. Rose Emma retira sa fille, endormie sur son sein et la posa en avant d'elle. « Madame Mayer, ma fille comblera pas vos attentes je l'sais, mais j'en suis très fière et j'aimerais décider pour elle. C'est mon rôle de mère. »

Faisant une pause sans lever les yeux vers la femme. « Vous avez eu des enfants. J'suis sûre que vous m'comprenez. »

Piquée par l'assurance soudaine de sa belle-fille et craignant qu'elle ne se dérobe à son autorité, Léone se détourna brusquement. « Sachez ma fille, tant que vous vivrez sous ce toit, c'est moi qui décide dans cette maison. Ne vous mettez pas en travers de mon chemin… alors habillez l'enfant pour l'heure et elle partira d'ici dans les bras de votre sœur porteuse, de vos parents ainsi que son père. »

Malgré le ton autoritaire, Rose Emma la fusilla du regard et lui adressa ce commentaire, teinté de dérision pour masquer sa déception. «Vous n'assistez pas au baptême de votre petite-fille? C'est quand même une Mayer…

— Non ma fille, je suis comme vous… trop faible encore.

— J'suis pas votre fille, madame…»

Belle-maman ne se retourna point sur la dernière réplique de sa bru. Elle sortit, bien appuyée sur sa canne, un accessoire pour renforcer son pouvoir et commander le respect. Elle refit le trajet du long corridor, fixant droit devant, la respiration laborieuse. Bien à l'abri dans son alcôve, Léone se laissa choir sur le bord du lit, inspira de grandes bouffées d'air afin de calmer son agitation intérieure.

CHAPITRE II

LÉONE VALOIS MAYER

Léone marchait les cent pas dans sa chambre tel un animal en cage. En bas, on entendait les tocs répétitifs de sa canne marteler le plancher. Qui se cachait derrière ce visage peu ridé aux lèvres amincies, une courbe descendante se dessinait aux commissures de cette bouche pincée ? Qui habitait ce cœur rébarbatif aux démonstrations affectueuses, dissimulé sous un corps filiforme et sec comme son discours. Si économe de gentillesse. Se pouvait-il qu'une telle tare soit innée ? Ou bien, une blessure cruelle se terrait dans les recoins d'elle-même et la conséquence - bannir tout contact humain chaleureux. La femme érigeait un mur de froidure devant autrui, restreignant toute communication envers les gens autant bien que mal intentionnés. Léone, imposait son autorité dans sa maison sans tablier, jamais. Pour cuisiner, elle enfilait un sarrau par-dessus ses tailleurs noirs, beige ou gris, confectionnés sur mesure dans des tissus dispendieux et des blouses de soie assorties, fermées au cou par une épinglette, distincte pour chacun de ses ensembles. Ils étaient devenus ses uniformes au fil des années et jamais un faux pli, car ses vêtements avaient toujours l'apparence de sortir du presseur. Ses cheveux châtains s'entremêlaient de larges traînées grises, colorant son lourd chignon, ainsi que le long du mouvement ondulé sur le côté droit de son visage. Semblables à certains hommes, ses cheveux grisonnants lui convenaient bien, ils anoblissaient ses traits sous l'aura de la respectabilité. Une poudre de riz trop pâle, un fard à joues trop rose et jamais de rouge à lèvres, la dame le qualifiait vulgaire.

Ses choix de maquillage ne l'avantageaient pas, mais curieusement, c'était cette rigidité dans son maintien qui la vieillissait plus encore. Léone, s'était finalement assise dans sa berçante et discourait intérieurement, tout en se balançant nerveusement. « Fière, ha ! Elle est fière d'avoir eu une fille ! Pauvre naïve, qui croit avoir reçu ce cadeau empoisonné ! Une fille, qu'on va faire instruire à fonds perdus comme on dit, puisqu'elle devra se marier ou devenir le poteau de vieillesse de ses parents. À talent égal, elle sera orientée vers d'autres sentiers que l'homme pour ne pas lui faire ombrage. Institutrice dans un rang de campagne, mais pas inspecteur d'école au village, encore moins commissaire, une profession réservée au mâle. Garde-malade, la coiffe comme couvre-chef, mais pas médecin. Secrétaire de direction tant que tu voudras, mais pas président, ni d'une banque ou d'une entreprise. Le mot patron ne s'accorde jamais au féminin ! »

Un rictus de dérision marqua son visage. « Ces derniers temps, le discours de nos politiciens sollicite fortement les femmes de retourner à leurs chaudrons. Bien poliment, ils utilisent cette insidieuse flatterie pour les sortir des usines. Elles prennent la place des hommes qui commencent à revenir. Merci beaucoup, mesdames ! Retournez à vos torchons et faites une trâlée d'enfants. Une fille perd son nom de famille en se mariant pour endosser celui du mari, sa postérité a toujours eu préséance au détriment de la femme, dont le nom sera de moins en moins prononcé. Un prêtre dans une famille fait envie et l'honneur rejaillit sur tous ses membres, alors qu'une religieuse donne à penser, à priori, que la jeune fille n'étant pas gâtée par la nature, la communauté religieuse devient son dernier refuge plutôt que de rester vieille fille. Sans la joliesse, l'exigence impitoyable imputée à la femelle, elle cause de l'embarras à sa famille qui ne trouve pas preneur pour la « caser ». Sa vaillance et sa pudeur doivent reluire au diapason de sa soumission et constituées les qualités de base pour la jeune fille bien éduquée dans tout foyer respectable. »

Soumission ! Prononcer ce mot, la faisait frémir d'indignation ! Tant d'années, distançaient Léone de sa dernière journée de célibat à la maison paternelle. Le fossile tapissait toujours son cœur sclérosé. Elle se souvenait encore très précisément du regard de cette femme, sa mère, refermant son coffre d'espérance, le contenant de son trousseau. Ensembles et au prix de bien des privations, elles avaient commencé à le broder, le coudre et le tricoter à temps perdu depuis son dixième anniversaire et il allait servir à son esclavage. Les parents n'avaient-ils pas quelque fierté ? Cette femelle n'arrivera pas chez son nouveau mari, les mains vides!

Ces yeux-là, se révélèrent soudainement quand ils s'étaient imbriqués dans ceux de sa fille. Des yeux fatigués par trop de labeurs, trop de fausses couches, trop de temps employé à servir. Trop peu de sommeil et si peu de sollicitude en retour. Ne penser qu'aux autres, résignée jusque dans l'inclinaison du corps fossilisée dans sa démarche, empreinte d'une telle lassitude à force d'abdiquer, de concéder, à force de vivre dans le renoncement et l'ombre.

Léone, la seule fille parmi quatre frères et son père, qu'elle et sa mère servaient comme des esclaves. Le paternel l'avait écartée de son testament puisqu'un mari la prendra en charge. Selon lui, une femme était incapable de s'administrer seule. Et puis, un dimanche après la messe, un homme de quinze ans son aîné s'était présenté. Une connaissance de son père, un bon parti selon ses dires, avait accepté de dîner et durant les semaines suivantes, les cadeaux appâts étaient apparus - des gants de cuir doublés de vrai fourrure - un chapelet en cristal de roche et sa croix en or quatorze carats, bénie par l'évêque au Sanctuaire du Cap-de-la-Madeleine. Peu de temps après, une bague, en or elle aussi, emprisonnant un minuscule diamant, avait précédé la grande demande. Rapidement adjugée par le patriarche, visiblement, très satisfait d'avoir casé sa fille auprès d'une si bonne affaire. Léone, armée de ses dix-sept ans, avait tenté un simulacre de dialogue devant l'autorité toute puissante, soldé par une offensive à découvert de son père. « C'est ben d'valeur ma fille, mais t'as pas c'qui faut comme créature. C'est pas d'ta faute ni d'la mienne pis… t'es trop maigre pour espérer attirer des jeunes coqs. Ça fait que… fais pas la difficile, t'es ben chanceuse que c't homme là !… ».

Le père, mal à l'aise, se détourna promptement du regard de sa fille.

L'humiliation l'avait frappée en pleine gorge si foudroyante qu'aucune réplique n'arrivait de son cerveau figé. Léone restait là, le regard presque insolent et brusquement, elle quitta la pièce. Le désir impératif du sauve-qui-peut et des plans de fuite avait germé, mais devant la mélancolie indicible qui ne quittait plus le regard de sa mère, sa mutinerie s'était consumée dans ce regard-là. Submergée par la honte d'être inadéquate aux yeux de son père, la rage au ventre, elle abdiqua et s'en alla reproduire cette soumission, qu'il lui enfonçait de force dans le cœur auprès de cet homme rustaud qu'elle n'aimait pas.

Tôt un vendredi matin, juste avant les funérailles d'un aïeul de la paroisse, l'échange des anneaux avait été proclamé dans l'église presque vide. L'écho du lieu retransmettait les paroles indissolubles, prononcées comme à la hâte devant le prêtre et quelques personnes étaient présentes pour les entendre. Un inconnu, servait de témoin au mari et le père de Léone, le sourire inhabituel, avait signé dans le livre civil sous le nom de sa fille. La mère de la mariée et ses quatre fils, cordés dans le banc en avant, ébahis, semblaient déconnectés de ce qui se jouait sous leurs yeux. L'intimité de cette cérémonie avait été aussi stricte que des secondes noces l'exigeaient pour un veuf.

La mariée avait eu le frisson jusqu'à la sortie de l'église. On l'avait à peine remarquée, dissimulée derrière un simple voile de tulle, encadrant ses menues épaules. Un tailleur de toile beige accentuait la minceur de la jeune épouse. Seul élément coloré de cet ensemble, un maigre bouquet d'œillets rouges qu'elle tenait des deux mains, lui évitait de prendre le bras que son époux sollicitait. À la sortie de l'église, Édouard l'avait agrippée discrètement par la manche, le temps d'une photographie prise à la sauvette par le témoin inconnu. Une petite salle dans l'hôtel de la ville voisine fut suffisante pour accueillir des invités à la mine triste pour la plupart, attablés devant leur assiette de victuailles, un repas qui ressemblait à celui du condamné plutôt qu'à une réunion joyeuse de mariage.

Le marié, se sentant en frais, avait insisté pour acquitter l'addition. Quand les mariés eurent coupé le gâteau de noces, seule la mère l'avait goûté d'une petite pointe. Le temps des histoires grivoises avait prit le dessus et chacun se relançait pour ne faire rire que les mâles autour de la table en désordre. Les hommes, avaient bien bu et bien mangé, tous inconscients du mutisme observé par les deux femmes assises parmi eux. Léone avait englouti deux coupes de vin presque d'un trait avant de se lever, elle salua sa famille sans les regarder partir et les joues rougies, la mariée ne s'était pas rebiffée quand son mari lui avait fait signe de le suivre. Édouard l'avait fait sienne dans une chambre là-haut et tôt le lendemain matin, Léone, le visage blanc comme une cire, avait pris place auprès de son mari dans ce coursier de prix, attelé de deux magnifiques chevaux et ils l'amenaient vers sa destinée misérable.

La jeune mariée comprit très vite qu'elle ne serait jamais consultée concernant les affaires du mari, il l'écartait sciemment de ses décisions autant à l'intérieur qu'à l'extérieur. Il la considérait ni plus ni moins comme une engagée, nourrie et logée. Elle s'acquittait de tâches bien spécifiques sans recevoir aucun salaire pour son labeur. Quant à son labeur à lui, sa cour à bois de sciage, il la menait rondement. Édouard engageait des saisonniers pour le surplus de travail, achetait de nouveaux équipements de machineries pour le faciliter. Lorsque son plus vieux avait été en âge de porter un seau, elle et l'enfant se débrouillaient avec le roulant de l'étable. Douze vaches laitières à traire et à nourrir matin et soir, le poulailler, la soue des cochons, l'immense jardin, ainsi que l'entretien de la maison, faire la popote, même pour les engagés, la couture et le raccommodage, n'étant aidée que de ses bras. Il fallait ménager, tout était toujours trop cher pour elle ou pour tel accessoire à l'intérieur. Trop chères, les toilettes à l'eau courante dans la maison. Le pot de chambre sous les lits et les toilettes sèches dehors, été comme hiver, ne semblaient jamais devoir disparaître, même si Edouard avait les moyens de se moderniser. Après beaucoup de retard, ses enfants avaient eu le temps de venir au monde, alors Édouard avait installé une moitié de modernisme, un sceau, rempli d'eau était placé en permanence à côté d'une toilette sans réservoir et une baignoire nourrissait toujours l'imaginaire de rêves de Léone, chaque fois qu'elle sortait la grande cuve qui servait aussi pour la lessive. Fallait attendre le bon vouloir du trésorier et il ne consentait pas souvent.

Léone essaya de s'impliquer dans les décisions, mais chaque fois la réponse ne se faisait pas attendre. «Femme, les affaires, tu connais pas ça, pis ça te r'gardes pas. Contentes toé d'faire ta besogne.»

Piètre consolation lorsque ses prédictions s'avéraient parfois justifiées, Édouard prenait bien garde de ne point en reparler devant elle. Léone se souvenait durant la phase la plus pénible de sa nouvelle vie, alors qu'elle découvrait la toute première contraction de son ventre. Elle aidait à rentrer le foin. Édouard lui avait demandé si «ça» pouvait attendre qu'ils finissent de vider la charrette…!

Combien d'humiliations avait-elle étouffées? Combien de larmes ravalées dans l'intimité de son lit vide. Léone savait pertinemment que les ragots bien ancrés dans les mentalités racontaient, qu'un homme couraillait parce que sa femme était incapable de le satisfaire. Édouard, soit disant pour ses affaires, courait effectivement la galipote. Quand il se glissait sous les draps, l'haleine fétide se rapprochait, Léone la sentait dans son cou, empestant le fond de la tonne. Son cœur se soulevait de dégoût et son corps était envahi de haut-le-cœur pendant qu'Édouard s'octroyait un accouplement. Ce jar prospère et sans éducation, se vantait devant d'autres mâles: «Qu'une femme c'était comme des «overalls» fallait mettre «ça» tous les jours d'la semaine ha! ha! ha!»

Au fil des ans, Léone saisissait la profondeur de son bourbier et elle n'espérait plus une quelconque appréciation, ni de recevoir quelques douceurs de la part de cet homme radin, sans éducation. Léone avait dû en faire son deuil et depuis, elle survivait, recluse dans le fond d'un rang, entourée des odeurs de l'abrutissement, exploiter comme une bête de somme et elle devait partager le lit avec une autre bête sur laquelle, elle n'avait aucun contrôle.

Or, sa libération avait prit forme dans son esprit, un soir qu'elle s'apprêtait à se coucher. Le curé avait frappé à sa porte et son visage de circonstance lui avait annoncé avec ménagement : «Votre mari se trouvait en compagnie d'un client à l'hôtel voisine et une douleur aiguë à la poitrine l'a foudroyé. Sans avertissement, il est tombé de sa chaise face contre terre.»

Édouard Mayer, ce grand gaillard costaud dans la jeune cinquantaine et connu de tous comme étant un bon vivant, était mort subitement d'une crise cardiaque. Mort instantanée, selon le rapport du médecin et elle la délivrait de dix-neuf années de travaux forcés !

Le bonheur ressenti à l'énoncé de cette fatalité avait été difficile à feindre, même devant ses enfants. Comment cacher une résurrection intérieure après toutes ces années de renoncement. Une nuit, elle s'était mise à rire devant son petit coffre-fort, ouvert ! Quelle délectation de patauger parmi ses documents légaux, imprégnant son regard dans ce qui lui avait toujours été interdit à elle, sa femme. Découvrir des montants de son avoir l'avait consternée. Submergée par l'indignation, elle l'avait méprisé davantage parce qu'il l'avait privée sciemment, elle et ses enfants, d'une vie plus douce depuis tant d'années. À travers sa terrible hargne, Léone réalisa nettement que : « Sa vie de chien s'arrêtait là ! »

Léone avait écouté attentivement le notaire et maudissait ce sacripant d'avoir fractionné son argent. Bien que des montants appréciables lui étaient disponibles, la totalité des liquidités ne lui reviendrait qu'à soixante ans, si aucun mariage n'était contracté par sa veuve. Sinon, leurs enfants hériteraient à parts égales. Le scélérat lui faisait un croc-en-jambe d'outre-tombe, pour maintenir sa patte retorse sur elle. La cour à bois n'avait cessé de prospérer au cours de son esclavage et bien que le testament stipulait qu'il devait prospérer jusqu'à la majorité de ses fils, elle lui assurait maintenant un revenu fiable et régulier. Elle décida de suivre l'avis du notaire et de la gérer. Léone réajusta le salaire de celui que son mari avait sous-payé, son contremaître. Sans sourciller, Édouard profitait de ses compétences et de son honnêteté, sachant très bien que l'ouvrage était rare et la majorité du village vivait constamment sous ce seuil, oscillant entre la pauvreté et l'indigence.

Victorin L'Abbé reçut ses instructions de sa nouvelle propriétaire et elle le mit en rapport avec son homme de loi. Léone se félicita de se prémunir de cet homme, reconnaissant de lui avoir cédé tous ses anciens lieux de misère pour une bouchée de pain - cette maison maudite et tous ces bâtiments. Elle n'apporta aucun meuble de cet endroit. Tout ce qui l'avait avilie était resté figé à leur place comme des reliques. Seul le nom, désormais collé à son identité, repartait avec elle.

Léone Mayer s'était embarquée à bord du train, entourée de ses trois enfants tous vêtus de neuf de la tête aux pieds. Elle n'apportait qu'un coffre dans lequel de précieuses pièces de tricot ouvragées par sa mère y étaient enfouies, fière de les avoir sauvegardées durant ses années de disette. Léone ferma les yeux aux premiers soubresauts du train pour mieux ressentir l'allégresse de sa renaissance puis les yeux bien ouverts et le cœur gonflé par l'amertume, elle regarda le paysage campagnard courir vers sa fin en récitant ce mantra, martelant constamment sa pensée, sa promesse solennelle : « Je garderai le contrôle sur ma vie jusqu'à ma mort. » Il lui sembla le seul remède pour apaiser sa révolte implosive, enracinée profondément dans son âme.

Elle s'était offerte cette maison en pierres grises, agrémentée de petites lucarnes en son toit de tôle. Un large et profond perron blanc décorait la devanture de cette imposante résidence. Léone l'avait surtout achetée parce qu'elle était dotée de salles de bain sur les deux étages. Un luxe délicieux, inimaginable dans son ancien milieu. Qui avait les moyens de s'offrir la résidence d'un industriel Britannique retourné dans son pays ? Une belle propriété, à prix réduit à cause de la guerre, située sur la rue principale. Les spéculations sur l'acquéreur en avaient surpris plusieurs dans la communauté.

Et contre toute attente, Léone Mayer y demeurait depuis une quinzaine d'années ! La dame se surprenait encore à penser combien le temps filait à toute allure ainsi anoblit d'un quotidien dans l'aisance. Le pouvoir de l'argent avait replâtré sa dignité et Léone s'était jetée dans la lecture, une boulimique assouvissait sa curiosité et son désir de connaissances depuis toujours interdit. Trop longtemps contrainte à la disette de tout ce savoir, elle découvrit les grands peintres et pourquoi nommait-on ceux-ci les impressionnistes ? Les grands auteurs français – Montaigne – Chateaubriand - Balzac et qui était cette femme écrivaine parmi ces hommes ? Seule une française, dotée d'un nom de famille composé comme les nobles, pouvait se permettre une telle entorse dans l'univers mâle, Simone De Beauvoir. Une encyclopédie complète la fit voyager pendant des mois. Son vivoir grouillait de beaux volumes aux belles enluminures, bien rangés dans des bibliothèques de notaire pour les uns, surtout ceux si difficiles à se procurer à cause de la censure religieuse. D'autres tapissaient une partie du mur face à la fenêtre.

Léone s'interdisait tout langage vulgaire autant dans ses manières et la ruse avait consisté à s'approprier la mentalité des plus forts. Ainsi, cette grande femme d'allure frêle, combattait sous ses propres drapeaux, armée comme un homme. Elle taisait le moindre élan de son cœur et le soupçon d'épanchement ou d'attirance envers un aspirant courtisan ravivait son cauchemar d'ancienne esclave. Aucun mâle ne viendra lui ravir ce qu'elle avait si chèrement gagné, même si quelques veufs très en vue, réitéraient leur galanterie envers cette dame dans la cinquantaine encore attrayante et possédant un patrimoine enviable. Sa notoriété s'était concrétisée dans la communauté depuis la rumeur, qu'elle avait un fils évoluant dans le hockey professionnel. Les personnalités de la petite ville l'invitaient à participer à leurs soirées de bienfaisance et les salutations des paroissiennes étaient teintées de déférence même si certaines n'avaient pas droit à un regard. Léone entretenait leur mépris avec délectation.

Le pouvoir ecclésiastique lui vouait beaucoup de respect. À l'église, les Mayer possédaient leur banc réservé en avant et les dons généreux cachetés et adressés directement à Monsieur le Curé pour sa fabrique, faisaient le reste. En été, des roses rouges dans de jolies corbeilles ornaient la nef durant la grand-messe et elles provenaient des plates-bandes de madame Mayer. Peu à peu, elle assistait les deux religieuses dans leurs fonctions de sacristine. Léone entendait bien choisir ses descendants et ils seront tous en situation de pouvoir ayant le bon « genre » et le « nombre » restreint et la société ne leur ravira aucun droit. Léone Mayer n'avait qu'à regarder ses mains noueuses, quoique bien manucurées, son poli à ongles rose pâle masquait le souvenir d'anciens labeurs forcés.

« Fière d'avoir eu une fille… pauvre sotte ! »

CHAPITRE III

LE BAPTÊME

Yvan semblait peu enclin à écouter le discours offensé de sa femme concernant le baptême de leur fille. «Tu devrais faire un homme de toi et lui faire face de temps en temps à ta mère. Tout c'qu'à sait faire, c'est régenter tout l'monde, même si ça la regarde pas. J'veux déménager Yvan. Notre vie, on est capable de la mener comme on veut.»

Rose Emma s'agita sans regarder son mari, trop habitée par la frustration. Yvan lui enleva ses idées et il la remit sur terre. Il la sermonna à la manière d'un mari en autorité pouvait le faire. «Là, y reste deux jours avant la cérémonie! La mére à paye toute entends-tu, on va faire c'qu'à dit. Commences pas à la contredire, pis à mettre la bisbille, j'te l'dis Rose Emma, j'veux pas d'chicane avec elle. Ça fait que, ôtes toé ça de l'idée, on déménagera pas. Arranges toé pour que la p'tite soit prête, pis tu restes à maison. Profites en…»

Rose Emma le foudroya du regard. «Bon, j'suis sous ses ordres ou ben aux tiens! Conclusion, j'ai rien à dire comme d'habitude. Choisis son prénom pis parlons-en plus.

— Arrêtes dont de tout compliquer. Tu dois y avoir pensé de ton côté. On est-tu capable de décider ensemble, han Rose Emma?»

Rose Emma s'était radoucie et péniblement, elle alla s'asseoir sur le lit près de son mari. «Ma mère s'appelle Cécile, j'avais pensé à Marie Cécile, son deuxième prénom et Adriane pour notre fille. Ça me rappelle le nom de mon père, Adrien. C'est eux autres qui sont dans les honneurs… j'suis sûre que ça leur ferait ben plaisir.

— Ouais, tu y'avais pensé, pis tout est songé à part de ça. Adriane… me semble que c'est rare c'te nom là.

— Aimes-tu ça Yvan, dis-le franchement, on peut changer si tu l'aimes pas.

— Non, c'est ben correct de même. À va avoir une histoire autour de son nom. Tu vas amener la p'tite en bas à l'heure, ben parée dans le set de baptême d'la famille Mayer. C'tout un honneur, tu penses pas ma femme ? »

Rose Emma se contenta d'accepter le baiser de son mari, sans lui enlever ses illusions. Elle se retrouva seule et elle s'approcha du moïse, regarda sa fille dormir paisiblement. Elle effleura le petit poing fermé et s'émerveilla devant cette minuscule créature si parfaite. Tout en l'admirant, elle lui confia la révélation de son futur prénom… !

Pendant que les cloches répandaient l'arrivée de Marie Cécile Adriane Mayer dans la famille catholique universelle, en cette journée de printemps quarante quatre, des personnes à la retraite et des enfants grouillants attendaient par petits groupes, l'ouverture des grandes portes. Jacqueline, la porteuse de l'enfant, emprunta la grande allée ayant l'impression qu'elle allait marcher sur la longue robe de la baptisée, replaçait constamment le grand châle sur l'enfant et la petite, très maussade après le déversement de l'eau sur sa tête, lui glissait des bras sous les épaisseurs de soie. Elles s'étaient enfin ouvertes, les portes centrales des grandes cérémonies, au son des cloches joyeuses sous un soleil si radieux, qu'il plissait les yeux de tous les invités à leur sortie. Des paroissiens impressionnés sous leurs sourires figés, s'approchaient timidement, afin d'admirer l'heureuse enfant si bien née. Les principaux acteurs de cette pièce s'étaient engouffrés dans la Cadillac noire de la grand-mère, une limousine quelque peu âgée, mais propre comme une neuve et qui faisait encore envie quand elle déambulait sur la rue principale. Yvan la conduisait avec beaucoup de fierté. Les invités étaient moins nombreux sur semaine et monsieur le Curé répondit lui aussi à l'invitation des Mayer, non sans avoir délégué sa tâche à ses aides, ne serait-ce que quelques heures.

— La maman, en haut dans sa chambre, terminait sa toilette et la grand-mère de cette enfant était déjà assise sur le grand sofa de velours bourgogne au grand salon. Elle était vêtue d'un tailleur de toile de lin naturel et blouse de soie maïs. Le collier de perles remplaçait l'épinglette usuelle car la circonstance était extraordinaire, au beau milieu de la semaine. Même des bouteilles de vin pétillant gisaient dans une grande cuve remplie de glace et la table agrandie, débordait de victuailles. Un monsieur tout de blanc vêtu, recommandé par le fils prodige, faisait le guet. Il examinait et replaçait nerveusement quelque chose parfaitement à sa place en attendant les invités.

La porte d'en avant s'ouvrit brusquement sur les cris et les pleurs d'une enfant affamée, réclamant sa pitance sur-le-champ. Alors Jacqueline la porteuse s'abstint de faire escale au salon et monta précipitamment l'escalier. Elle remit à la mère, une petite fille trempée de sueur et rouge de colère et de faim. Elle-même, en nage et fatiguée comme si elle revenait des travaux forcés, s'affala sur le bord du lit et l'aida à éplucher cette enfant des épaisseurs de soie qui la retenaient prisonnière. Oh, combien bienfaisant ce silence pour les tympans quand Adriane agrippa le sein de sa mère ! Maman retroussait les cheveux trempés de sa fille et la berçait tendrement. Les deux femmes la regardaient se sustenter en profitant de ces instants d'intimité entre elles.

Rose Emma causa un silence momentané lorsqu'elle apparut au milieu du grand escalier, vêtue d'une longue robe d'intérieur de satin amandine, le haut surpiqué de velours ton sur ton, dessinait un arrondi sur le devant qui se répétait dans le dos. Des manchons de marabout terminaient la large manche trois quart. Des peignes de nacre retenaient ses cheveux remontés de chaque côté de son visage et le long « page boy » retombait jusqu'au milieu de son dos. Un léger maquillage faisait oublier ses yeux encore un peu rouges, mais l'éclat de ce regard gris teinté de vert tellement lumineux attirait l'attention. Elle fut accueillie sur la dernière marche par un mari ébloui. Il lui tendit une flûte de champagne et ne la quitta point des yeux pendant qu'il remplissait les coupes. Le premier toast fut exprimé par Yvan - il leva sa coupe à la beauté de ses deux femmes et tous répondirent à son énoncé en approuvant. Rose Emma n'y trempa que le bout des lèvres tout en cherchant sa belle-mère d'un œil distrait, car la dame s'était éclipsée aussitôt que sa belle-fille avait mis le pied dans l'entrée du grand salon. Yvan la dénicha à la cuisine donnant quelques ordres avant le brunch. Il l'entraîna au salon et lui fit part d'une demande. «Mère, je vous demande votre bénédiction au nom de mon défunt père. Il aurait été honoré par ma demande de bénir les enfants de sa lignée.»

Prise au dépourvu, Léone ne s'attendit nullement à une requête, ramenant le souvenir de ce mari fantôme. Elle s'avança vers eux tout en reprenant contenance. «Vraiment? Après tout…si tu y tiens.»

Léone minimisa la demande du fils pour se donner le temps de réagir adéquatement devant des personnes pendues à ses lèvres. «Sans remplacer aucune des âmes disparues, je suis ta mère et c'est en mon nom que j'accède à ta demande.»

Elle se retourna vers le Curé. «Je vous prie d'authentifier mon geste par votre bénédiction monsieur le Curé.»

Monsieur le Curé acquiesça d'un signe de tête. Léone posa sa coupe et se retourna sur une assemblée silencieuse attendant le dénouement imminent. «Mon fils, Yvan Mayer, et ceux qui portent ton nom, faîtes la volonté de Dieu, éduquez vos enfants dans le respect des traditions familiales et transmettez les valeurs chrétiennes de notre foi. Ainsi soit-il.»

Elle fit le signe de la croix et l'«Inomine patris» du prêtre au dessus des deux têtes, termina le rituel devant des invités impressionnés autant que le fils, visiblement atteint. Rose Emma ne manifesta point d'élan vers sa belle-mère. Toutefois, devant son monde, Léone s'approcha de sa bru et entrechoqua sa coupe et la défia subtilement du regard. Rose Emma frappa d'un coup sec celle de sa belle-mère, celle-ci cligna d'un œil, trop surprise par la vitesse du geste. Léone la porta à ses lèvres et elles ne se quittèrent pas des yeux. Rose Emma céda la première en souriant et elle délaissa sa coupe sur une table puis, elle se détourna lentement et se dirigea vers ses parents.

Les invités, impressionnés par ce menu élaboré, dissimulaient maladroitement leur ignorance sous des regards de connaisseurs devant les endives farcies au saumon fumé et visiblement, redoutaient les feuilletés d'escargots. Rassasiés de petites sandwichs de couleur sans croûte, émerveillés devant le gigantisme gâteau à deux étages tout blanc, un archange par l'envergure de ses ailes, le surplombait au sommet du dernier étage. Moelleux et délicieux, tous lui avaient fait honneur et les invités quittèrent la table des gourmandises et se déplacèrent par petits groupes sur la grande galerie. Les hommes avaient délaissé leur veston. Assis en manches de chemise sur le bras des montants dentelés de la galerie, ils fumaient et jasaient en profitant de l'ombre dispensé par le grand saule dominant la cour arrière. L'on trouva naturel de vouloir s'amuser en cette journée de réjouissances et des partenaires de bridge s'agglutinaient autour de la table du solarium. Des moustiquaires en faisaient le tour et le maintenait toujours frais. Madame Mayer fit équipe avec Monsieur le Curé qui raffolait de ces réunions conviviales. Les Levèrs, considérant le bridge compliqué, optèrent pour une partie de «cinq cent» dans la cuisine à l'intérieur. C'était de loin le groupe le plus bruyant, les rires et les éclats de voix s'entendaient constamment tandis que d'autres sursautaient à la table du solarium. Des gens guindés pratiquaient l'exercice des «snobinards» c'est-à-dire, savoir dissimuler toute démonstration de plaisir, en affichant un air détaché sur leurs cartes.

Rose Emma s'excusa auprès de quelques invités et s'éclipsa dans sa chambre pour une sieste très attendue. La tension nerveuse qu'elle venait de vivre en plus de la précarité de son état, l'avait épuisée. Yvan entra dans leur chambre alors qu'elle venait juste de s'étendre sur son lit. Il demeura au pied du lit et regardait sa jolie épouse qu'il n'avait pas touchée depuis un bon moment. Yvan s'approcha et s'étendit près de sa femme, la tête appuyée sur son bras, il restait près d'elle, immobile. Rose Emma leva ses yeux de chat vers lui et l'attira en sollicitant un baiser et pour la première fois, elle amorça l'avancée de câlineries sans que le mari ne s'en plaigne. Quelque peu surpris, Yvan avait été d'une docilité remarquable. Un peu plus tard, quelqu'un frappa à la porte et réclamait leurs présences, car des visiteurs tardifs venaient d'arriver. Yvan descendit le premier et accepta les félicitations du mari de Jacqueline. Louis lui présenta son jeune frère André et Rose Emma arriva sur l'entre fait. «Ah, Rose Emma, j'ai pas pu aller à l'église, c'est difficile de manquer d'ouvrage, mais personne m'aurait empêché d'venir vous féliciter. On va-tu la voir c'te belle enfant-là? »

Voyant sa belle-sœur figée, Louis reprit un peu mal à l'aise. «J'pense que t'as rencontré mon frère, une fois chez nous. »

André s'avança vers elle, lui tendit la main. Rose Emma demeura immobile, elle se déroba subitement et leur offrit des breuvages pour faire diversion. Yvan s'interposa. «Laisses faire ça ma femme. Viens t'asseoir… »

Elle se laissa guider et s'affala sur la causeuse, essayant de masquer sa gêne lorsque sa belle-mère apparut derrière les deux hommes. Sans se lever, Rose Emma l'introduisit. «Madame Mayer, je vous présente André le frère de Louis. Il revient des vieux pays. »

Gardant une distance suffisante pour éviter la poignée de main, la dame fit un petit geste de la tête. «Vous êtes militaire…une mauvaise époque pour servir n'est-ce pas ?
— En effet madame, mais heureusement c'est terminé pour moi. »

Elle fut brève et s'éclipsa en voyant le Curé demander son paletot. Les obligations l'attendaient à l'église et Léone lui emboîta le pas en marmonnant à voix basse quelques secrets tout près de l'oreille de son auditeur. Rose Emma regardait ces deux silhouettes s'éloigner et l'image d'un couple lui traversa l'idée. Elle s'empressa de la chasser en souriant à l'invraisemblance. D'autres invités commençaient à imiter Monsieur le Curé. Rose Emma en profita pour remonter dans son alcôve et rejoindre sa fille. Quelques minutes plus tard, Jacqueline monta lui dire «au revoir». La grande sœur nourrissait Adriane sans trop la regarder, habitée par un mal être culpabilisant. Rose Emma espérait que Jacqueline n'avait rien perçu de sa maladresse en présence d'André. «Excuses-moi auprès des autres Jacqueline, veux-tu? J'suis tellement fatiguée, j'en peux pus.»

Puis les larmes jaillirent doucement, dessinant deux sillons bien droits sur ses joues. De sa main libre, elle arrêtait leurs progressions et Jacqueline lui tendit un mouchoir et la laissa tranquille. Elle pressentait un drame dans le cœur de sa grande sœur qui demanderait de l'amour inconditionnel et elle était prête à le lui donner le moment venu. Yvan arriva brusquement. «Je t'ai cherché partout! Pourquoi, tu m'as pas averti que tu t'en allais en haut? T'avais l'air drôle devant Louis pis son frère.»

Voyant les yeux encore humides de sa femme. «Y'a-tu qu'chose qui va pas?
— Je l'ai dit à Jacqueline ça fait pas deux minutes, j'suis fatiguée, c'est toute. Ça fait quatre jours que j'aie accouché pas quatre mois.
— Je l'sais… c'est pas un reproche.

Rose Emma reprit : «Faut que j'm'occupe de la p'tite, pis après j'vais m'coucher Yvan. T'es pas obligé de rester avec moi. Tout ce que j'veux c'est dormir.»

Il l'embrassa sur le front. «Bon, je r'viendrai plus tard. J'vais aller prendre une bière avec les mâles d'la famille.»

En sortant de la chambre, il se sentit comme un enfant ayant eu la permission de rentrer plus tard. Quant à Rose Emma, elle était presque soulagée de la décision de son mari et désirait se retrouver seule avec elle-même. Réfléchir ou ne pas réfléchir, pour le moment, elle se vidait la tête en se concentrant sur sa fille qui profitait pleinement de son lait. Lorsqu'elle fut seule, elle demeura prostrée dans son lit, les yeux grands ouverts dans le noir, essayant de comprendre tout en s'haïssant en même temps. Pourquoi cet émoi sans aucun contrôle devant cet homme-là ? Qu'est-ce qui lui prenait de perdre tous ses moyens devant lui ? Rose Emma refusait la réponse de son cœur et il n'était pas question de s'avouer la vérité alors qu'elle venait d'avoir cette enfant et par cette naissance, elle arrivait dans ce monde d'adulte plus assurée.

Elle commençait seulement à se sentir vivante parce qu'elle se savait indispensable pour Adriane. Plus femme aussi, il lui était encore difficile d'expliquer ce qu'elle avait entrepris envers Yvan, quelques heures plus tôt. De même, qu'elle était très certaine d'aimer la responsabilité qu'impliquait cette petite fille. Un peu moins tourmentée par ses démons, quelques nuages noirs s'éclipsaient aléatoirement. Un peu de bleu se dessinait dans son intériorité et il ne lui procurait pas le bien-être souhaité puisque son cœur lui désobéissait impunément. Glissant dans le sommeil au milieu de ses questionnements et n'ayant aucune réponse factuelle, elle n'eut qu'une vague impression d'agitation du lit lorsque Yvan s'y glissa sur le tard, sans déranger sa femme.

Le lendemain matin, sous l'œil soupçonneux de Léone, madame Guérard oeuvra sans relâche pour replacer, laver planchers et vaisselle, si bien qu'en fin de matinée, la maison avait retrouvé son aspect habituel. Chaque chose à sa place. Yvan était encore couché. Il s'était accordé un congé, car la veille avait été très dûment fêtée. Rose Emma était descendue tôt pour prendre son déjeuner, le percolateur avait répandu l'odorante invitation jusqu'en haut. Adriane bien repue de lait maternel et bien emmaillotée, dormait sur l'épaule de sa mère. Rose Emma dégustait son café lentement, lorsque madame Mayer se présenta à la table ayant le maintien ferme dans son tailleur noir. Elle s'attabla sans la regarder. «Merci pour le festin que vous avez offert à Adriane. Yvan était ben content aussi. Une réception bien réussie qui a dû coûter cher.

— La question de l'argent me regarde. J'ai une réputation à soigner ma fille et tant mieux si vous avez apprécié, même si votre choix vestimentaire laissait planer quelque volupté non de mise pour la circonstance.»

Son visage sévère s'accentua et ses yeux froncés n'annonçaient rien de bien gentil. «Allez donc coucher cette enfant dans son berceau. Ne lui donnez pas de mauvais plis et cessez de circuler si tôt dans votre convalescence…ne venez pas vous plaindre si vous avez des problèmes à relever forte.»

Rose Emma se contenta de s'extraire lentement de sa chaise et tenait sa fille sur son épaule d'une main et son café de l'autre main. Elle remonta dans son gîte le cœur morose. «Non, tu pleures pas à cause d'elle» pensait-elle. Elle déposa le poupon sur le lit et réveilla son mari plusieurs fois avant de le voir enfin debout. Une fois, sa toilette, presque terminée. «Yvan, j'ai besoin d'un p'tit salon en haut pour moi et Adriane. C'est très malcommode de descendre tout l'temps en bas. J'aimerais ça avoir ma place en haut pour me reposer tranquille. J'veux l'avoir le plus vite possible parce que c'est là que j'en ai le plus besoin, comprends-tu?

— Ouais…ça réveille son homme en pas pour rire. Ben, j'vas r'garder ça avec la mére…

— Aujourd'hui Yvan, t'as juste à déménager la chambre à côté, pis j'vais m'amuser à la meubler… c'est pas compliqué.»

Yvan se retourna brusquement vers sa femme et la dévisagea l'air dérangé. «J'viens te dire que j'vas en parler à la mére. Verrat, tu peux attendre un peu, j'peux pas croire.»

Rose Emma lui fit signe de baisser le ton et sortit de la chambre, désemparée. Elle ne savait pas dans quelle pièce se réfugier. Tant d'espace et se sentir si à l'étroit dans cet univers qu'elle n'avait pas choisi et, sans penser à rien d'autre que son besoin essentiel, elle descendit l'escalier et entra dans le vivoir de sa belle-mère. Celle-ci était occupée à lire les cartes de vœux, qu'elle-même, n'avait même pas entrevues. Essoufflée et très anxieuse. « Madame Mayer, j'ai une faveur à vous demander. »

Sans attendre si son auditrice était prête à l'écouter : « J'ai besoin d'un p'tit salon en haut, du moins une place pour me reposer. C'est très fatiguant l'allaitement… ça m'rendrait ben service si vous pouviez dire à Yvan de faire le déménagement de la pièce à côté de notre chambre. De même, j'pourrais entendre la p'tite pleurer… »

Sa belle-mère daigna lever les yeux vers elle, interloqué par son aplomb, mais sans le lui laisser paraître. Elle se leva et commença à circuler sans répondre. Rose Emma s'était assise sur le bout de la chaise sans bras de satin vert menthe. Ses jambes tremblaient encore de sa stupide audace. Madame Mayer lui fit face et Rose Emma se leva aussitôt, craignant le verdict. « C'est votre choix de la nourrir. Faites donc comme la plupart des femmes… donnez-lui une bouteille et du bon lait de vache… c'est ce qu'il y a de meilleur pour l'enfant. Quoi qu'il en soit, puisque vous semblez persister… il y a un Récamier entreposé dans le grenier et… je vous octroie le buffet du solarium. Pour le reste… »

Madame Mayer retourna à ses cartes et Rose Emma esquissa un merci et s'empressa de disparaître avant qu'elle ne change d'idée. Soulagée, le cœur battant la chamade, elle se sentit fière d'avoir bravé ses peurs et surtout d'avoir été capable d'exprimer son besoin devant sa belle-mère. En fin de journée, elle regarda son mari, revêtu de son air des mauvais jours, monter et descendre l'ameublement alloué avec l'aide de son autre frère. Elle l'avait sollicité elle-même ce vivoir. Yvan ne se posait pas de question ou était-il trop heureux que la question justement ait été réglée, sans devoir intervenir personnellement.

Rose Emma s'était aménagée une pièce bien à elle, confectionnait des coussins de velours et de satin de toutes les grandeurs parmi les retailes de tissus, entassées dans l'armoire de sa belle-mère. Elle en semait partout

- sur le deux places pour se l'approprier entièrement - sur la berçante de bois vernis, son père la lui avait apportée et par terre, afin d'égayer les catalognes rayées grises et blanches qui recouvraient les lattes de bois foncé du plancher. Un petit buffet vitré, enjolivé de petits linges de bébé et le berceau des Levèrs, tout près de la berçante, créait une atmosphère appropriée à la pièce. Son père avait réussi à faire fonctionner leur vieil appareil radio et quelques livres. Elle en fit sa tanière personnalisée, s'y reposait, pensait, berçait et nourrissait sa fille. Elle descendait pour les repas qu'elle choisissait de prendre. Madame Mayer ne s'y arrêtait jamais. Elle se dirigeait vers son immense chambre, disciplinée, telle une sœur cloîtrée vers sa cellule. Les deux femmes s'entrevoyaient, mais se parlaient rarement.

Yvan n'aimait pas trop la tournure du quotidien de sa femme, il se sentait à l'étroit dans cette pièce et il évitait d'y rester trop longtemps. Un soir pourtant, il la questionna. «Fais un effort ma femme, tu passes ton temps à t'enfermer avec la p'tite. Ca fait un mois que tu t'renfermes. La mére se plaint qu'à la voit pas notre fille... à peut pas s'attacher si à la connaît pas. Avoir su, c't'appartement-là aurait jamais vu le jour. Tu dois être assez forte pour descendre pis prendre les airs d'la maison à c't'heure.

— Pourquoi, faut toujours que ça soit moi, qui fasse l'effort. Elle sait où est-ce qu'elle est sa petite fille. Qu'à vienne la voir... je l'empêche pas.

— Rose Emma... t'es comme un ermite maudit verrat ! Y'a pas moyen de t'faire sortir, même ta sœur aime pas ça de t'voir renfermer d'même. Y'est temps que tu commences à vivre parmi l'monde... j'veux que tu descendes en bas à tous les jours avec la p'tite. Y faut que la mére apprenne à la connaître notre fille.

— C't'un ordre?

— Oui, c'en est un maudit verrat ! Tu y dois le respect à c'te femme-là. Commences par faire un effort, tu critiqueras après. Ça commence demain matin. J'sors... j'étouffe dans ta tour d'ivoire. »

Yvan sortit en trombe et descendit les marches d'un trait, elle entendit la porte moustiquaire de la cuisine claquer. Il ne savait pas ce que c'était de vivre en invitée chez une étrangère, alors que sa tour d'ivoire l'avait aidée à se ramasser intérieurement et trouver la force de prendre soin de sa fille et d'elle-même. Elle ne s'était pas rendue compte de son isolement parce qu'elle se sentait enfin chez elle dans ce minuscule studio, à l'abri des énergies hostiles gravitant tout autour. Le mari rentra tard, elle fit semblant de dormir quand il s'approcha et la toucha, insista et Rose Emma consentit en compensation de son besoin de tendresse. Un câlin, un sourire d'appréciation, aurait été la touche magique pour goûter pleinement les ébats sexuels du mari. Un matin, Rose Emma se raisonna et descendit la tête pleine de bonnes intentions. «Bonjour grand-mère, Adriane vient vous saluer et prendre quelques minutes de votre précieux temps.»

Il était huit heures du matin et la voix se voulait enjouée, mais détonna dans l'écho de la vaste cuisine. Madame Mayer prenait son déjeuner en compagnie de l'horloge à battants qui, tel un glas, finissait d'imposer ses huit «gongs» pour bien compter toutes les heures. Heureusement, il faisait soleil! «Bonté divine, vous avez le changement radical ma fille! Ah, cette enfant a bien profité à ce que je vois. Vous, vous êtes souvenue qu'elle avait une grand-mère!»

Rose Emma se servit un café et s'attabla au bout opposé de sa belle-mère et jouait avec les petites mains d'Adriane. «Sa grand-mère Levèrs l'a vue ma fille sans que ça fasse toute une histoire… c'est vrai qu'elle se déplaçait. Mes sœurs aussi sont venues la voir…»

Madame Mayer croqua dans sa toast de confitures faites maison, la dent tranchante. «Je n'ai pas à quémander pour voir cette enfant dans ma propre maison. Soyez plutôt reconnaissante de pouvoir vous en occuper libérée de ces tâches ingrates imposées à la femme. Je vous ai épargné, alors vous pourriez m'amener ma petite-fille de temps en temps, au lieu de vous montrer arrogante.»

Sa voix n'admettait pas de résistance et pourtant, Rose Emma ne l'entendit point et lui renvoya sa réplique comme si elle se parlait à elle-même. « C'est pas normal de vivre de même. Si j'avais un chez moi comme tout l'monde, la question ne se poserait pas. »

Fixant sa belle-mère droit dans les yeux : « J'ai pas eu l'choix. C'est vous qui avez tout décidé, pis votre garçon vous a écouté à la lettre. Pourquoi j'ai accepté ça !

— Il est tard pour vous en apercevoir, alors cessez vos jérémiades et faîtes comme toutes les femmes mariées, soumettez-vous. »

Le ton glacial de sa belle-mère la laissa sans voix. Parfois, au contact de cette femme, Rose Emma avait cette impression de danger. Elle prit sa fille et se dirigea vers l'escalier et comme si sa petite pouvait la comprendre : « On s'en va respirer du bon air. Oui ma fille, on sort ensemble aujourd'hui… »

Rose Emma reçut l'écho du silence, mais une petite joie venait de l'envahir en regardant sa fille lui faire un vrai beau sourire.

C'était une première de sortir seule avec sa fille qui se prélassait dans le carrosse. Rose Emma respirait le bon air et courait presque chez sa sœur tant sa joie la transportait et elle fut bien obligée de s'arrêter au parc pour se reposer un peu. Elle comprit qu'il était grand temps de sortir et de vivre autre chose que la colère refoulée au contact de cette belle-mère. Elle prit la résolution de parler à Yvan calmement au sujet de leur situation. L'accueil de sa sœur chassa ses idées noires. « Hello ma grande sœur, c'est bon de t'voir enfin sortit de ta bulle ! Laisse-moi prendre ma nièce. Oh, t'as encore changé toi. »

Adriane dormait et se laissait donner des bisous par sa tante, retroussant sa petite bouche. Elles s'installèrent à l'intérieur, car le repas de mademoiselle approchait. Pendant que Jacqueline lui faisait une place bien douillette, Rose Emma, spontanément, prit sa sœur par la taille et lui confia. «T'es ben importante dans ma vie ma p'tite sœur.»

Jacqueline lui frotta le dos en guise de réponse et pendant qu'elle nourrissait, le silence teinta le salon d'intimité. Rose Emma leva les yeux vers sa sœur et articula à mi-voix : «Qu'est-ce que j'vais faire Jacqueline! J'peux pus la sentir c'te femme-là. J'en ai peur, pour gagner pis avoir le dernier mot, est capable de toutes les méchancetés!

— Voyons ma sœur, j'admets que la madame est difficile d'approche, mais j'penserais pas qu'à t'ferait du mal volontairement. Yvan lui qu'est-ce qui pense de ça?

— Yvan, pauvre toi! Y prend toujours pour elle. C'est moi le tampon. Pas d'chicane, c'est ça qui veut en premier. Pis on dirait qu'y s'défile chaque fois que j'veux en parler. Y'a jamais le temps, pis y rentre souvent tard. Y'a ben des soirs que les pieds y accrochent à l'hôtel. C'est drôle, j'pensais qu'on serait plus souvent ensemble avec la p'tite. C'est tout l'contraire, on s'voit le soir au souper pis à noirceur quand y m'réveille pour… eh, que j'aimerais dont ça avoir mon logement comme toi!

— C'est ben pour dire, nous autres on t'trouve ben chanceuse de vivre dans c'te belle maison-là, pis toi, tu m'envies de vivre dans un logement qui nous appartient même pas. Sapristi! C'est à n'y rien comprendre. On dirait qu'on aime ça se compliquer la vie.»

Elles s'installèrent dans la balançoire après avoir partagé un dîner fait de jambon, de salade de pommes de terre que Rose Emma aimait tant, de la laitue en feuilles et des échalotes bien arrosées de crème fraîche, de bons légumes provenant du petit jardin serre de sa sœur. Elle profitait de cette vacance, heureuse de s'imprégner de cette ambiance chaleureuse. Une délicieuse sensation, qu'elle savourait pleinement. Prenant un ton anodin, du moins le pensait-elle? «Ton beau-frère es-tu retourné d'l'autre bord? Ça finit pus c'te maudite guerre-là!»

Jacqueline esquissa un p'tit sourire. «Ben, officiellement y est encore militaire. Y part je l'sais pas trop où pour finaliser sa sortie, j'pense.

— Comme ça, y est encore en ville. »

Jacqueline, regarda sa sœur intensément. « Rose Emma ne cherche pas à l'voir tu vas t'en repentir. Ta vie est enclenchée autrement.

— Voyons, qu'est-ce qui t'fais penser ça ? J'm'informe c'est toute.

— Je t'aime beaucoup Rose Emma et j'te connais, oublies-le. »

La voix de Rose Emma s'enroua d'émotion. « Jacqueline, qu'est-ce qu'y est venu faire dans ma vie han ? J'sais rien de lui, même pas si y ressent un p'tit qu'chose pour moi d'abord.

— Pourquoi tu penses qu'y s'en va loin pour un bout d'temps ? »

Subitement, les joues de la grande sœur s'empourprèrent et le regard brillant, elle agrippa les mains de sa sœur. « Tu peux pas savoir comme j'voulais pas ça. Il s'imprègne on dirait, contre ma volonté. Je l'sais pas comment t'expliquer ça… y m'attire tellement… ça m'envahit comme un éclair, pis j'en deviens ridicule. »

Rose Emma baissa les yeux, mal à l'aise d'avoir exprimé son sentiment spontanément. « Jacqueline, tout l'temps que j'ai porté la p'tite jusqu'à aujourd'hui, j'te jure que j'ai repoussé toutes les pensées qui m'ont traversée à propos de lui.

— Rose Emma t'as pas à t'justifier devant moi, j'te connais. Prends le temps de vivre une journée à la fois, profites de ta fille c'est elle qui compte le plus pour le moment. T'auras ton heure pour réfléchir à tout ça.

— J'veux pas y penser justement, mais c'est là, en moi on dirait. J'ai tellement de peurs de tracasseries en dedans, j'veux pas avoir l'impression de tromper Yvan pis, en même temps, j'ai juste le goût de m'sauver de c'te place-là. J'suis tellement mêlée des fois que j'ai envie de dormir le plus longtemps possible pour stopper la machine à penser. C'est toute là, dans ma tête !

— La déprime après un accouchement, c'est un peu normal, profites-en pour sortir. Faudrait que tu sortes avec ton mari à c't'heure que t'es relevée. Changes-toi les idées pis tout va s'éclairer.

— Ça m'fait du bien de t'en parler, j'me sens moins coupable, pis j'sais que ça va rester entre nous. »

Rose Emma revenait chez elle plus lentement et plus calme. Elle se sentait moins embourbée intérieurement et ses confidences exprimées à sa sœur l'avaient soulagée. Elle avait osé nommer son sentiment envers André, sans se sentir juger et maintenant, c'était écrit quelque part, ailleurs, que dans le secret de son cœur. Elle se promettait de parler à Yvan de leur couple et de lui proposer des sorties à deux. Elle entra par la cuisine et retrouva une maison déserte. Belle-maman était absente. Rose Emma commença à se promener dans toute la maison, entrait dans toutes les pièces, tenant sa fille sous le bras. Elle s'appropria tout l'espace même le vivoir de sa belle-mère, allant jusqu'à se prélasser dans son fauteuil près de la fenêtre. Elle berçait Adriane en chantonnant et elle se sentit bien tout à coup, s'imaginant l'épouse des lieux. Ne plus se sentir dans un placard et ne plus craindre les commentaires malveillants. Pouvoir rire aux éclats, chanter, se courir partout. Soudain, elle entendit la porte du vestibule alors qu'elle se prélassait encore dans le fauteuil interdit. Rose Emma sortit en vitesse et n'eut pas le temps de s'éclipser, réussit à se rendre au pied de l'escalier et se retourna pour saluer sa belle-mère. « Je viens d'rentrer moi aussi. Voulez-vous de l'aide pour le souper ? »

Belle-maman jeta un œil soupçonneux en direction de son vivoir et tout en enlevant son manteau. « J'ai quelqu'un qui entretient ma maison, mais personne ne se mêle de mes chaudrons.

— Bon, j'descendrai plus tard dans c'cas-là. »

Serrant les dents, elle monta les marches et soudainement, elle bécota sa fille pour faire fuir les mauvaises vibrations qui voulaient entrer en elle. Yvan rentra en salopette de travail, le visage et les mains noircis d'huile. Sa mère rouspétait de le voir ainsi, sa femme, elle, lui trouvait une attirance qu'elle ne s'expliquait pas. Sa barbe d'une journée lui donnait un air plus viril. Rose Emma était amoureuse de ce visage aux traits si bien définis et contemplait cet adonis quand il se trouvait à distance. Elle aimait le regarder blanchir sous ses yeux pendant ses ablutions et il appréciait un public pour l'admirer. Ces soirs-là, ils descendaient souper légèrement en retard.

Dans l'intimité du lit, Rose Emma tenta de lui exprimer son urgent besoin et ce à quoi elle aspirait avec lui. « Yvan, penses-tu que c'est normal de vivre comme si on était à l'hôtel sept jours sur sept ? J'aimerais ça te faire ton souper pis faire mon ordinaire comme toutes les femmes. T'attendre pour manger ensemble, juste nous deux. T'aimerais pas ça avoir ta vie juste pour toi ?

— Je l'sais… c'est pas facile, mais tant que mère va avoir besoin de moé, j'peux pas la laisser tu seule dans c'te grande maison-là. On est pas si mal icite Rose Emma, t'as tout le confort, ta salle de toilette, ton fameux vivoir, pis tu t'occupes juste de la p'tite. Y'en a ben qui t'trouves chanceuse savais-tu ça ?

— J'te parle de moi Yvan. Pourquoi qu'à l'vend pas c'te grand fantôme-là. On peut vivre dans plus petit. Hein ! Pis tu pourrais t'en occuper pareil de ta mère. J'fais des efforts ben des efforts pour m'entendre avec elle, mais j'ai mes limites moi aussi, comprends-tu ?

— T'as l'don de m'demander la seule chose que j'peux pas te donner. Je l'fais pour me mettre au monde. J'veux de quoi en dessous des pieds comprends-tu ça ? J'veux pas travailler dans graisse toute ma vie. Albert, c'est à lui l'garage, y'est parti pour faire un vieux garçon. Y'en a de pilé lui… pis notre vedette… c'est pas des farces, Jean-Marc le conquérant ! Y'est parfait lui. Demandes toé pas lequel de nous trois qu'à l'aime pis, qui la comble le plus, elle pis son standing ! Y suffit qui s'montre la face pour qu'à prenne sa voix du dimanche pis qu'à sorte ses sandwichs pas d'croûte. Moé, j'suis icite à temps plein pis…verrat, y'est pas question de déménager Rose Emma.

— Bon, parlons-en pus, ça donne rien. »

Le visage d'Yvan s'éclaira. « On pourrait prendre des vacances vers la fin de l'été. Aimerais-tu ça aller en Gaspésie ? Y paraît que c'est ben beau c'te coin-là. »

Rose Emma le savait qu'il lui faisait des accroires pour amenuiser sa déception. Sa croix semblait bien plantée dans sa vie, indéfiniment.

Incapable de répondre à l'attente de son mari qui espérait une réaction joyeuse, il avait reçu : «Ça fera toujours ça en dehors d'ici.

— J'peux pas faire plus pour satisfaire madame, maudit verrat. Essaye dont de m'aider dans mes ambitions au lieu de t'battre contre moé.

— Ta mère Yvan, c't'une femme trop bosseuse pis trop solitaire pour donner un pouce à qui que ce soit. J'te dis pas qu'est pas dévouée, à fait toute sa popote, à s'implique à l'église, mais est comme un général, faut s'mettre au garde à vous quand à parle. Vivre tu seule, dans l'silence avec ses livres comme au couvent, c'est ça qu'à l'aime. Moi Yvan, j'suis jeune, j'veux chanter, rire de temps en temps. À l'écoute la radio pour l'opéra du dimanche pis, chaque jour que l'bon Dieu fait, quand la page nécrologique commence, j'me sens déprimée comme si j'avais son âge ! J'la dérange Yvan pis toi, t'espères qu'chose, mais est encore assez jeune ta mère ! Tu vas passer à côté de ta vie, y'as-tu pensé à ça ?

— Bon, tu veux avoir raison à tout prix c'est ça ? Ça va faire ta morale pour à soir.

— J'aim'rais ça que tu gardes un peu de dépenses pour nous deux. Comme aller aux vues par exemple, tu m'invites jamais à sortir depuis que la p'tite est au monde ?

— J't'ai dit assez pour à soir. Les rationnements sont encore en vigueur princesse d'la lune ! Faut s'priver. »

Il lui tourna le dos aussi sec. Aucun épilogue n'avait émergé sur leurs monologues de sourds. Yvan savait que «l'arrangement» avait été conclu peu avant son mariage. Le prénommé, hériterait de la dite résidence et par conséquent, Yvan avait insisté pour voir le testament de maman pour bien s'assurer que la clause y figurait. Sa mère l'avait éconduit en lui rappelant que sa parole était bien suffisante. Toutefois, Yvan avait sciemment omis ce détail devant sa femme, de peur qu'elle ne refuse le joug définitif que seule la mort pouvait délier.

ANDRÉ

Il était revenu au pays brisé, désabusé de la nature humaine. André, en avait fait les frais de cette nature et de son incommensurable orgueil, autant qu'il s'était anobli l'âme devant sa capacité de bravoure en situation désespérée. Il avait vécu toutes les contradictions de l'homme dans la proximité des tranchés. Il avait tout vu, tout entendu sur lui. L'odeur du sang, de la chair brûlée et de la pourriture, ne l'avaient pas encore quitté. Il la portait dans son corps, devenu vieux. Dans ses douleurs aux jambes que l'humidité et le froid avaient rendues sensibles aux variations de température. Le rhumatisme s'était installé dans ses os irréversiblement, aussi sûrement que la mélancolie avait tanné son cœur. Si l'aspirine soulageait ses douleurs physiques, aucun remède ne pouvait extirper une désensibilisation aussi radicale à l'amour, au contact d'êtres en survivance où le mot, humain, bien souvent, ne voulait plus rien dire. André n'y descendait plus dans ce creux, au fond de lui-même, il masquait son mal sous la tromperie du rire. Il voulait se distancer des armes et des uniformes et de ceux qui les portaient, ne voulait plus côtoyer ces vagabonds qui lui remettaient son propre désarroi en plein visage. Un jour, elle était arrivée en plein cœur d'après-midi, comme une vague de douceur sur son rire de misère, lui rappelant sa propre jeunesse et depuis, il ne pensait qu'à elle. Il savait qu'elle n'était pas libre, peu lui importait, il l'aimait en secret, Rose Emma régnait dans ses pensées et ses fantasmes.

Cet amour, pour lui tout seul, l'avait sauvé in extremis du naufrage de son mal de vivre. Le temps dans sa durée ne comptait pas, mais l'espérance le nourrissait et la rêverie faisait échec à ses cauchemars de temps en temps, grâce à elle. À présent, André s'éloignait pour ne pas se vendre, pour ne pas lui nuire, depuis que sa belle-sœur considérée comme une sœur, le lui avait suggéré. André avait compris, Rose Emma ressentait la même attirance envers lui alors, il avait retardé sa sortie de l'armée même si son temps en service commandé était derrière lui. Il s'était fait muter à l'autre bout du pays, s'abrutissant dans des cours de toutes sortes et poursuivait une restructuration de carrière.

Il étudiait pour devenir officier et nourrissait le projet de piloter tous ces avions de chasse - Spitfires anglais ou Mustangs américains, ces anges du ciel les avaient tant de fois secourus, faisant souvent la différence pour la vie durant les secousses d'assauts terribles, quand les hommes se sentaient tous engloutis sous les ténèbres assourdissants des canons. C'était lui, à présent qui frôlait le plein ciel et surplombait la petitesse du relief de ce coin de terre. André y ressentait un bienfaisant apaisement et une légèreté libératrice envahissait tout son être. Pour un court moment, durant ses envols d'essai, son intériorité faisait le plein de l'oubli et il ne gardait que son amour pour elle. Pour un court moment, la plénitude le visitait. Certains soirs, il écrivait une lettre à Jacqueline, il lui parlait de sa douce. Il ne la postait jamais. Il lui envoyait plutôt des nouvelles banales sur ses activités, espérant une réponse concernant son amour secret, mais pas un mot ne se concrétisait, jamais. Et puis un jour, une lettre aux écritures connues se tenait bien droite devant le petit coffre de bois sur sa commode. Il avait lu et relu les souhaits de Joyeux Noël, c'était signé Jacqueline et tout en bas de la page, Rose Emma lui transmettait ses vœux.

Planifier un petit voyage éclair durant les Fêtes, juste pour l'actualiser dans sa pensée, découlait de ce souhait. Il en était anxieux, s'imaginait des scénarios de collégien et quelques sombres nuitées l'avaient épargné durant ces mises en place fabuleuses. Il voulut revoir son visage, le mettre à jour dans son imaginaire amoureux. Louis lui offrait une place parmi eux pour son séjour, mais il se serait senti trop à l'étroit chez son frère. Il avait besoin d'espace depuis son retour. Ainsi, avait-il réservé ses quartiers au dernier étage de l'unique hôtel de la ville et André avait hâte d'imaginer cette femme tout près de lui, via l'intimité de cette chambre.

JACQUELINE ET LOUIS

Ce soir-là, Louis Lacasse était rentré très anxieux, mais le sourire qu'il affichait avait plutôt rassuré sa femme. Elle s'interrogeait sur tant d'insistance de son mari pour qu'il la suive dans la cuisine sans perdre une minute. « Laisse-moi le temps de mettre le canard sur le feu pour le thé, au moins ! »

Louis lui accorda cette faveur et sur un ton très solennel : « Je viens de sortir d'un meeting avec le grand patron du département de machineries... et...

— Arrête donc de m'faire languir, tannant.

— T'as devant toi le nouveau « foreman » de la nouvelle usine qu'on va installer... »

Louis, s'arrêta de parler et observait sa femme, dont le pli du souci se creusait. « Quoi ? Continue, j'sens que la surprise va m'donner le vertige.

— Soixante milles d'ici, c'est pas l'bout du monde hein Jacqueline, pis on va vivre dans notre maison. Enfin ma femme, on va avoir une maison à nous autres. »

Le sourire de Louis s'élargissait à mesure qu'il voyait la portée de ses révélations se refléter sur le visage de sa femme et il la prit dans ses bras avant qu'elle n'ait le temps de dire quoi que ce soit. Il la faisait virevolter partout dans la cuisine et le « canard » chantait son accord sur un ton strident. Jacqueline se dégagea de l'emprise joyeuse, ébouillanta sa théière, y envoya deux grosses cuillers de thé noir qu'elle arrosa d'eau bouillante et revint s'asseoir en face de son mari. « Louis, voyons, commence par le commencement, y'a trop de nouveau en même temps, j'suis toute étourdie.

— Ben, y semblerait que j'ai été recommandé par le grand patron. Sur le coup, ça m'a fait sourire parce qu'y m'a jamais parlé ben gros. J'pensais qu'y avait une dent contre les français. Faut croire qu'y voyait d'autre chose parce que c'est ton mari qu'y veut pour installer les machines flambant neuves qui vont arriver d'Angleterre par bateau, y paraît. C'est pour la nouvelle usine en Estrie. Pis, c'est moé qui choisit mon équipe par dessus l'marché. C'est-tu une bonne nouvelle ça ma femme ?

— La maison dans tout ça, t'es sûr qu'y a pas de magouille de cachée en dessous de toute c'te beau là ?

— La compagnie a acheté les terrains autour de l'usine, pis vu que j'suis « foreman » j'ai l'droit d'en choisir un. On va faire bâtir notre maison avec des taux d'intérêts plus bas parce que la compagnie va nous « backer ». C'est une chance inespérée de s'ramasser une petite valeur pour nos vieux jours ! »

Jacqueline tenait la main de son amoureux et la flatta doucement. Même si la perspective d'avoir un vrai chez soi l'enchantait, le visage de sa grande sœur et des siens l'envahissait durant le discours effréné de son mari et une pincée d'amertume lui titilla le cœur et l'empêcha de vivre sa joie complètement. « C'est tout un chambardement dans notre vie, une nouvelle de même. Ça va m'prendre un peu de temps pour tout absorber. Les sacrifices qu'on va devoir faire en déménageant de ma ville natale, de ma parenté, de mes clientes aussi. »

Jacqueline souffla sur son thé un peu plus longuement enfumant son visage afin de dissimuler l'émotion qui lui étreignait la gorge, sans qu'elle ne puisse la dompter. Louis avait saisi l'essentiel du silence de sa bien-aimée. « C'est beaucoup te d'mander han, ma femme. Ah, j'sais pus si j'ai le droit de t'exiger ça ! Si t'es pas heureuse, ça m'donne rien d'accepter c't'offre là. On va l'vivre ensemble en accord ou ben on laisse faire, c'est tout.

— Tu serais prêt à refuser cette offre-là juste pour moi, Louis ?

— Je l'sais que j'm'ennuierais… j'serais pas ben ailleurs qu'avec toé, ma belle Jacquie. Ça me donnerait rien de faire semblant. Déçu, c'est certain, mais c'est pas essentiel à ma vie. J'ai encore une job, bâzouel !

— Ça m'fait tellement d'bien c'que tu dis, mon Louis. Tu réussis encore à m'surprendre. J'ai toujours la pensée qu'un jour, tu pourrais vouloir des enfants…j'serai jamais capable de t'en donner. J'ai toujours eu peur que tu ne m'voies pas comme une femme complète.»

Elle se rapprocha. «Tu m'aimes tant qu'ça? Ben, y est pas question que tu partes sans moi, as-tu compris?»

Elle se glissa dans ses bras, amoureuse, toujours accueillie. Louis lui offrit ce baiser où toute l'intensité de sa passion s'exprima sans pudeur comme tant de fois auparavant. Chacune de leur union passionnelle, confirmait la chance unique de pouvoir compter sur cet amour authentique, durable.

Durant les jours suivants, Jacqueline avait repris son tricot, elle tricotait vite et bien, surtout la tension très régulière de ses aiguilles produisait une souplesse inégalée à ces larges bandes de laine angora blanches ou noires, qu'elle vendait à une compagnie d'import-export, ayant pignon sur une grande artère de Montréal. De grandes étoles ou de jolis boléros, doublés de satin, étaient vendus dans des boutiques huppées, trop chics pour les moyens pécuniaires de Jacqueline. Son travail l'absorbait, mais elle bénéficiait d'un avantage, elle parvenait à réfléchir calmement. Jacqueline connaissait le quotidien de sa sœur ainsi que sa fragilité émotive, plus exacerbée depuis la naissance d'Adriane. Comment lui annoncer la nouvelle? Vers qui pourra-t-elle se tourner lorsque ses nerfs à vif auront besoin de se calmer? Le refuge ultime était devenu son petit loyer, sa présence rassurante et son écoute active sur les confidences et les secrets bien scellés par l'amitié indéfectible de Jacqueline envers sa grande sœur.

CHAPITRE IV

RÉJOUISSANCES
AIGRES-DOUCES

Plus les mois défilaient, moins l'atmosphère s'allégeait dans la grande maison. Rose Emma se demandait comment concilier l'espace lorsque sa fille fera ses premiers pas. Obligatoirement, cela signifiait le partage du premier étage avec sa belle-mère. La côtoyer plus souvent, attirera des commentaires qu'elle ne supportait plus d'entendre tant la présence de cette femme l'indisposait. Elle avait regardé le visage de son adorable fille changer au fil des jours, puis des mois d'allaitement et toutes ces heures où elle savourait le calme apaisant de la proximité avec sa fille.

Adriane s'était accaparée le plus beau de ses parents, le front large et bombé, débutait par des sourcils aux angles parfaits, identiques à ceux de son père et la couleur de ses yeux, ce gris clair qui perçait le vert comme des pépites de cristal appartenait à sa mère. Sa peau rosée accentuait la brillance sur ses joues rondes et la rendait irrésistible. Rose Emma vénérait sa fille, le seul bonheur concret de sa vie matrimoniale. Yvan s'était fatigué des critiques de sa femme envers sa mère, elle, fatiguée de son quotidien de solitude bref, le mari fuyait le vivoir du haut autant que celui du bas. Après le souper, il berçait sa fille et chaque fois qu'il posait ses yeux sur elle, il admirait la beauté et la vitalité qui ressortaient chez cette enfant. Durant ces quelques minutes, il se déculpabilisait de son manque d'implication, puis une fois son remord apaisé, il disparaissait. « Une chance que le temps des fêtes s'en vient. J'vais peut-être avoir l'honneur de ta présence. Acheter des cadeaux pour ta fille… si ta mère consent à augmenter ton argent de poche bien sûr.

— Rose Emma commence pas à narguer à soir ok. Si t'en veux de l'argent pour ça, mais demandes moé pas de m'promener en ville comme un pantin.

— Le pantin ici, c'est moi Yvan. Si j'avais pas Adriane, dis-moi à quoi j'servirais, à part de t'contenter quand l'envie t'en prend. T'arrives au souper, tu fais ta toilette, tu t'changes pis je l'sais que c'est pas pour moi. Tu descends souper avant même qu'on ait l'temps de s'parler tranquille. Tu berces la p'tite qu'minutes, pis tu disparais jusqu'à onze heures. Qu'est-ce que j'fais dans ta vie, veux-tu ben m'dire?»

Yvan déposa Adriane dans son berceau et s'apprêtait à sortir. «Plein l'dos de ton air de martyre, si tu veux l'savoir. Y'a juste le soir quand y fait noir que j'peux m'en dispenser. À part de ça, y'est temps que t'arrêtes de nourrir cette enfant-là, t'es pus approchable. T'es pus une femme depuis que t'as accouchée, t'es juste une mère, maudit verrat.

— J'dérange tes envies, ben trouve un autre moyen pour empêcher la famille, j'ai pas l'intention d'en avoir un autre dans ces conditions-là, non merci.»

Son mari, surpris d'ignorer ce moyen de contraception naturel, s'approcha, les yeux menaçants. «J'veux que t'arrêtes d'la nourrir. C'est assez. Si tu r'tombes enceinte, ça sera la volonté du bon Dieu…

— C'est-tu la volonté du bon Dieu que tu passes tes veillées avec les «guidounes» à l'hôtel? J'suis sûre, qu'elles ont toutes le sourire fendu jusqu'aux oreilles, hein Yvan? C'est-tu pour ça qu'y reste jamais d'argent pour moi?»

Elle lui répliqua sa phrase à quelques pouces du visage. Yvan leva sa main pour la frapper et se ravisa. «Pousses moé pas Rose Emma, tu pourrais t'en repentir.

— J'fais ben des concessions, mais touches-moi jamais Yvan Mayer. J'ai un restant de dignité, j'y tiens.»

Il sortit de la pièce et claqua la porte derrière lui. Rose Emma demeurait debout, envahie d'un désarroi tellement criant et pourtant, les larmes ne venaient pas. Ces longs mois depuis la naissance d'Adriane l'avaient sevrée de bien des espoirs brodés de rose. Puis, son mitard ressortit de sa tanière, ressassant sa chimère. Elle avait failli envers sa belle-mère, son mari, failli envers tous ses devoirs d'épouse, sauf envers sa fille. Elle se battait contre un fantôme d'attirance envers un être inconnu qui ne lui laissait qu'un sentiment de honte, ce goût amer de n'être qu'une femme anormale. Elle perdait sa vie à petit feu sous cette emprise abrutissante.

Un dimanche, madame Levèrs visita sa fille après la messe. Elle la trouva assise par parure dans le grand salon en compagnie de Madame Mayer. La femme souriait à sa petite-fille comme si c'était coutumier de lui porter attention. Madame Levèrs répondait distraitement au fragment de conversation de madame Mayer et guettait du coin de l'œil le comportement détaché de sa fille, présente de corps seulement. Rose Emma partait dans la lune et ne faisait rien pour en revenir. Sa tenue négligée et sa coiffure à moitié réussie, alerta sa mère. Elle reprit l'enfant des bras crispés de la femme et entraîna sa fille dans son vivoir. «Qu'est-ce qui s'passe Rose Emma? T'as dont ben l'air abattu. T'es-tu disputée avec Yvan? Tu m'inquiètes ma fille.

— Moman, vous pourriez pas comprendre, ça va revenir, c'est juste un peu de fatigue.

— Rose, montres pas à ta mère comment faire semblant... Essayes de m'en dire un peu... on sait jamais...»

Rose Emma lui souriait tristement. Elle aimait que sa mère n'emploie que la moitié de son prénom, comme quand elle était petite. Elle ne savait pas par quel bout commencer ses récriminations. «Vivre une vie de famille dans deux appartements, c'est pas l'idéal vous savez. Quand je descends en bas, j'me sens à la gêne dans les affaires d'la belle-mère. À l'endure pas personne dans ses chaudrons, on mange c'qu'à prépare. J'fais la vaisselle, mais c'est elle qui range ses casseroles. Chaque fois que je commence à faire quelque chose, elle critique et ça m'enrage, ça fait que j'monte dans mon vivoir me renfermer. Y'a juste mon tricot qu'à régente pas. »

Rose Emma avait égrené cette dernière observation sous une mine déconfite. « La p'tite vieillit…à va marcher dans une couple de mois…

— Tu m'sembles ben tu seule icite. On pense toutes que t'es ben chanceuse de vivre dans c'te belle maison-là… »

Se détachant du regard de sa fille, maman Levèrs semblait songeuse tout en examinant les lieux. « Faudrait que tu demandes à Yvan. J'aim'rais ça que tu viennes avec la p'tite passer qu'jours à maison dans l'temps de Noël. La maison est grande depuis que mes deux grandes filles sont parties. »

Rose Emma leva des yeux étonnés vers sa mère comme si la vie venait de se rebrancher en elle. Madame Levèrs esquiva le regard de sa fille, le temps de refouler une boule d'émotions prise dans sa gorge, puis elle lui tapota le genou en guise de réponse et se leva pour partir. Cécile Levèrs regarda ailleurs lorsque sa fille s'approcha tout près, elle malmena sa sacoche pour se donner contenance. « Ton pére viendrait t'chercher le vingt-trois dans journée, c'est-tu correct ?

— J'vas être prête vous pouvez en être sûre moman… »

La fille la retint maladroitement…« Merci…

— Bon, r'poses toé, pis laves toé les cheveux. Y sont si beaux frais lavés, hein. »

Rose Emma descendit la reconduire, les joues légèrement plus roses. Elle referma la porte d'en avant et remonta dans sa tour d'ivoire avec l'allégresse d'une petite fille au coeur. Sa mère, avait vu bien plus qu'elle n'en avait exprimé et sa fille se sentit en appartenance étroite avec elle, c'était bon de le vivre là, car elle était sur le point de flancher. Ces semaines allaient lui paraître bien longues avant de pouvoir vivre sa liberté conditionnelle dans la douceur du giron familial. Rose Emma réalisa encore une fois le trésor incalculable que ses parents lui avaient transmis.

Elle n'avait pas l'intention de demander de permission à qui que se soit pour aller dans sa famille et elle se préparait le soir même à faire part à son mari de sa décision. Sa grosse fille de sept mois souriait et bavait sur sa mère alors qu'elle l'avait au bout de ses bras, lui chantonnant qu'elles allaient en vacance chez grand-maman Levèrs pour Noël. «Es-tu contente ma belle? Ta maman est ben contente aussi, youpi...»

Yvan avait accueilli favorablement le désir de sa femme d'aller dans sa famille. Il la rejoindra en soirée, avant la messe de minuit. La grande maison sera vide en ce vingt-quatre décembre, quarante-quatre. Seul, l'imposant pin bleu s'élèvera fièrement sur le parterre avant de la résidence des Mayer et restera illuminé afin de souligner l'importance de la fête de Noël, même en l'absence de ses gens. Léone ne lésinait pas sur l'apparat en cette fin d'année très difficile, car beaucoup de familles pleuraient des hommes disparus loin de chez eux, tandis que d'autres, accueillaient des mutilés physiquement. Sans compter tous ces estropiés dans leurs mémoires. Ils avaient besoin de lumières pour raviver leurs souvenirs du temps où ils étaient heureux dans l'insouciance.

Le Jour de l'An était l'affaire de Léone depuis si longtemps, qu'elle n'avait plus à le faire penser à ses enfants. Elle ne voisinait qu'un de ses frères, le plus jeune habitait le Manitoba et il lui avait écrit sa déception de ne pouvoir jouir de sa compagnie justement cette année où tout le peuple, espérait fêter un retour à la vie normale incessamment. Les rationnements et les contrariétés que la guerre engendrait se vivaient aussi dans le quotidien des gens de l'ouest. Léone constata le recul du français écrit de son frère Lionel. Chacune de ses lettres en témoignait. La méprise des genres comme «mon peine» ou «j'espère que tu es en bon santé», ne trompait pas. Son univers unilingue anglais le distançait progressivement de sa langue maternelle.

Jean-Marc réquisitionnait sa mère pour la veille de Noël et l'invitait dans un grand Hôtel de Montréal. C'était devenu un rituel depuis qu'il voyageait souvent et parfois, il n'avait pas beaucoup de temps même durant les jours de festivité. Le faisait-il aussi pour s'éviter l'hypocrisie d'une rencontre supposément cordiale parmi ses frères ?

Le manteau de vison naturel attendait sur le bras du sofa et les pardessus garnis de fourrure n'étaient réquisitionnés qu'en de grandes occasions. Léone apportait une superbe robe de velours noire très sobre, égayée d'une broche sertie de pierres saphir et d'une magnifique perle de culture au centre. L'agencement se répétait aux oreilles de la Dame sur ses magnifiques pendants d'oreilles. Madame semblait encore plus mince, l'ajustement de la taille ainsi que la longueur de la jupe étroite en augmentait l'impression longiligne. La coiffure austère résistait au changement de look de Madame Mayer.

Le matin du vingt-quatre décembre, elle prit place sur le siège arrière de sa grosse voiture. Yvan, transformé en chauffeur, amorça son périple vers la grande cité.

Jean-Marc réserva la même chambre pour sa mère et l'hôtel se situait au-dessus de la gare Windsor. Léone n'aimait pas prendre le train et préférait le confort de sa limousine, au grand dam de l'aîné, qui vantait la qualité des services à bord de ces grands wagons, capables de vous amener à l'autre bout du pays sans problème. Quoique qu'il en soit, il l'attendait dans le grand lobby de l'hôtel, calé dans un de ces fauteuils duquel l'on ne veut plus sortir. Il n'avait pas eu à faire face bien longtemps à son jeune frère, il déposa le sac fourre-tout de sa mère à ses pieds et le temps d'évoquer quelques banalités polies et des vœux sur le bout des lèvres, Yvan était reparti aussitôt, au grand soulagement du grand frère. Faisaient-ils un effort afin de ne pas déplaire à leur mère en présence l'un de l'autre eut été facile à percevoir. Quant à maman, elle était enchantée de retrouver sa chambre, située au deuxième étage près des escaliers. Elle n'aimait pas particulièrement les ascenseurs, encore moins les hauteurs et cette chambre sécurisait la dame. Après un repas léger en compagnie de son fils, elle s'accorda une sieste en après-midi, car la soirée devait chambouler toutes les habitudes de vie de Léone, en particulier, son heure de coucher. Ne sortait-on pas de chez soi pour cela ?

Tout ce qui flattait l'ego de madame Mayer se produisait chaque année, le temps d'une soirée sous la gouverne de son aîné - la richesse du mobilier, l'épaisseur des tapis ainsi que la hauteur du plafond sculpté, le lieu et les personnalités importantes, dont elle reconnaissait les visages grâce aux photographies dans son salon. Les poignées de main et les « enchanté madame » admiratifs devant la mère du joueur de hockey si talentueux.

La place d'honneur, le temps de prendre le champagne bref, ce cinq à sept avait suffi amplement à la combler de fierté. Le plaisir redoublait lorsqu'elle rencontrait furtivement les yeux du fils, visiblement très fier de sa génitrice. Tout ce beau monde s'était évaporé et elle s'était retrouvée en tête à tête avec Jean-Marc. Un endroit discret de l'immense salle à manger favorisait l'intimité afin de déguster un réveillon de Noël exotique sans dinde ni tourtière. Le festin débuta par une variété de fruits de mer, servie dans une coupe formée de l'ananas vidé de son fruit et dont le goût fin avait su livrer une belle espérance aux autres plats à venir. Lorsque le moment du café aux aromates de brandy, égayé d'un collet de crème fouettée, s'était imposé aux invités, madame Mayer, très certainement étourdie par tant de volupté et de boissons alcoolisées, pénétra sur la pointe des pieds dans la vie privée de son fils bien-aimé. « Tu te donnes beaucoup de mal pour me faire plaisir mon fils. J'en suis honorée, mais gênée aussi. Vraiment, j'apprécierais autant un simple repas chez toi…que je n'ai jamais vu d'ailleurs, du moins, pas encore. Tu es tellement pointilleux quand il s'agit de ta vie privée.

— Mon univers c'est le club, les voyages inconfortables et je vis dans des valises et des chambres d'hôtels. Je n'ai pas de vie privée, je n'ai que cette vie publique que tout le monde connaît, rien d'autre.

— Ta tanière comme tu dis…ta garçonnière secrète

— C'est un pied à terre et j'aime mon nid perché dans les hauteurs.

— N'oublie jamais les mauvaises langues mon garçon, ne leur donne pas matière à se mettre sous la dent. Même l'endroit où tu habites. Attention à ta réputation et celle de ta famille.

— Mère, je suis très soucieux de votre réputation… »

Mère précipita cette réflexion, elle n'attendait que ce moment pour enfin la formuler. « Je ne te vois jamais accompagné d'une jeune femme et je sais pertinemment que ton bras est très recherché. Tu as beaucoup d'admiratrices, pourquoi cette abstinence Jean-Marc ? »

Quelque peu dérouté par cette question ouverte qui ne ressemblait pas au discours habituel de sa mère, Jean-Marc dissimula son embarras en lui souriant et employa la flatterie pour ne pas répondre directement à l'inquisitrice. « Je vous ai, à mon bras… je n'ai pas besoin de personne d'autre. »

Il se leva et se dirigea derrière son fauteuil, en profita pour évacuer son malaise dans un soupir très contenu, pendant qu'il se concentrait sur sa galanterie. Léone n'insista pas non plus et joua le jeu aussi, mais sa décision soudaine, laissa filtrer quelque mécontentement. « Je crois que je n'attendrai pas minuit si tu permets, je vais me retirer dans ma chambre. Je ne suis pas entraînée à toutes ces mondanités et je t'avoue que mes pieds m'en avertissent depuis un bon moment. »

Pourtant, mère accepta, non sans s'être fait prier, l'invitation du fils et dansa quelques valses dans cette belle salle de bal dont le son des cuivres leur parvenait aux oreilles. Puis, Jean-Marc la reconduisit sur le seuil de sa porte. Convenu de se retrouver pour le déjeuner de Noël. Il était une heure passée.

Jean-Marc sentit la tension nerveuse quitter ses muscles et il se vidait la tête à mesure qu'il marchait sur la grande artère déserte. Il ne ressentit pas la piqûre du froid lui mordiller les oreilles, engourdi par les vapeurs du deuxième cognac ingurgité rapidement au bar, avant de sortir dans la nuit. Animé d'un cafard instantané, Jean-Marc n'en était pas moins soulagé du bon déroulement de la soirée. Ne devait-il pas conserver cette tradition envers sa mère ? Cette femme, qui devinait si frêle sous son masque bien fardé. Il ne voulait pas être la cause de l'effondrement de cette façade de verre, car le plus vieux de la famille se souvenait fort bien du contraste choquant de cette autre vie que sa mère mettait tant d'efforts à effacer. Il lui était redevable des années de collège privé qu'elle avait payées et lui avait valu son recrutement au sein d'une équipe professionnelle. Les Religieux l'avaient introduit dans le monde du sport aussi naturellement que son directeur de conscience l'avait initié aux jeux interdits. Quelle ironie de penser, sa mère s'inquiétait tant des scandales extérieurs alors que le loup avait depuis longtemps, contaminé ses ouailles de l'intérieur. Il gardait cette tare en lui, un parasite avec lequel il cohabitait. Souvent, il évacuait sa rage sur la glace.

Ce bon joueur canadien français, parfaitement bilingue, s'était fondu parmi ces co-équipiers tous anglophones et la haute direction l'était aussi, sans exception. Tout avait été si simple grâce à son nom de famille et adopter tout bonnement leur mentalité lui avait évité bien des discriminations. La rage demeurait sa meilleure recette pour performer. Il savait, qu'il n'en était pas et jusqu'à ce jour, il n'avait pas eu le temps de s'investir dans une relation sérieuse envers une femme. Elles étaient trop nombreuses auprès d'eux, des femmes de tous âges, de tous les milieux les sollicitaient, les adulaient et les admiraient trop. C'était trop facile et Jean-Marc vivait le revers abrutissant des amours passagers. Son statut de joueur professionnel ne lui avait pas évité l'enrôlement et il était demeuré sur une base de l'ouest canadien, en attente de son ordre d'embarquement, qui n'arrivait jamais. Alors, des matchs de hockey s'étaient organisés et les gars trompaient leur ennui et leur appréhension durant ces compétitions amicales sur plusieurs bases. Comme il n'était pas heureux en dehors d'une patinoire, il disposa de ce moyen pour remonter le moral des chums. Ainsi, il n'eut guère le loisir de se servir d'un fusil, puisque toute son unité poursuivait des cours et des entraînements militaires vers un seul but, l'Angleterre.

Mais la guerre s'était terminée brutalement pour lui, une commotion cérébrale lors d'un entraînement particulièrement intensif l'avait forcé au repos pendant de longues semaines. Et un jour, il avait reçu son congé de l'armée, sans plus d'explication et il était retourné chez lui. Cette année encore, il se languissait – quand donc se termineront-ils ces maudits congés pour que la vie reprenne son élan ! Il était seul dans son antre, la pendule lui claironna ses deux coups. Jean-Marc préféra s'étendre sur le sofa plutôt que de traîner son bourdon dans un grand lit vide.

Chez les Levèrs, l'odeur des tourtières cordées sur un côté du poêle, se mariait aux effluves de la dinde, en train de cuire dans le fourneau de l'imposant poêle à bois. Adrien Levèrs l'entretenait assidûment, sa bonne chaleur ajoutait à l'activité fébrile, précédant la veillée du bonheur. L'atmosphère du temps des Fêtes se prêtait aux confidences et Rose Emma recevait celles de sa plus jeune sœur qui avançait dans sa phase que l'on disait ingrate. Animée de projets multiples et soutenue par la lucidité de ses propos, sa grande sœur admirait l'assurance de sa cadette. Étendues sur le grand lit, elles se faisaient face et profitaient de ces moments uniques, pendant qu'Adriane dormait dans la vieille couchette qui avait accueilli tous les enfants Levèrs «Tu penses pas à ça te marier ? Es-tu sûre Élaine ?

— Certaine ma grande sœur. J'veux me faire instruire, avoir une profession, pas une job à shop, non…encore moins, rester sur la ferme comme nos parents. J'veux être indépendante, pis m'faire vivre tu seule. C'est ça que j'veux… une profession.

— Ouais, t'as l'air ben décidé pis à ton affaire ! Qu'est-ce que p'pa dit d'ça ?

— Ben, y'a dit, tant qu'y serait capable, y m'aiderait…que j'étais ben chanceuse d'être la dernière parce qu'y avait pas pu l'faire pour vous autres. C'est long les études que j'veux entreprendre. Des femmes notaires, ça court pas les rues non plus. Toi, Rose Emma, le regrettes-tu d'avoir lâché l'école pour te marier ?»

Rose Emma se sentit rougir par la question sournoise à laquelle une réponse honnête était impossible. « Non voyons, encore moins depuis qu'Adriane est au monde, mais ça m'empêche pas d'y penser des fois. »

Elle se leva pour éviter le regard brillant d'intensité dont sa cadette se servait pour scruter toute personne. « Non, restes encore un peu, j'aime ça jaser avec toi. On dirait que tu comprends plus que les autres femmes de ton âge. Y sont déjà vieilles les femmes mariées, même si elles ont l'air jeunes.

— J'vais voir moman si à veut de l'aide... on en reparlera plus tard, madame la future « notaire ».

Rose Emma lui fit un clin d'œil complice et sortit de la chambre. Élaine la ramenait dans sa dépendance sans le vouloir et son spleen, ressenti sans crier gare, en était la cause. Effectivement, elle se trouvait immature à côté de sa petite sœur qui véhiculait des idées tellement progressistes, sans se préoccuper des jugements d'autrui. Ce qui la fustigeait, c'était son absence de culpabilité d'aucune sorte, ce sentiment ne lui venait même pas à l'idée, ni de passer pour une égoïste. Vouloir son indépendance primait chez cette adolescente. Même les garçons passaient en second, elle s'en préoccupait lorsqu'ils piquaient sa curiosité sur un sujet ou bien s'ils s'intéressaient aux arts, ils augmentaient leurs chances qu'Élaine daigne s'y attarder.

Avoir à peine vingt ans et se sentir plus indécise que sa petite sœur de douze ans n'améliorait en rien son estime, au contraire, condamnée à perpétuité dans son univers de glace, figée sous des apparences de bien-être, Rose Emma se cloisonnait dans la dérisoire illusion du château, devenue sa prison. Une satisfaction bien malingre parmi tous les renoncements qui meublaient désormais sa réalité.

La veille de Noël, en arrivant chez ses parents, Jacqueline essaya de se faufiler avant les autres afin d'ouvrir la porte à temps pour prévenir Rose Emma de la surprise qui l'attendait, mais malgré les gros yeux qu'elle dirigea vers sa sœur, Rose Emma comprit ses «simagrées» lorsque Louis céda le passage à son jeune frère. En ouvrant la porte de la maison, la vapeur dense provoqua le contact du chaud et du froid et brouilla les silhouettes, de sorte qu'André lui avait fait l'effet d'une apparition lorsqu'il sortit du nuage. Il lui faisait face ainsi qu'aux gens de la maisonnée, tous entassés dans l'embrasure de la cuisine, prêts à les accueillir. Monsieur Levèrs s'avança le premier afin d'offrir une poignée de main chaleureuse et vigoureuse à ce jeune homme, un héros et il était visiblement honoré de l'inviter dans sa demeure. Élaine disparut sous la brassée de manteaux qu'elle essayait d'aller porter d'un seul voyage dans la chambre de ses parents. Les mouvements affairés par l'arrivée de la visite et le geste de son père avaient permis à Rose Emma de reprendre contenance, avant qu'elle ne s'approche d'André pour lui offrir ses vœux de Joyeux Noël. Son rythme cardiaque s'accéléra légèrement au moment de l'effleurement de sa bouche sur sa joue. Toutefois, elle avait eu le temps d'apercevoir la brillance de ses yeux après le contact fraternel.

Une petite «shot» de fort, Adrien gardait toujours une bouteille dans le coin du vaisselier, soit disant, pour se faire une ponce, remède idéal semblait-il, pour casser un début de grippe. Il distribua ses petits verres contenant tout juste l'once et l'accompagna d'une bière à même la bouteille. Quant à Cécile, ses précieuses bouteilles de vin blanc, délicieux nectar fruité qu'elle gardait pour les grandes occasions, remplissaient les coupes de cristal. La brillance du verre impressionnait assurément les hommes, car ils refusaient le raffinement de Cécile autant que la boisson qu'elle contenait.

Rose Emma s'affairait dans la cuisinette, soucieuse, elle besognait sans vraiment porter attention à son ouvrage, car Yvan n'avait pas encore montré signe de sa présence et son retard l'indisposa encore plus, après la question de sa mère, puis de sa sœur et ensuite de son père. Comme si une réponse plausible sortirait de sa bouche, afin de résoudre le problème avant qu'il en devienne un. Personne ne voulait se soucier de quoi que ce soit en cette soirée de réveillon. Toutefois, les yeux interrogateurs de sa mère, lui signifiaient une explication quelconque. « Il va sûrement arriver dans la prochaine demi-heure moman. Y pense peut-être que j'vais aller à l'église, mais je reste ici avec la p'tite. J'vais mettre la table pendant c'temps là, ça vous dérange pas j'espère ? »

Sa mère lui souriait et devinait ce que sa fille tentait de lui dissimuler sous de bonnes raisons. Rose Emma s'excusa de devoir passer devant André et se dirigea vers la chambre, d'où sa fille émettait des petits sons. Il décroisa sa jambe pour lui faciliter le passage, la suivit des yeux, regard qu'il aurait éternisé si la gêne ne l'avait pas retenu devant les autres. Madame Levèrs se servit une autre coupe de vin et s'accorda un petit répit avant le branle-bas de combat du réveillon. Les joues cramoisies par l'effet de l'alcool, elle se tira une chaise près de son mari, il lui tapota le genou avant de poursuivre sa discussion parmi les hommes. Des arômes de dinde et de tourtières commençaient déjà à leur chatouiller les papilles, mais il fallait passer par la messe de minuit avant de s'empiffrer de bonne chair. Fallait se remplir le cœur de doux émoi, teinté de nostalgie, la denrée indispensable aux hommes de bonne volonté.

L'église craquait sous le nombre de paroissiens, impressionnés par la quantité de bougies et d'ampoules qui avaient toutes été sollicitées. Une dépense exceptionnelle, légitime bien sûr. Cette luminosité, apparaissait presque trop brillante au beau milieu de la nuit. Les jeunesses usaient de galanterie et cédaient leur place, ils s'entassaient debout à l'arrière près des portes. Pendant que l'on détachait le manteau, l'on reniflait, toussait, le cantique « Venez divin Messie » couvrit tous les sons et plongea les âmes dans le recueillement. Ces chants familiers, réjouissaient et préparaient les âmes pour recevoir la communion. Les paroissiens défilaient dans l'allée pendant que le chœur entonnait le magnifique « Sainte Nuit ». Toute l'assemblée semblait emprunte d'une émotion fervente de bonnes intentions. Le prêtre se retourna pour bénir ses paroissiens, « Il est né le divin enfant » accompagna les fidèles durant la sortie de l'église. Un courant de fraternité éclairait les visages de sourires, les plis du souci s'effaçaient et cédaient leurs places à la détente de la joie. Tous, quittèrent leur banc, le cœur gonflé d'espérance envers la vie à venir et dans le silence de la nuit hivernale habituée aux crissements de pas pressés et au sifflement du vent. Durant cette nuit unique sur le grand perron de l'église, des voix joyeuses, des rires à peine contenus, des poignées de main, des invitations, la privait de sa routine. Les hommes rabattaient les ailes de leur chapeau de fourrure sur leurs oreilles déjà rouges et jasaient un peu plus longuement avec leurs voisins de carriole. Les femmes se parlaient quelques instants, piétinant sur place, les mains dans leur manchon, puis elles se dirigeaient vers les carrioles en espérant les briques encore assez chaudes pour réchauffer leurs pieds gelés. Elles s'emmitouflaient toutes cordées serrées sous la bâche de fourrure.

Adrien Levèrs, perdu sous son capot de chat changé par l'usure et sa toque enfoncée jusqu'aux oreilles, ne semblait pas souffrir d'un frisson, malgré son gros nez rougi et ses joues colorées par plaques. Le visage tanné au gré des caprices de la nature, Adrien, embrassa du regard toutes ses emmitouflées et s'attarda dans les yeux de sa femme, puis il émit un « kik kik » et son cheval sentit le cuir effleurer sa croupe, se mit en route. Adrien tenait les guides machinalement, savourant chaque seconde. La bise glaciale avait pris congé et donnait une chance à la nuit de se faire entendre en toute quiétude, sans se presser. Adrien Levèrs se délectait de bien-être et l'enregistrait au fond de sa mémoire pour se rappeler ce que goûtait le bonheur et il le retint, quand il aperçut la fumée de sa cheminée filant bien droite à la poursuite du rayonnement lunaire. Sa maison en pierres des champs, toutes taillées et érigées de ses mains, venait de lui apparaître et lui confirmer que son émoi temporel était bien réel.

André leur avait rendu une courte visite de politesse et malgré les insistances de Madame Levèrs, il s'était esquivé en douce, juste avant le branle-bas du départ pour l'église. Rose Emma avait relâché son anxiété, bien qu'une légère vapeur embrumait encore son cœur. L'oncle Marcel, sa femme Simone et ses quatre enfants, tous des phénomènes hors du commun selon la mère, avaient envahi la cuisine des Levèrs. Chaque année, l'entente implicite entre les deux frères ne se démentait pas. Marcel arrivait pour le réveillon en compagnie de leur mère, elle demeurait chez lui depuis plusieurs années et Simone n'avait jamais tenté de briser cette coutume. Il lui aurait semblé invraisemblable de recevoir durant les fêtes alors qu'elle gardait sa belle-mère depuis si longtemps. Simone profitait des bontés et largesses de sa parenté pour être reçue jusqu'aux Rois. Bien malchanceux, celui obligé de l'entretenir durant le repas. Elle possédait une petite voix aux intonations aiguës, flottant dans l'ambiance surchauffée et il fallait plusieurs minutes avant de détecter l'origine de l'agacement qui courait le long des échines. Mais pour l'heure, chacun, son verre à la main, essayait de se faire entendre en levant la voix d'un cran, le réveillon était bien enclenché, car la cacophonie était totale.

Yvan profita de l'effervescence joyeuse pour surgir devant Monsieur Levèrs, il lui tendit la main et lui offrit ses vœux d'un bon Noël. Personne n'avait entendu la porte s'ouvrir, son beau-père lui rendit sa poignée de main en lui demandant, le sourire en coin, « s'il s'était écarté ? ». Rose Emma s'affairait avec sa mère dans la cuisinette et l'aperçut. Il riait jaune et s'esquivait, embarrassé. Yvan s'approcha lentement de sa femme, le regard vitreux, s'accrocha à sa taille et l'embrassa. « T'es belle dans c'te robe-là ma femme. Étais-tu inquiète de ton p'tit mari ? »

Visiblement, son « p'tit mari » avait commencé la fête avant les autres. En effet, il n'avait pas supporté le vide de cette grande entité en revenant de la ville. Il avait rangé le mastodonte dans le garage et avait trouvé refuge à l'hôtel. Son regard admiratif frôla l'impudence et Rose Emma préféra lui sourire et se dégagea de son emprise sans regarder personne. Elle fit mine de l'enlever du chemin. « T'es là, c'est c'qui compte, ôtes-toi du chemin grand fou, moman va t'prendre pour une patère. »

Madame Levèrs acquiesça en souriant et Yvan se dirigea vers le salon en reculant, convaincu de son air charmeur. Il accepta la bière de son beau-père et le clan des hommes retourna à leurs discussions sur la politique. Les «bleus» plus loquaces, enhardis par leur majorité, semblaient détenir toutes les solutions à tous les problèmes de leur macro société et ils ne manquaient pas en cette fin d'année quarante-quatre. Les alliés progressaient et la majorité du monde espérait la délivrance imminente, mais la guerre mobilisait toujours les consciences. En cette nuit de Noël, la phrase «Paix aux hommes de bonne volonté» tomba dans les cœurs du monde entier et se languissait de désespérance qu'elle vienne, qu'elle arrive...

Le festin du réveillon combla tout le monde. Cécile présenta la grosse dinde fourrée de farce à ses invités, les pâtés à la viande trônaient au centre de la table ainsi que les patates pilées et le bouillon de dinde dégageait son fumet dans la saucière. Puis, ce fut le tour de la bûche à la confiture de fraises, les tartes au sucre, aux raisins et personne ne résista devant ces présentations au milieu de la table, juste à côté du pichet de crème épaisse dont on arrosait tout dessert qui se respectait. La lourdeur des estomacs provoqua une accalmie, bien vite remplacée par la voix de soprano de Cécile, comme de coutume, son accordéon sur le bout des genoux, elle chanta des chansons de son répertoire «Petit Michel» et «Vive la canadienne» suivi de bien d'autres chants. Les chansons à répondre, accompagnées des claquements de mains joyeuses, entrèrent les fêtards au cœur de la fête. Adrien, un peu nostalgique, écoutait sa femme en se berçant doucement et son regard s'imbriqua dans celui de Cécile, pendant qu'ils se confirmaient leur amour et leur accomplissement à travers ce quotidien anonyme, sans que personne ne les soupçonne autour d'eux.

Rose Emma revint seule dans le salon après avoir endormi sa fille ainsi que son mari. Il s'était vite éclipsé après le repas et lorsque les danseurs de sets carrés attendaient que la poudre de bébé se répande sur le plancher de la cuisine, les femmes débarrassaient la table et le reste de la parenté avait eu le loisir d'arriver à temps pour danser. Rose Emma n'avait pas eu le choix d'accepter la main de l'oncle Marcel qui la souleva de sa chaise presque de force. Son oncle Rolland «swignait» et «câlait» les quadrilles, avait choisi Elaine pour partenaire. Celle-ci, visiblement gênée, semblait très heureuse de danser parmi les adultes. Les lumières s'étaient éteintes aux dernières heures de la nuit et Adrien, les yeux pochés et rougis, dérogea son train d'une heure. Ses vaches cessèrent leurs beuglements lorsqu'elles l'entendirent entrer dans l'étable.

Au milieu de l'avant-midi, après un copieux déjeuner, routinier chez les Levèrs, Yvan prétexta son obligation d'aller voir à la grande maison avant d'aller quérir sa mère. Il bifurqua chez l'hôtelier, le grill étant fermé, l'homme lui ouvrit la porte de sa maison privée. Il se réactiva à sa manière en s'envoyant deux, trois bières derrière la cravate et la journée s'esquiva et deux, trois de plus, si bien qu'à l'heure du souper, il s'installa derrière le volant de la Cadillac, légèrement éméché.

Quant au réveillon d'André, suite à sa courte visite chez la femme de ses rêves et encore imprégné de son visage, il l'actualisa davantage lorsqu'il se retrouva seul dans sa chambre d'hôtel impersonnelle. Affalé sur une pile d'oreillers au milieu de l'immense lit, il buvait une coupe de champagne en s'acquittant de ses devoirs envers ses parents au téléphone. Minuit passa son cap pendant qu'il transférait le récepteur d'une oreille à l'autre, volontairement arrimé à cette chose, indifférent à la facture salée qu'il aurait à payer. André savait que le grand coup et les deux petits coups de sonnerie étaient le signal de chez lui, mais comme la sonnerie émettait dans toutes les maisons de son patelin, sa conversation était sûrement écoutée par des commères. La Beauce lui manquait et il s'était accordé un congé de dernière minute pour revoir le visage de cette femme, alors que ses parents et les réunions de famille lui donnaient un cafard de petit garçon. Il n'était pas armé en cette fin d'année pour y faire face.

De pieux mensonges l'avaient délivré du triste visage qu'il aurait affiché et surtout il ne voulait pas inquiéter les siens. Du haut de son observatoire, André s'approcha de la grande fenêtre et dirigea son regard vers le point cardinal l'unissant symboliquement à Rose Emma et il leva sa coupe de champagne, un peu de blues lui titillait le cœur, il vida sa coupe d'un trait. La chaleur du liquide lui soutira un sourire et il se trouva relativement chanceux de célébrer son amour solitaire parce qu'il se sentit habité. C'était cela le miracle Rose Emma. Il avait retrouvé confiance en sa capacité d'aimer, voilà, le plus merveilleux cadeau que la vie lui offrait, particulièrement en cette nuit de Noël.

***

Léone s'était permise une grasse matinée, soustraite aux regards des siens envers lesquels, elle se sentait en devoir. Leur montrer l'exemple lui pesait parfois, mais la phobie du « laissez aller » alimentait ses efforts teintés d'orgueil et prenait le dessus sur ses envies temporaires. Le magnifique brunch de Noël s'étirait depuis une bonne heure et l'après-midi s'en allait inexorablement vers sa fin, sans qu'ils n'aient vu l'ombre du fils chauffeur. Jean-Marc suggéra à sa mère de retourner dans sa chambre pour se reposer et de ne pas s'inquiéter des frais supplémentaires. Il maugréait contre cet écervelé, personne ne pouvait lui faire confiance, il décevait ceux qui lui voulaient le plus de bien.

Sa mère se reposait sur le lit, recouverte de sa jetée de cachemire, Jean-Marc, affalé dans un fauteuil face à la vitrine y admirait ce que le soleil démasquait de saleté accumulée et il voulait se voir à mille lieues de cette chambre. Il étouffait de rage devant l'inaction forcée provoquée par l'attente de ce frère irresponsable. À ce moment, le téléphone sonna un petit coup sec et Jean-Marc eut un sursaut, bondit sur ses pieds et décrocha dans la seconde. « Ouaye, j'ai eu une p'tite sortie de route, rien de grave, le char est correct, pis pour ceux que ça intéresse, moé aussi. J'ai dû m'faire sortir par le « towing » mais j'devrais arriver vers six heures. Dis, à la mére de pas s'inquiéter, j'arrive. »

Sans qu'il n'ait la chance de riposter, la communication coupa nette et Jean-Marc fut contraint et se retint pour ne pas casser le récepteur, avant de le poser doucement sur son socle. Sa mère avait tout compris, mais ne s'enquit point des nouvelles qu'elle devina déplaisantes et se contenta de demander : «À quelle heure ?

— Six heures ! ».

Visiblement contrarié, Jean-Marc, lui proposa de demeurer une autre nuit et de partir tôt le vingt-six. Son chauffeur sera relativement reposé. «Veux-tu arranger cela. Mets tout sur ma note personnelle, tu en as assez fait. Je préfère que tu partes. J'ai tout ce dont j'ai besoin. Retournes à tes occupations, il est temps. »

Elle se leva et prit son sac à mains, en retira une grande enveloppe bleue décorée de minuscules étoiles scintillantes. «C'est ton cadeau de Noël, tu l'ouvriras dans le confort de ton chez-toi. »

Il accepta l'enveloppe, essayant de ne point paraître surpris et la salua du regard. Il n'avait jamais osé s'avancer pour l'embrasser, même tout petit. Sans un mot, sa mère commandait la distance, un clin d'œil avait suffi pour prendre congé sans que le silence ne soit rompu. Le bon fils laissa des instructions à la réception avant de disparaître dans l'anonymat de la grande avenue, en ce jour de nativité divine.

Léone avait dû décommander son invitation au presbytère. Monsieur le Curé avait insisté sur l'importance de sa présence, réitérait toujours la qualité du plaisir de sa compagnie autour d'une bonne table. Léone bouillait de colère, beaucoup plus parce qu'elle n'était pas en contrôle sur les évènements. Elle avait pourtant tout planifié même l'heure du retour dans sa grande maison, mais n'avait pas calculé les imprévisibles frasques de son plus jeune fils.

Il était sept heures trente, lorsque Yvan laissa les clefs de la voiture quelque peu souillée au concierge de l'hôtel. Léone ne salua point son fils et stoppa dans l'œuf toute explication de la part du fauteur. Yvan se sauva dans la salle de bain pour dissiper son malaise et prolongea ses ablutions avant de se représenter devant son juge. Ils descendirent dans la petite salle à dîner pour un repas, sans cérémonie, certainement pas de Noël en ce qui concernait la mère, car son regard demeura rivé sur son assiette et s'accompagna d'un silence monastique. Ce qui incita fortement le fils à ne pas briser cette règle matriarcale.

Lorsqu'elle arriva près des escaliers, Madame Mayer se retourna. « Si tu veux une chambre, tu la paies, sinon le sofa de ma chambre te conviendra pour une nuit et je ne veux pas de ta présence avant dix heures. Fais en sorte que ma voiture soit étincelante quand je partirai demain matin à huit heures. As-tu bien saisi ? »

Elle lui tourna le dos et s'engouffra dans l'escalier, sans attendre une quelconque réponse. Yvan avait vu ressurgir le sentiment d'incompétence de son enfance. Un fantôme bien connu s'imposa, peu après que l'indifférence maternelle l'eut plongé dans le malaise de celui qui déçoit constamment. Exactement comme quand il était petit. La Cadillac occupa sa soirée et lorsqu'elle fut bien propre, il en fit son gîte pour la nuit, trop heureux d'éviter le partage d'une quelconque intimité auprès de cette femme, sa mère.

Rose Emma profita d'un temps de solitude dans la grande maison. Son père avait attisé un bon feu dans le foyer du grand salon et il savait sa fille bien en sécurité. Adrien ne s'attarda point car sans l'exprimer, il n'imaginait toujours pas trois adultes et un bébé habités une telle bâtisse. Tant d'espaces perdus le rendaient mal à l'aise et cette impression d'immensité vide chaque fois qu'il pénétrait dans cette enceinte, lui-même, se l'expliquait difficilement. Adrien Levèrs s'en retourna chez lui, anxieux, tel le cheval galopant jusqu'à son écurie, pressé de retrouver la chaleur des lieux familiers qui l'attendent. Elle retrouva ses coussins et le raisonnement de s'obliger à reprendre coûte que coûte sa routine, mais le goût de s'enfuir venait de traverser ses neurones. Déraisonnable, impensable ! Elle se dirigea vers le calorifère refroidi, appliqua un bon coup de pied dans un coussin sur son passage, ouvrit la valve du calorifère et serra son gilet contre elle. Rose Emma demeura figée sur place un bon moment et, sursauta quand sa fille rechigna sur le sofa, encore tout emmitouflée.

Aussitôt qu'elle mit le pied dans sa maison, au milieu de la matinée, madame Mayer se dirigea vers le téléphone. Elle pria, plutôt, ordonna à son fils Albert de s'amener pour un repas en famille et d'arriver à l'avance, car elle avait affaire à lui. Yvan n'avait presque pas eu le temps de saluer sa femme, sa mère le réquisitionna pour faire ses commissions inscrites sur le mémo, sans qu'il ne reçoive plus ample explication ou le loisir de refuser. Rose Emma entra dans le salon pour dire bonjour à sa belle-mère, celle-ci lui coupa ses bonnes intentions : «Je ne savais pas que vous aviez de l'habileté pour allumer un feu. Vous avez bien fait. L'humidité me transit depuis que je suis rentrée.»

Elle se frotta les mains et s'approcha des flammes en frissonnant. «J'ai invité Albert pour un souper de famille ce soir. Roll... Monsieur le Curé, sera présent. Habillez-vous convenablement et soyez libre pour six heures.

— Une fille de cultivateur sait faire du feu, mais c'est mon père qui l'a allumé avant de partir. Je l'ai juste entretenu bien vivant durant l'avant-midi. Et puis, mon habillement, c'est pas un problème, ma mère nous a montrés comment s'habiller modestement, j'ai pas besoin qu'on me l'fasse penser.»

Tournant les talons sans attendre la réplique, Rose Emma sortit du salon et monta l'escalier d'un trait et alla s'affaler sur sa chaise berçante. Moins essoufflée par l'effort que par son ressentiment, elle le sentit réinstaller en elle, un ancien tic reprenait sa place habituelle. Elle frappa le bras de sa chaise et se répéta la chimère jusqu'à ce que la douleur de sa main l'oblige à s'arrêter. Un peu plus tard, encore prostrée dans son ailleurs, elle entendit des pas dans l'escalier. Elle se précipita sur son lit pour simuler une sieste. Yvan se glissa derrière elle et lui souffla dans le cou tout en remontant lentement sa robe le long de sa cuisse. «Enfin, tu seul avec ma p'tite femme. J'avais ben hâte de te retrouver...»

Elle le laissa continuer son manège un petit moment, puis elle stoppa nonchalamment sa progression, car le mari devenait insistant. Sans se retourner : «Yvan soit raisonnable, la porte est même pas fermée, pis la p'tite est réveillée.

— À va attendre la p'tite pour une fois.»

Il la força à se retourner et s'empara de sa bouche pendant qu'il farfouillait plus bas, sans tenir compte que sa femme ne répondait pas à ses attentes. «Pas comme ça Yvan… non… attend … pas comme ça…» Il se servit comme un enragé sur un otage qui résiste, puis la caresse plus tendre du forcené dévia le combat vers une prise de possession plus civilisée. Yvan savait amadouer sa femme vers un consentement forcé quand il avait ce qu'il voulait, avant qu'elle ne puisse identifier l'innommable. Étendu près de sa victime, il agrippa sa proie, car elle tenta de sortir du lit. Il se retourna et lui imposa son visage déterminé, mais il la laissa à cause du bruit exaspérant des pleurs de sa fille. Yvan se contenta de ce maigre contentement d'homme dans son droit envers sa femme. Adriane ne pleurnichait plus et pleurait allègrement, Rose Emma, tout dépenaillée, se pencha au dessus de la couchette de sa fille. Elle demeura dans son vivoir pour lui donner le sein, même si son mari le lui avait défendu. Il s'arrêta aux abords de la porte, n'ayant aucune intention d'y entrer. «C'est pas encore réglé c't'affaire-là. J't'avais dit d'arrêter ça. Veux-tu que j'y boive toute son lait. Chu capable de l'faire.»

Rose Emma ne s'intéressait plus à lui, elle regardait sa fille et l'insulte du mari délaissé au profit de sa rivale, sa fille, l'horripilait. «Dépêches, faut s'préparer pour le souper. La mére est comme moé, à l'aime pas attendre.»

***

Albert ressortit du vivoir de sa mère, affichant un sourire d'un tel contentement, qu'il mit la puce à l'oreille à Yvan. Ils s'étaient rencontrés dans le corridor avant de se retrouver dans le grand salon. «Verrat Albert, ça fait longtemps que j't'ai pas vu si d'bonne humeur. C'est-tu le temps des Fêtes qui t'fait cet effet-là ?

— On peut dire ça, mais as-tu envie d'dire que j'ai d'l'air bête en temps ordinaire, le jeune ?

— Encore des affaires en cachette avec la mére, han ! Maudit verrat qu'à l'aime ça faire des mystères. Que c'est qu'à t'voulait tant pour t'enfermer d'même, tu seul avec elle ? »

Albert se dégagea de son frère et se dirigea vers Rose Emma et l'embrassa pour lui souhaiter ses vœux. Il se montra particulièrement joyeux, ce qui changeait de son tempérament quelque peu taciturne et effacé. Madame Mayer demeura dans son antre et en ressortit pour accueillir Monsieur le Curé, lorsqu'il sonna à la grande porte. Ils entrèrent ensemble dans le grand salon et l'hôtesse démontra un entregent assez remarquable envers ses invités et l'atmosphère s'en trouva relativement détendue. Après l'apéritif, elle les invita à passer à la salle à manger. Léone possédait un don pour cuisiner un tournemain remarquable et même revêtue de son sarrau, elle conservait son austérité altière.

Celui à cette table possédant un sens un tant soit peu de l'observation, décelait sûrement le regard admiratif de Rolland le Curé envers la cuisinière. Il s'efforçait de le neutraliser en s'activant dans une conversation sans arriver à contrôler le rouge à ses joues. Léone lui présenta le plat de canard confit aux agrumes et pruneaux, découpé en belles tranches, prêt à être dégusté. Des pommes de terre persillées ainsi qu'une macédoine de légumes faisaient le tour des invités. Des carafes de cristal décantaient le bon vin rouge et plus tard, un vin blanc légèrement sucré avait accompagné les fromages. Le célèbre gâteau aux fruits, dont la recette avait toujours été tenue secrète, répondit aux attentes en envoûtant les palais des convives. Après le café, Léone servit le porto, les coupes profondes rehaussaient parfaitement la saveur de la liqueur. Au centre de la table, des morceaux de chocolat noir et les noix de Grenoble se mariaient aux effluves du porto. La dame, ayant terminé son service, reprit son allure habituelle quoique ses joues rougies par le vin ou la chaleur du four et cette robe rouge en crêpe de laine aux lignes très sobres lui seyait bien, adoucissait ses traits moins figés et la rajeunissait, le temps d'un souper délicieux.

Puis, retrouvant le ton sans réplique, elle pria ses invités de passer au grand salon. Madame avait à les entretenir de décisions mûrement réfléchies. Aux premières syllabes, tous se turent et se retournèrent face au feu de foyer devant lequel Léone débuta son monologue. «J'ai décidé de modifier cette maison pour maximiser le confort de ceux qui y habitent... monsieur le Curé m'a mis en rapport avec un bon architecte. Tu auras donc le deuxième étage pour ta famille, Yvan. J'ignore si tes projets sont de déménager, mais sache qu'ils ne changeront en rien ces travaux prévus pour l'été prochain.»

Profitant de leur hébétude, Léone reprit son discours devant des personnes figées. «En ce qui concerne la scierie, une compagnie américaine s'y intéresse et monsieur l'Abbé ayant manifesté le désir de prendre sa retraite, j'ai décidé de la vendre.»

Un visage contrarié gardait un silence de moine et Léone dirigea son regard sur Monsieur le Curé. «Aussi, je vous ai convié pour un repas du jour de l'An hâtif, car je vais m'absenter pour quelques jours. Je vous offre mes vœux de bonne et heureuse année.»

Léone alla s'asseoir auprès du curé Rolland sur le grand canapé et demanda à sa bru de remplir les coupes de ce bon porto. Ils n'étaient pas encore revenus de leur envoûtement, figés devant le fait accompli. Aucune réplique valable ne leur traversait l'esprit et c'était ainsi que Léone avait imaginé la fin de son entretien, silence et bouches cousues.

Rose Emma fit signe à son mari de la remplacer, elle reprit sa fille tout en sourires dans les bras de son oncle Albert et s'excusa, prétextant un mal de tête et se dirigea précipitamment vers le grand escalier. «Bonne nuit ma fille...»

Le «vous aussi» la força à se retourner et esquisser un petit sourire, aimable à sa mégère. Yvan se dirigea vers le grand sofa et sur un ton faussement joyeux : «J'pense qu'y reste juste moé qui a pas encore eu son entretien dans votre salon des secrets, mère.

— Ton entretien…?»

Yvan se sentit vexé, tenu à part des entretiens privés dont sa mère avait gratifié son frère. «Comme ça, j'aurai pas la chance de sortir de votre confessionnal le sourire fendu jusqu'aux oreilles…

— J'en ai bien peur

— Ben, j'vous convoque dans votre bureau demain matin. Y'a ben des affaires en suspens de mon bord qu'y faut qu'on mette au point.»

Il déposa bruyamment sa coupe sur la belle table en acajou, salua d'un sourire ironique monsieur le Curé et se dirigea vers la sortie principale. Yvan Mayer devait s'aérer et se désaltérer plus copieusement.

Perché dans son nid d'aigle, Jean-Marc était seul. Il décacheta avec précaution la belle enveloppe et jeta un œil sur le montant inscrit sur le chèque. Les chiffres lui brouillèrent la vue telle une illusion d'optique, car sa mère plutôt de nature grippe-sou, n'avait jamais fait de cadeau d'argent de la sorte. Il reconnut sa belle écriture sur le beau papier, ayant parfaitement convenu pour un faire-part de mariage. Faisant durer le plaisir, il se versa une larme de cognac et bien calé dans son fauteuil, les deux pieds sur son pouf, il fut disposé envers les mots qui attendaient devant lui.

Mon fils,

Le temps est venu de t'exprimer ma satisfaction depuis ton jeune âge et je te sais gré de ta complicité sous la finesse de tes silences concernant ma vie antérieure. Tu as su deviner ma profonde incapacité à te parler de celui, cet homme que j'ai méprisé le plus sur cette terre. Tu ne lui ressembles en rien et c'est un bien grand soulagement de reconnaître en toi des qualités de ta grand-mère maternelle. Je peux t'assurer, sans cette femme de bonté, j'aurais quitté cette terre très tôt, sans un regret. Lorsque mes soixante années sonneront, ainsi sonnera ma liberté entière et totale sur tous « ses avoirs » j'en disposerai enfin comme je l'entends. Tu vois Jean-Marc, même ta mère se soumet encore à la volonté de cet être rustre qui n'a récolté qu'un cruel pouvoir sur des personnes sans défense. Ni l'amour, ni la noblesse de cœur, n'effleura la pointe de son muscle, il n'aura remplit qu'une fonction mécanique, en plus de l'abandonner et pour une fois, sans sa permission.

Chétive consolation de savoir qu'il ne fut pas le maître de sa finitude sur cette terre. J'ai décidé de te rendre un peu de cette affection inconditionnelle dont tu me dispenses depuis toujours et demeure le seul sentiment de valeur dans mon cœur encrassé par l'amertume. Je te demande une discrétion absolue, tu es le seul être dont la présence me manque !

Ta mère.

CHAPITRE V

LES ENTRETIENS

« Non, qu'est ce que tu m'dis là, Jacqueline ? Tu vas pas m'laisser tu seule ici. J'ai personne d'autre pour parler en confiance. J'ai besoin de toi ma p'tite sœur, si tu savais. »

Rose Emma se leva d'un bond de sa chaise et se rendit devant la fenêtre pour cacher son désarroi. « Voyons, j'm'en va pas aux Indes. Tu viendras juste plus longtemps comme de la grande visite. C'est pas si tragique que ça han, Rose Emma ? »

Jacqueline frotta le dos de sa sœur qu'elle sentit si fragile à cet instant. Sa tristesse la poussa à dédramatiser sa réaction, beaucoup plus pour se rassurer elle-même, devant l'expression et les larmes sur le visage de sa grande sœur. « J'vais toujours être là pour toi ma sœur, ça tu peux y compter, pis j'vais avoir besoin de toi pour placer mes affaires dans ma maison. Ça fait que… si tu veux m'aider, va falloir que tu restes chez nous au moins deux semaines ou trois pour que ça vaille la peine. »

Elle lui fit un clin d'œil complice afin qu'elle imagine une vacance prolongée et la fuite de ses soucis pour un p'tit bout de temps. Rose Emma lui renvoya une moue intéressée et Jacqueline savait qu'elle avait atténué le choc tant redouté. De bonne grâce, Rose Emma commença à entrevoir les avantages de ce départ déroutant. « Pour le moment, j'suis pas encore partie, c'est juste l'automne prochain. Y'a encore ben d'l'eau qui va couler dans rivière avant toute c'te changement-là. »

Alors les deux sœurs s'étaient assises à la table de la cuisine devant une tasse de thé, le routinier concept d'intimité se recolla, pendant que l'une racontait et l'autre écoutait…

***

Yvan regardait sa mère en train de mettre ses pardessus. « Avez-vous oublié notre entretien, mère ?

— Il est dix heures passées. Le matin m'avais-tu spécifié et de façon très impolie Yvan Mayer. Je n'ai plus de temps pour « ton » entretien. J'ai rendez-vous avec Monsieur le Curé. »

Elle avait insisté sur le « ton » pour lui rappeler qu'elle n'était pas concernée. Yvan lui répondit ironiquement. « Ah ! Rolland… »

Le regard de sa mère, incisif, lui baissa les yeux en même temps qu'il perdit son air d'effronté. Il reprit son attitude de petit garçon. « Auriez-vous du temps en fin de journée quand vous reviendrez… c'est important que je vous parle mère. »

Elle lui fit un signe de tête tout en ayant son air d'aller. Il se déplaça rapidement afin de lui céder le passage vers la sortie.

Yvan se sentit un lion en cage durant toute la journée, en attente, sa leçon, il l'avait apprise par cœur et il lui tardait de l'exposer devant celle qui détenait les cordons du pouvoir et de sa bourse. Il se sentait floué par les dispositions testamentaires de sa mère, n'avantageant que ses frères. Il exigera son indépendance financière tout en la redoutant, il fuyait les responsabilités maritales et s'octroyait beaucoup de liberté. L'argent de sa mère lui apportera cette liberté dont il rêvait et son raisonnement lui sembla des plus censés.

Il pelleta la grande galerie avant et arrière pour tromper son anxiété et lui prouver qu'il il était un bon fils, indispensable dans cette maison. Il prit son dîner en compagnie de sa femme, mais ils n'avaient pas profité de cette rare intimité puisque Yvan était présent de corps seulement. Très songeur, il mangea en vitesse et sortit pour tenter une percée chez Albert. Il le retrouva, entouré de sa passion. Plusieurs photos gisaient par terre et sur son bureau. Penché sur sa loupe, il examinait la qualité des épreuves qu'il venait de développer. «Tiens, le jeune, qu'est-ce tu fais dans les parages ?

— Ben, j'me d'mandais pourquoi la mére m'a écarté de ses largesses, j'aimerais ben ça savoir. Je l'sais qu'à t'a donné un chèque, c'est ça hein ?

— Pourquoi tu y d'mandes pas, t'es son p'tit dernier celui qui a toujours eu tout rôti dans l'bec. Pis, tu l'sais que m'man pis ses secrets, ça doit rester secret.

— Tu m'fais pas confiance, c'est ça hein ? Maudit verrat que t'es moumoune avec elle, jamais un mot plus haut qu'l'autre… t'auras beau tout faire pour pas y déplaire ça sera jamais toé son chou chou. Tu pourras pas détrôner notre vedette… c'est lui son préféré.

— J'suis satisfait de mon sort, elle ne m'pose jamais de questions sur ma vie c'est tout c'que j'y demande.

— Ta vie ? T'en a pas d'vie, tu travailles tout l'temps.

— Hèye le jeune, mêles toé d'tes affaires, c'est pas parce que tu travailles dans mon garage que t'as l'droit de mettre les pieds partout dans ma vie.

— Bon, bon, tu veux rien dire pour m'aider han. J'te dis que la mére vous ferme la gueule avec son argent. C'est écoeurant. »

Yvan sortit en claquant la porte et sacra durant tout le trajet, jusqu'à ce qu'il monte les marches de l'hôtel. Il se précipita vers la grande maison sur l'heure du souper et trouva sa mère en train de cuisiner. Il fit volte face et grimpa l'escalier pour se rafraîchir les idées. Ces quelques bières l'avaient calmé et il se sentait d'attaque pour le grand affrontement.

Rose Emma s'occupait de distraire sa fille et elle sentait la fébrilité dans l'attitude de son mari. Il avait besoin d'une petite étincelle pour s'enflammer. Elle profita de ses ablutions pour descendre avant lui et faire manger sa fille qui dispensait ses sourires à tout le monde. Même le visage austère de sa grand-mère y avait droit et pour un œil quelque peu perspicace, une petite lueur de plaisir traversait ce regard sévère durant cette petite seconde de tendresse.

Le poids du silence emprisonna un peu plus fortement la tension pendant le repas comme à l'accoutumée, silencieux. Les mâchoires serrées, Yvan mangea du bout des lèvres et sa mère ne décolla pas son regard de son assiette, un bien mauvais signe envers son entretien à venir. Enfin, lorsqu'elle entra dans son vivoir, aussitôt Yvan lui emboîta le pas. « Je t'accorderai peu de temps étant donné que tu n'as pas tenu ta parole par deux fois dans la même journée. J'étais disponible en fin de journée maintenant, je veux lire et tu me prends mon temps de détente.

— Vous avez été en dehors de la maison toute l'après-midi… »

Il dirigea son regard vers la grande fenêtre pour fuir les yeux gris d'acier de sa mère et débuta sa tirade. « Pendant le temps des rationnements j'vous donnais mes payes pis c'était correct de même. À c't'heure que j'ai deux personnes sous ma responsabilité, j'veux m'administrer tu seul. De toute façon, vous en avez jamais eu besoin de mon argent, pis Rose Emma est tannée de vous quêter. Ensuite, j'veux savoir pourquoi j'ai pas droit aux mêmes faveurs que mes frères ? J'suis toujours au bout d'la cenne, j'ai rien devant moé, pis vous nous traitez comme des otages ici'dans. Pourquoi vous vendez la scierie de mon pére sans nous consulter, même pas nous l'offrir ? Vous modifiez la maison sans me demander mon avis ? J'suis toujours devant le fait accompli. J'aimerais ça avoir droit de regard sur mon bien, étant donné que c'est toute c'que j'va avoir. Vous savez pas c'que c'est de s'sentir pauvre, vous êtes pleine d'argent du pére. »

Yvan se tenait devant elle, blanc de colère, tel un jeune coq, tel un être qui a toujours eu tous les droits et il les revendiquait en conquérant. Plus il parlait, moins il ressentait la crainte devant cette femme qui le paralysait quand il était petit. Pour une rare fois, il se sentit un homme en pouvoir devant elle. Léone, toujours assise dans son fauteuil, ferma son livre avec vigueur et fit sursauter le requérant. Elle se leva et lui fit face. Quelques pouces les séparaient et Yvan n'attendit point le commandement avant de bouger devant la proximité soudaine de sa mère, il baisser pavillon, incapable de soutenir son regard. « Si tu as terminé tes lamentations, assieds-toi confortablement et écoutes attentivement parce que je n'en reparlerai plus et c'est le seul entretien sur ce ton que je permettrai. Tu… revendiques ton salaire que tu coupes de moitié pour tes dépenses personnelles. Quand as-tu payé une paire de souliers ou tes vêtements que tu achètes à la mercerie « Norbert » car bien sûr, tu as conservé des goûts dispendieux. Quand as-tu acheté un manteau pour ta femme ou t'en es-tu soucié ? Tu sais parfaitement que je passe derrière toi et je PAIE tes bills comme tu dis, partout dans la ville parfois, ceux de l'hôtel, car ne crois pas que tes largesses leurrent tes comparses. Ton train de vie dépasse de beaucoup ce que tu gagnes et je paie… pour te conserver un peu de dignité tout en épargnant notre nom. Alors je veux bien, garde ton salaire, mais je te conseille de faire un budget strict avec ta femme. Commences à te priver, surtout, coupes ton seul loisir, la boisson. »

Plus sa mère parlait, plus la réalité lui sauta au visage et moins il avait le goût de poursuivre cet entretien. Il se complaisait depuis si longtemps dans cette entente tacite, qu'il n'avait pas réalisé que rien n'était acquis et qu'il dépendait de son bon vouloir pour continuer son train de vie. Il fit le geste de se lever. « Je n'ai pas terminé. J'ai hérité de la totalité des biens de ton père et j'en dispose comme je l'entends. J'ai gagné ce droit au centuple et n'oublie jamais qu'un testament peut se modifier en tout temps. Il suffit d'être vivant pour s'en prévaloir et je ne suis pas encore morte. Malheureusement…tu es celui qui lui ressemble le plus, sauf pour la bosse des affaires et je n'aime pas ce que je vois la plupart du temps. »

Elle s'arrêta brusquement, ses mains tremblaient légèrement, elle reprit son discours plus posément. « Tes frères ont démontré qu'ils pouvaient gérer leur vie. Ils reçoivent maintenant ce que tu es incapable de faire pour le moment. Ta fille possède présentement la part qui te revient et je n'ai pas l'intention de changer quoi que ce soit. Tu es libre d'aller habiter ailleurs, je ne retiens personne, mais si tu décides de rester, ne te mets plus jamais en travers de mon chemin. C'est moi qui décide dans cette maison, est-ce bien clair? Je ne veux plus jamais d'entretien de la sorte avec toi, as-tu bien saisi?

— Chu pas encore sourd.»

Il se leva et se dirigea vers la sortie, puis il se retourna : «Maudit verrat que l'pére a du être malheureux avec vous…»

Léone lui asséna cette déclaration sur un ton de voix aussi glacial et sec que son ressentiment intérieur pouvait l'exprimer. «J'ai vécu dix-neuf années en présence d'une brute sans cœur…accouché de ses enfants tous conçus dans le viol. Sors d'ici.»

Lui tournant le dos, elle le lui signifia de son index pointé vers la porte. Yvan disparut, ayant la dramatique des dernières paroles de sa mère imprégnée sur le visage, lorsqu'il rencontra Rose Emma. Il avait franchi sa ligne de tolérance et il ne savait pas combien ce faux pas allait lui coûter. Cet état de fait le préoccupait plus que la peine, qu'il venait de raviver dans le cœur de sa mère. «Maudit verrat ma femme, j'sais rien de la vie de la mére quand j'étais p'tit. Verrat, j'viens de mettre le feu aux poudres… est capable de m'mettre dehors.»

Yvan débita son commentaire les yeux dans le vide, comme si les paroles de sa mère raisonnaient encore en lui et l'expression de son corps redoutait le joug du châtiment. Rose Emma, était figée elle aussi, parce qu'elle venait d'entendre que peut-être, sa délivrance semblait sur le point de se concrétiser.

Léone regrettait ses paroles dites dans la colère. Elle s'en voulait de n'avoir pas su se maîtriser comme elle le faisait depuis son arrivée dans cette ville. Énoncer dans son présent, sa vie de misère, l'avilissait encore au plus profond de sa douleur, vive et cuisante comme une brûlure éternelle. Toute la maisonnée marcha sur des œufs durant les jours suivants et surtout, jamais Yvan n'avait été aussi présent pour sa p'tite famille.

Léone s'était investie dans la sacristie et au presbytère, aidant mademoiselle Rita pour le souper de la veille du Jour de l'An, fêté en intimité avec ses vicaires. Pour la circonstance, monsieur le Curé avait insisté auprès de mademoiselle Rita et de madame Mayer, il les invitait à partager sa table, un geste tout simple, en guise de remerciements pour tant d'assiduité et de dévouement envers lui et ses vicaires. Debout aux aurores le lendemain, le curé Rolland s'était démené, tout devait être impeccable pour officier la grand-messe. Il avait beaucoup travaillé son sermon, empreint de tolérance et d'amour pour l'année qui pointait son grand Jour. Il concernait principalement tous ces hommes et femmes, toujours sous le joug de l'infamie et mouraient encore dans cette guerre interminable. L'océan ne pouvait empêcher les prières de parvenir jusqu'à eux.

Monsieur le Curé savait dissimuler sa grande fatigue sous ses dehors affables, sans toutefois convaincre son amie.

Léone s'était retirée tôt après le souper et dans l'intimité silencieuse de sa maison, elle passa le reste de la soirée à faire le tri des vêtements qu'elle apporterait durant son séjour au Cap-de-la-Madeleine.

Quelques jours plus tard, Léone descendit le grand escalier, une petite valise dans chaque main et donna ses instructions, le regard dirigé uniquement sur sa belle-fille même si son fils, un peu en retrait, essayait d'attirer son attention, tenant la p'tite dans ses bras. «Je compte revenir après les Rois. Pour la nourriture, l'épicier connaît mes consignes, aucune boisson n'entre sur mon compte.

— J'aurais pu y'aller vous r'conduire vous savez... »

Yvan se sentait le cœur vaillant et repenti, tenta un signe pour atténuer sa boulette inqualifiable. «Consacres-toi à ta famille...tu as du temps à rattraper. »

Elle leur avait dit «au revoir» d'une voix si peu audible, la silhouette tourné vers la sortie, personne n'avait répondu. Ils se contentèrent de la regarder fermer la grosse porte d'en avant, figés comme des statues.

CHAPITRE VI

LE PÈLERINAGE

Rolland le Curé s'était improvisé chauffeur, lui-même, avait reçu une invitation du diocèse de la grande capitale du pèlerinage, en route vers les festivités de la fête des Rois. Comme tous les ans, le Sanctuaire du Cap-de-la-Madeleine promettait une affluence de pèlerins qui dépassait toujours les pronostics les plus optimistes. Plusieurs prêtres des paroisses du Québec recevaient des invitations spéciales pour participer aux cérémonies, surtout lorsque de la grande visite de Rome séjournait parmi les prélats, le prestige s'en trouvait rehaussé.

Madame Mayer s'octroya un gîte dans la cité comptant le plus grand nombre de séminaires et collèges classiques, tous dirigés par différentes communautés religieuses. Des usines de prêtrise bien rodées afin d'attirer de jeunes hommes autant riches que pauvres. Léone occupa une minuscule chambre chez les Sœurs Grises et son aumône substantielle lui donna le privilège des traitements de faveur digne des meilleurs hôtels. Les repas, toujours servis à la même heure et tous succulents contribuaient à la bonne disposition de madame Mayer. Une cuisine simple qui goûtait le meilleur du Québec, la dame préférait les desserts et elle se permettait un régal, une récompense durant quelques jours.

Victorin L'Abbé était venu la chercher pour discuter des affaires concernant la scierie, étant toujours son homme de confiance au cours de tant d'années et son intégrité n'avait jamais failli envers sa patronne. Il lui confirma que des acheteurs américains s'étaient rendus par deux fois sur le site de la scierie et ils voulaient discuter ferme pour l'achat du patrimoine des Mayer. Victorin L'Abbé lui offrit de venir constater les changements qu'il avait effectués sur la ferme, mais Léone, sans beaucoup de délicatesse, refusa son invitation et il comprit, son souvenir venait de le ramener au temps de son premier patron. «En vendant le patrimoine, j'ai décidé de vous prévaloir d'un montant. Je tiens à vous témoigner mon appréciation pour votre précieuse collaboration durant toutes ces années. Rares, sont les hommes intègres dénués de malice que je respecte et vous en faites partie. Mon comptable vous fera parvenir les sommes en son temps. Cependant, je vous demanderais de bien vouloir m'envoyer un mot, si vous vous considérez satisfait. Je ne crois pas vous revoir, mais si vous avez besoin de quoi que ce soit pour vous et votre famille, vous savez par qui me joindre, n'hésitez pas.»

Victorin L'Abbé salua sa bienfaitrice : «On n'a jamais manqué de rien parce que vous m'avez donné ma chance. J'ai fait vivre ma famille dans la dignité, pis j'ai pu faire instruire un de mes enfants. J'pourrai jamais assez vous remercier madame Mayer !

— Une bonne association ne peut progresser sans loyauté monsieur L'Abbé, votre honnêteté… a été payante. Bonne chance.»

L'homme, surpris et ému par le discours de sa patronne, respecta son silence pendant qu'il la reconduisait au pied des grandes marches sur le site de la cathédrale. Une autre page de sa vie antérieure s'achevait dans cet au revoir envers cet homme bon, le seul durant sa grande noirceur. Léone releva le collet de son manteau afin de sentir une douceur sur la peau de ses oreilles. Son chapeau de velours noir n'était que parure et la fourrure lui procura un réconfort immédiat pendant que son regard évaluait toute cette blancheur glacée autour d'elle. La froidure la précipita malgré elle vers son passé minable, ce lieu dont le seul pied posé sur son sol quelques minutes auparavant, réveillait davantage cette âpreté fielleuse, mouvance de ses entrailles. Léone refoula son poison en marchant rapidement vers les immenses portes et entra dans la cathédrale essoufflée, ayant le dérisoire espoir que cet autre lieu de paix descende également en elle-même afin d'anesthésier son mal. La chaleur du lieu lui monta au visage pendant qu'elle projetait son regard sur ce dôme magnifique, ouvragé de vitraux multicolores, des fresques qui donnaient lumière et vie à l'immensité du lieu. Léone essaya de s'imprégner de cette lumière, mais l'engelure de son cœur ne se prêta point au jeu de la moindre ondée de chaleur alors qu'à l'extérieur pourtant, le pourtour de ses yeux rougis n'était pas seulement redevable au temps hivernal.

Lorsque le curé Rolland l'aperçut, assise bien droite et perdue dans ses pensées sur un banc de côté, en face de la statue de Notre Dame des Coeurs, il se dirigea vers elle et lui fit signe d'aller le rejoindre. Il l'entraîna près de la sacristie dans un recoin peu achalandé et se rapprocha, sans toutefois la toucher, mais suffisamment pour sentir une proximité. «Vous me semblez bien accablée! J'espère que vous n'avez pas eu de mauvaises nouvelles par votre engagé. Si vous voulez partir, nous venons de terminer la répétition. Quand un cardinal de Rome, un évêque et quatre prêtres, dont un Chanoine sont obligés de s'entendre pour officier une telle messe, bien des susceptibilités tatillonnent sur l'essentiel, vous vous en doutez. Enfin, tout semble de concert pour la satisfaction de tous. Je vous amène prendre le thé au presbytère.»

Il lui signifia de le suivre, Léone se laissait conduire et durant ce bref instant, elle apprécia son initiative polie. La sollicitude traversa le regard du prélat en pressant subtilement sa main. Puis, il fit mine de la saluer en enfilant sa toque de fourrure, obtenant un léger redressement de sa bouche qu'il prit pour un sourire. Léone aimait la présence de cet homme cultivé et ses belles manières couvraient pour quelques instants une part de ses grandes carences, grâce à sa politesse, sa déférence. Un barème de rechange pour atténuer le goût du commun qui persistait en elle.

Ils avaient bénéficié d'un moment d'intimité au petit salon. La religieuse leur servit le thé et d'appétissantes tranches de gâteau aux dattes étaient bien alignées dans l'assiette. Bien que la porte demeurait entrouverte, personne n'était venu troubler la quiétude de leur conversation durant cette heure vespérale. Rolland insista pour prolonger leur entretien en l'invitant à souper en compagnie de ses confrères, mais Léone avait hâte de retrouver sa chambrette. Elle avait grand besoin de s'isoler et de se reposer beaucoup plus mentalement. Elle se devait de reprendre le contrôle d'elle-même ; son corps filiforme toujours bien rodé devait continuer de bien la servir.

Le grand jour de la fête des Rois s'ouvrit somptueusement dans l'allée centrale par la procession de l'immense statue de la Vierge Notre Dame du Cap, suspendue sur un magnifique présentoir blanc et or et quatre hommes le supportaient sur chacune de leurs épaules. Puis, le Cardinal de Rome s'avança lentement revêtu d'une chasuble brodée de fils d'or ton sur ton, une magnifique peinture du visage de Jésus ornait le centre du vêtement au dos et sa tiare magnifiquement ouvragée ainsi que son long bâton de pèlerin tout en or lui aussi, lui conférait l'élégante opulence et commandait autant l'admiration que le respect de toute cette assemblée. Ensuite, l'évêque, aussi richement vêtu, déambula sous le dais de velours bourgogne frangé or, soutenu aux quatre coins par des Chevaliers de Colomb alourdis dans leurs aubes de velours à capuchon. Son Éminence, les mains emprisonnées par une étole blanche frangée de longs fils de soie, tenait l'ostensoir contenant le Saint-Sacrement. Deux prêtres en tenue de célébrant suivaient le saint sacrement agitant un ostensoir odorant et fumant. Puis, une dizaine de prêtres en surplis de cérémonie, tenaient de beaux calices d'or finement ouvragés et ils fermaient le cortège dans le recueillement qui se communiqua à tous les fidèles.

Léone prenait place dans l'une des premières rangées réservées aux Personnalités de diverses régions. Elle fit taire son inconfort, entourée de tous ces hommes en apparat, vêtus de beaux habits soyeux taillés dans les meilleurs tissus. La cérémonie se mobilisa autour de l'Éminence qui observait l'un des prêtres purifier l'espace tout autour de l'autel en agitant l'ostensoir, duquel sortit une fumée qui libéra l'encens très odorante. Une forte odeur d'Orient embauma la nef et progressivement atteignit les narines des pèlerins retranchés dans les dernières rangées et ainsi, les confirmait tous des membres de cette assemblée. Autant les prêtres remplaçaient les petits servants de messe habituels, autant la chorale dans le jubé, renvoyait des sons d'alto, de ténor que seules des voix masculines pouvaient rendre. Aucune présence féminine n'était représentée sur cette scène outre la statue de la Vierge, replacée sur son socle ! Même les Religieuses avaient cédé leur place à des séminaristes sur les côtés de la nef. L'énorme pouvoir ecclésiastique déployait sa suprématie avec faste et conviction devant des croyants, impressionnés par un cérémonial liturgique bien rodé. Les cérémonies, ainsi que les manifestations de piété longues et fastidieuses, ennuyaient Léone et tout en observant le spectacle, elle repéra son compagnon animé du sérieux des officiants, évoluant dans cet univers sous une aisance déconcertante. Il régnait et se comportait comme tel.

Léone s'était dissociée du spectacle, retranchée dans ses pensées alors qu'elle réglait le sort de sa famille durant ces heures interminables. Elle pensait à ses enfants - Yvan, cet enfant non attendu, celui qu'elle n'avait pas pu faire passer. Il s'était accroché bien solidement à la vie avec la même intensité que son propre désespoir se collait à son quotidien. Sans doute, sa détermination morbide avait traversé la paroi de son ventre pour alerter ce petit être qui voulait vivre. Quoi qu'il en soit, ce petit n'avait pas réussi à le sortir de sa terrible désespérance, car il correspondait à la phase la plus noire de sa vie d'esclave. Elle l'avait gavé à outrance sans qu'il ait à réclamer, sans l'éduquer, pour avoir la paix, pour qu'il s'éloigne de ses jupes. En vieillissant, il ressemblait trop à cette bête qu'elle méprisait et il portait la tare sans qu'elle ne puisse se raisonner, même si elle se sentait injuste envers lui. La présence de ce fils l'indisposait encore plus depuis l'incident et bien qu'elle était édifiée par l'élan maternel de sa bru, sa petite fille l'avait ramollie d'un seul sourire. Cette enfant lui importait et elle la soumettait sous sa protection sans préavis à qui que ce soit. Dommage, qu'elle ait été engendrée par ce dernier fils, celui qui représentait le mieux l'héritage des Mayer dans ses gênes. Elle haïssait les agissements de cet enfant autant que son raisonnement. Le seul enfant obéissant à sa requête de se marier, contraint, par peur de l'enrôlement. Paresseux, sans intérêt particulier, sauf boire avec ses chums. Ce dernier enfant, ce petit poison par qui le scandale semblait toujours sur le point de surgir !

Jean-Marc son préféré parce qu'il comprenait, il savait depuis qu'il était petit. La bonté de sa mère avait retrouvé vie dans ses yeux. Son geste attentionné lui ressemblait. Elle l'aimait. Celui auquel le bonheur lui revenait de droit, celui qui devrait être le plus heureux et pourtant, encore cette année, elle avait vu tant de tristesse dans son regard. Qui partageait sa vie ? Peinée de ne pas mériter ses confidences. Ce fils, lui procurait tant de fierté et de reconnaissance parmi la communauté…le seul enfant qu'elle avait idéalisé depuis qu'il était devenu un homme. Cette admiration maladive lui tenait une petite partie du cœur attendrie, pas complètement sclérosé. Chacune de ses rencontres lui offrait ce constat formidable, sans vouloir l'admettre - cette sensation réconfortante de ne point le partager avec une autre femme, sachant pertinemment que la carence commençait à peser sur son beau visage viril. Un être hors du commun était sorti de son ventre alors qu'elle-même, emmurée dans ce piège indissoluble du mariage, oubliée au fond d'un rang, elle s'était hissée à la lumière grâce aux yeux de cet enfant. Même adulte, il ne l'avait point déçue puisque leur nom brillait au sein d'une équipe de hockey professionnelle. Son fils aîné avait projeté leur nom au-dessus de l'anonymat des personnes ordinaires. Léone se complaisait dans cet état de fait et à l'instant même, les traits de son visage s'étaient adoucis et témoignaient fortement du contentement qu'elle éprouvait.

Albert le silencieux, le garçon travaillant et si solitaire. Elle ne le connaissait pas plus que les autres bien qu'elle savait qu'il se ferait tuer pour elle. Léone ressentait cette abnégation se dégager de cet enfant et tout en l'admirant, ce dévouement inconditionnel l'effrayait et l'éloignait malgré elle de ce fils. Il représentait la source, le commencement de son malheur parce qu'elle se reconnaissait en lui. N'avait-elle pas fait un tel sacrifice pour l'amour de sa mère! Un être si sensible, si réservé semblait se complaire dans sa coquille craquelée, parmi ses appareils de photographie et ses milliers d'épreuves, sans petite amie. Elle le savait ambitieux, mais il semblait résolu à ne jamais s'affranchir, figé dans son petit quotidien routinier.

Puis, le passé s'imposa et sa mère apparut dans sa pensée. Sa maman, vénérée par sa seule fille, avait continué son esclavage quelques années après son départ et un jour, elle s'était alitée. Prévenue par son frère cadet, Éphigénie la femme, avait eu le temps de poser un regard apaisé sur sa fille avant de fermer les yeux sur sa vie et s'y reposa finalement, pour de bon. Personne ne lui avait rendu tout le dévouement dont son bourreau, en particulier, lui était tributaire. Ce mari organisa ses funérailles à l'image de la vie qu'il lui avait offerte, dans le plus strict dénuement. Il avait même choisi son cercueil, le plus bas de gamme, car son père trouvait ridicule d'enterrer un cercueil de prix, de l'argent gaspillé pour rien. Léone, reçut la preuve du mépris de son père envers sa créature, sa chose, sa femme.

Ce père qu'elle refusa de regarder. Même les menaces du haut de son autorité furent vaines. Léone récusa tout de lui, le raya de sa vie de façon définitive, une coupure nette comme un rasoir. Elle avait entendu dire qu'il avait trouvé une autre proie. Quelques mois avaient suffi pour remplacer sa femme et en installer une autre dans tout ce confort dont sa mère n'avait jamais osé en rêver. Elle lui en voulait d'avoir respiré quelques années de plus que sa mère. Sa propre mort s'était présentée, sournoise, pendant un séjour sur la côte est des États-Unis. Léone s'était attirée les médisances de la parenté et du village parce qu'elle avait décliné toute visite au salon funéraire. Elle ne s'était point présentée à son service à l'église, ni à sa mise en terre, même sur l'insistance de ses frères. Eux, qui ne l'avaient jamais protégée ni aidée contre son bourreau. Ils avaient profité de leur statut de mâle privilégié sans regarder plus loin que leurs petites personnes.

La dame sortit subitement de sa torpeur lorsque la cohue des fidèles se rua vers l'avant. Plusieurs personnes étaient déjà attablées les mains enfouies sous la nappe de la balustrade pour recevoir l'hostie consacrée de la communion. Elle se fit violence pour aller communier, mais Léone attendit la fin de la file des fidèles, faisant la queue dans l'allée et elle se leva et se dirigea vers la balustrade pour recevoir l'hostie des mains de son Curé. Les joues de l'homme rougies par la chaleur et les épaisseurs de tissus s'étaient envenimées quand le Curé Rolland répéta l'automatisme envers elle, ce qui n'échappa point au regard de la dame de fer.

La communauté religieuse au complet avait mis les efforts pour habiller les deux tables du réfectoire. Deux corbeilles d'œillets blancs au centre donnaient au lieu des allures de noces et Monseigneur invita les convives à entrer dans l'immense salle à manger du gigantesque presbytère. Léone étant présentée sous le patronage de «mécène» dévouée aux œuvres paroissiales fut honorée de l'insistance de son curé afin qu'elle participe au somptueux dîner et quelque peu mal à l'aise, elle se retrouva assise entre lui et le Chanoine, un grand et bel homme. Toutefois, son air hautain et son verbe pompeux eurent raison du désintéressement de la dame. Le ton de la fête devenait plus animé, après que les coupes de bon vin rouge avaient été une seconde fois, toutes remplies. Des éclats de rires discrets se propageaient et le rouge aux joues de la Supérieure tout en sourires s'accentua sensiblement. Léone observa et conclut que l'humain avait pris le dessus sur l'habit et en définitive, ces Religieux redevenaient des personnes bien en chair devant une bonne table. À la fin du long repas, Léone voulut se lever de table et une vive douleur au bras gauche lui plia les genoux. Rolland rattrapa son amie et la souleva jusque sur le canapé de la salle de séjour adjacente. Sa respiration superficielle et la douleur aiguë inquiéta fortement pendant qu'on lui faisait avaler une aspirine écrasée dans une cuiller d'eau sur l'avis de Mère Supérieure. Rolland se tenait au pied du canapé, le regard emprunt d'inquiétude et Léone l'aperçut, après que sa douleur à la poitrine eut diminué. Un avertissement de se ménager, conseilla le médecin et de consulter pour évaluer l'état de son cœur.

Rolland reconduisit son amie chez les Sœurs et demeura une partie de la soirée au petit salon pour veiller sur elle, car Léone l'avait prié de rester pour cette fois. Elle craignit de se retrouver seule dans son étroite chambre - la peur de mourir, tangible, solitaire l'avait trop investie sournoisement et se collait encore à ses entrailles. Rolland la quitta vers neuf heures et lui donna rendez-vous au réfectoire pour prendre le petit déjeuner après sa messe, avant de repartir vers leur petite ville. Léone lui fit promettre de taire l'incident de son malaise.

Le lendemain sur le chemin du retour, Rolland profita de l'intimiste proximité de l'automobile et lui avoua son indéfectible amitié. «Je vous surveille chère amie, vous m'êtes très chère, soyez-en certaine. Votre présence adoucit ces affreuses phases de solitude, même la prière ou la lecture de mon bréviaire ne m'amène pas toujours vers une sérénité recherchée par mon intériorité. Il est rare de rencontrer une telle complémentarité même parmi mes confrères.

— Je vous estime également, Rolland...»

Son prénom, énoncé dans cet habitacle restreint, créa une aura d'intimité entre eux. Après un long moment de silence, il avait souri tout en reprenant contenance et s'informa si elle désirait s'arrêter le temps de prendre un thé. Ça ne se faisait pas d'entrer dans un endroit public, mais voyant le visage fatigué de son amie par le rétroviseur, il brava les interdits et dirigea l'auto vers le stationnement d'un restaurant adjacent à une auberge.

Lorsque le Curé laissa son amie sur le perron de sa grande maison, il lui serra la main, s'attarda avant de la lui rendre, puis il se désista devant son invitation afin de cacher son émotion et l'envie soudaine de ne pas la quitter.

Léone poussa la porte du vestibule et fut accueillie par sa petite-fille qui marchait vers elle d'un pas chancelant, les petites mains en l'air. Laissant tomber ses valises, Léone la rattrapa juste à temps. Son sourire limpide et ses yeux vifs ajoutaient des notes positives à cette enfant, même si elle n'était pas du bon sexe. «Cette enfant est bien précoce...»

Rose Emma reprit sa fille, visiblement très fière de sa progéniture et s'apprêtait à remonter. «Cette enfant est trop couvée mais…cette constance vous honore…»

Bien que le ton demeurait autoritaire, Rose Emma figea sur la première marche de l'escalier. Une toute première appréciation de la part de sa belle-mère se matérialisait à peine dans son cerveau et comme elle s'apprêtait à la remercier. «Tâchez d'attraper mon fils, j'ai affaire à vous et c'est important. Je dois faire une sieste. Je vous laisse la cuisine pour votre souper. Ne préparez rien pour moi.»

Léone la devança dans l'escalier et monta plus lentement. Ses sacs fourre-tout semblaient plus lourds et son comportement inhabituel également, lorsqu'elle laissa faire sa bru qui lui prit une valise des mains et monta la déposa dans l'entrée de sa chambre. Léone la remercia sans la regarder, mais le faciès semblait plus avenant. La porte se referma promptement, Rose Emma redescendit l'escalier en se posant des questions sur les agissements inhabituels de sa belle-mère.

Elle profita de ce moment, seule, au milieu de la grande cuisine avec Adriane dans sa chaise haute qui suivait sa mère des yeux sans gazouiller, comme si elle comprenait et se faisait complice de ce repas particulier. Rose Emma avait prit soin de tout laver et bien replacer les casseroles pendant que sa fille explorait les lieux, centrée autour des chaises de la cuisine. Cependant, Yvan ne s'était point présenté avant dix heures. Sa femme s'habituait et commençait à apprécier ses soirées dans le calme, sa fille avait été bien lavée et bien poudrée de «Baby's Own». La petite sentait le bon bébé bien propre. Elle lui donna sa seule tétée de la journée et la petite s'endormait dans ses bras. Elle la déposa dans sa couchette et s'attardait sur son joyau. Cette enfant comblait la mère suffisamment pour oublier qu'elle-même se couchait seule dans son lit double, la plupart du temps. Elle redoutait de plus en plus le bruit des pas lourds dans l'escalier, les ablutions vite faites et les mains baladeuses du mari, à peine glissé sous les draps. Il prenait un malin plaisir à presser ses seins gonflés par le sevrage, la douleur s'atténuait quand sa chemise de nuit était trempée. La lutte passive de sa femme se terminait dans un silence lourd. Sa victime avait abdiqué. Yvan prenait son plaisir sur une poupée de chiffon et tombait rapidement dans un sommeil de plomb, surtout les soirs de grandes rasades. Elle changeait sa jaquette, plaçait un piqué sur le drap trempé et se recouchait.

Rose Emma se dégoûtait devant cette soumission malsaine, habitée par le goût fielleux de la honte. Elle se perdait sous ce manque d'affirmation, empêtrée parmi ses démons. Pourra-t-elle un jour conquérir son intégrité physique en refusant la servitude ? Rose Emma rêvait souvent aux oiseaux. Durant ses rêves, elle y volait en leur compagnie, les accompagnait dans le long périple de leur migration vers des cieux plus cléments. Dans ses rêves, elle se sentait légère, libérée de tout.

CHAPITRE VII

NOUVELLE INTENDANCE AU PRESBYTÈRE

Le mois de février en particulier n'épargna point grand monde. Poudrerie, neige abondante et bourrasques de vent abaissaient le thermomètre bien loin du zéro. Il ne se passait pas une semaine sans devoir affronter de grands vents sibériens même si le soleil agrémentait les courtes journées de sa chaleur bien chétive. La quantité de neige élevait des remparts coupés au couteau et de longues tranchées s'échelonnaient devant chaque entrée des maisons ensevelies. La complainte du vent s'infiltrait dans les interstices des fenêtres pourtant calfeutrées de guenilles, refroidissait les chambres à coucher et c'était bien souvent le supplice à l'aube des petits matins de sortir du gros confortable bien lourd, mais bien chaud, pour attiser le poêle à bois. Toute la maisonnée se réveillait sur les arômes réconfortantes du café et salivait en imaginant la pile de crêpes bien en vue, au milieu de la table dressée. La bavette du poêle diffusait une douce chaleur régulière sur plusieurs pieds emmitouflés dans des bas de laine gris d'habitants tricotés par la femme, durant tous ces longs mois d'isolement.

La grippe s'était infiltrée dans le presbytère également, attaquant la servante du Curé de façon très rapide. Alitée et combattant des poussées de fièvre élevées et des quintes de toux de plus en plus rauques, commençaient à inquiéter le docteur Millette. Tout en voulant conserver son optimisme rassurant, le spectre de la tuberculose dissimulé sous une pneumonie probable alerta le vieux toubib. Un des vicaires montrait certains symptômes et sonna l'alarme dans les lieux. Après une quinzaine de jours très occupés pour plusieurs personnes, la décision finale avait été prise par un confrère spécialisé, mandaté par le médecin de campagne. Il avait fait transporter mademoiselle Rita au centre Pasteur à Montréal pour des examens plus approfondis.

Les habitudes quotidiennes du Curé Rolland furent perturbées brutalement, sans sa servante pour assurer la gérance de l'arrière maison. Dans l'ombre, elle libérait le prélat de tous ces petits aléas routiniers que comportaient l'entretien quotidien d'une grande maison. Mademoiselle Rita en assurait l'intendance, l'entretenait d'une propreté exemplaire. Elle cuisinait des mets variés, lavait et empesait les surplus, nappes de dentelle qui ne devait pas souffrir d'un pli tant le repassage de ces étoffes liturgiques devait être parfait. Elle servait de portier pour le presbytère et à l'occasion mademoiselle Rita avait longtemps rempli les certificats de naissance ou de décès des paroissiens et monsieur le Curé n'avait qu'à les signer et apposés les sceaux de validité. Depuis, le ministère de son Curé s'était passablement agrandi et l'évêché lui avait consenti l'aide de deux vicaires et cette tâche ne la concernait plus. Elle-même apparaissait dans la tenue impeccable d'une châtelaine, en tout temps.

Ainsi, Sœur Supérieure libéra deux religieuses du couvent pour entretenir et nourrir monsieur le Curé. Il ne semblait pas s'habituer au va et vient des Sœurs, faisant la navette trois fois par jour, pour accomplir leurs tâches. Les fins de semaine, le Curé et ses vicaires traversaient le petit sentier tapé par des pas pressés quotidiennement et prenaient leurs repas au réfectoire du couvent. Alors, le Curé Rolland s'empressait d'accepter l'invitation de cette dévouée paroissienne. Surtout le dimanche, lorsqu'il s'occupait à ranger ses habits liturgiques dans la sacristie, perdu dans ses pensées. Son plaisir à elle, c'était le regard illuminé de l'homme devant son invitation. Un délice bien reposant de profiter des talents culinaires de cette madame Mayer. Leur conversation se transportait dans le confort de son petit salon, agrémentée par une larme de cognac à la chaude couleur ambrée et la main experte du Curé se plaisait à la faire tournoyer au fond de la large coupe. Ces courts moments pour lui tout seul, l'amenait à la détente souhaitée puisqu'il oubliait les soucis de son ministère en compagnie de son amie.

Son vicaire demeurait affaibli de sa lutte contre le virus d'une bronchite en ce qui le concernait, celui-ci n'avait pas partagé la tâche des visites chez les paroissiens, le docteur Millette l'avait envoyé passer des tests plus poussés à l'hôpital. Sans relâche, monsieur le Curé dispensa ses bénédictions et son réconfort à ses paroissiens, réclamant sa présence pour administrer l'extrême-Onction, sans compter plusieurs services funèbres à célébrer, en plus de présider les réunions des marguilliers. Il devait accorder quelques heures à sa correspondance toujours pressante et volumineuse.

Le Curé Rolland s'était beaucoup investi durant tout le mois du grand froid et montrait des signes évidents de grande fatigue. Madame Mayer l'observait. «Vos cernes s'agrandissent sous vos yeux fatigués. Vous semblez vous acheminer vers un bon surmenage, mon ami.

— J'ai perdu mes aides si précieuses en ce temps de maladie, mon vicaire reprend quelque peu des forces, mais c'est mon bras droit en quelque sorte qui me manque le plus. Mademoiselle Rita accomplissait une tâche inestimable et je dois confesser, je ne l'ai vraiment ressenti seulement lorsqu'elle nous a quittés. Le médecin m'a déjà prévenu que je devrai me passer de ses services plusieurs mois, elle doit faire un séjour au sanatorium dans les Laurentides. Alors, vous comprendrez, je dois la remplacer, mais les références pour ce travail ne pleuvent pas bien sûr.»

Léone se leva et se dirigea vers la fenêtre afin de dissimuler ce dont elle espérait sans se l'avouer, son ambition semblait aboutir vers un dénouement favorable. Elle se retourna vers un monsieur le Curé pensif, alors la dame le sortit de sa rêverie lorsqu'il entendit l'impact de la question de son interlocutrice. «Croyez-vous que mes références seraient suffisamment adéquates pour remplir les exigences de la place vacante?»

Le prêtre leva des yeux incrédules sur son amie et constata le sérieux sur son visage. Il se leva et alla la rejoindre près de la fenêtre. « Je n'ose penser combien votre collaboration journalière au presbytère ne pourrait justifier entièrement toutes vos qualifications. Comme vous seriez un apport précieux en rétablissant un bon ordre dans le chaos qui règne, par la force des choses, dans mes habitudes quotidiennes et ralentit mon travail de serviteur de Dieu. »

Son regard sincère et son attitude emprunte de respectabilité flatta la dame, car elle envisageait déjà cette transition passagère et ainsi, elle-même, échapperait pour un temps aux tracas de sa propre maisonnée. « J'avais en tête, une cohabitation durant la semaine aux heures des repas. Le dimanche, étant la journée la plus occupée, elle vous sera entièrement dédiée. Quelques heures sur semaine ou le samedi me seront suffisantes pour mes affaires personnelles. Je demeure assez près de l'église, alors je ne vois pas de difficulté majeure si ce n'est la question morale. Y voyez-vous une source de jugement qui nous ferait tort ? Vous savez combien une réputation ne doit pas comporter aucune ambiguïté !

— Ma chère amie, vous dépannez toute une communauté. Mes deux vicaires et moi ne suffisons plus à la tâche et les paroissiens seront très heureux de votre abnégation. De plus, vous êtes libre au sens sacramentel…comme l'Apôtre Paul recommande aux veuves de se dévouer à leur prochain, vous obéissez aux préceptes de l'Église. Je ne manquerai pas de le rappeler aux paroissiens en chaire lorsque vous me désignerez une date. Vous me faîtes un grand honneur en acceptant, je vous en sais gré sincèrement. »

Reprenant son visage autoritaire, Léone débuta sa négociation ne laissant peu de manœuvre à l'autre partie. « Je ne suis plus très jeune alors, si vous voulez bien déléguer l'entretien ménager à une autre personne, je me consacrerai mieux à cuisiner et assurer la supervision de cette grande maison. Bien sûr, je tiens à conserver mon travail auprès des Sœurs à la sacristie.

— Je parlerai à Sœur Supérieure, mais ce détail trouvera sa solution je vous l'assure. Une jeune novice du pensionnat pourrait tout aussi bien travailler sous vos ordres, quelques heures par semaine et vous assistez à

la cuisine. Je ne veux absolument pas vous surcharger de travail, compre-
nez-le bien…»

Léone, satisfaite, versa une larme dans chaque coupe et la présenta à
son ami dont le teint avait légèrement rosi. «Que notre collaboration soit
heureuse et productive !»

Ils burent sans se quitter des yeux. Chacun imaginait déjà le changement dans leur vie respective. Le lendemain soir, Yvan était visiblement
contrarié de devoir sacrifier une partie de sa soirée pour assister au plaidoyer de sa mère. Elle l'avait vivement incité d'être à l'heure et il attendait
impatiemment l'arrivée de la grande patronne dans le vivoir. Désagréable
envers sa femme, il lui ordonnait de faire taire cette enfant qui chignait tout
le temps selon ses dires. «Comment tu peux juger, t'es jamais là.

— Bon, tu vas pas r'commencer ta morale à soir la mère parfaite. Si tu
mettais autant d'attentions pour ton mari peut-être qu'y voudrait rester à
maison, hein. Ah, pis va la coucher…t'es pas indispensable tant qu'ça sur
le conseil de famille des Mayer.»

Comme il levait les yeux, le spectre matriarcal apparut dans l'embrasure
de la porte. «Occupez-vous de cette enfant, prenez votre temps. Personne
n'est attendu nulle part n'est-ce pas ?»

Des yeux froids firent acquiescer le fils. Madame prit place dans son
fauteuil habituel sans aucune intention de socialisation envers celui qui
gisait nonchalamment sur le sofa. «Y m'semble que vous avez fait plus de
«meeting» c't'année que durant les dix dernières.

— Je n'ai pas à te faire part de mes décisions, alors sois plutôt
reconnaissant.

— De toute façon, j'suis pris pour les subir pareil, vous m'demandez
jamais mon avis n'est-ce pas, mère ?

— Tu influes plus que tu ne le crois sur mes propres affaires, n'en doutes
pas.»

Elle tourna rapidement son regard vers la fenêtre, lui signifiant qu'elle ne voulait plus l'entendre. Les quelques minutes avaient semblé des heures pour Yvan, gesticulant constamment sur le canapé et lorsque sa femme entra dans le vivoir, il fut très surpris qu'elle choisisse la chaise sans bras et dédaigne une place près de lui. Il essaya d'attirer son attention, sans succès, alors il affecta son arme favorite, le mépris, quoique légèrement dilué devant sa mère, la dame ne tolérait pas ses mesquineries en sa présence. « Prends dont ta vraie place ici'dans. R'tournes en haut si t'es pour bouder pis m'faire honte. »

— J'ai pas la permission de choisir ma place, Yvan Mayer ? »

Madame Mayer coupa court aux démonstrations de pouvoir de son fils et lui commanda de se taire et d'écouter à son tour. « Épargnez-moi vos querelles et soyez plus conséquents de vos actes mes enfants. Vos comportements m'inquiètent. Serez-vous en mesure d'assurer la gestion de cette maison ? »

Rose Emma se redressa subitement ayant l'impression d'avoir mal entendu. Madame Mayer attendit un moment avant de poursuivre. Elle s'amusait de constater l'intérêt soudain de ses interlocuteurs. « J'ai décidé de prendre la supervision du presbytère pour un temps indéterminé. Monsieur le Curé me fait entièrement confiance pour cette tâche qu'il considère une œuvre altruiste pour le bien de toute la communauté. C'est un grand honneur. Il me faut des gens responsables pour gérer cette maison. Je consens à garder madame Guérard pour le ménage, car elle connaît mes exigences et elle a toute ma confiance. Faites-moi connaître votre décision. En ce qui regarde la nourriture, vous sentez-vous capable d'assumer cette responsabilité ma fille ? »

Madame Mayer s'arrêta de parler, voyant le faciès de son fils contrarié. Elle se tourna vers lui, agacée par sa réaction. « Il serait grand temps que tu commences à vivre une vie de famille et je t'en donne l'occasion. Si tu refuses de prendre de ton temps, je préfère mettre la clef dans la porte. Je ne supporterais pas de voir cette maison se détériorer.

— Verrat, j'ai pas dit non. C'est ben sûr que j'vais m'en occuper… si j'ai les moyens suffisants pour m'en occuper, comme de raison.»

Yvan se renfonça dans le sofa et laissa l'allusion faire son effet. Il imaginait beaucoup plus d'argent pour lui et une occasion de se distancer de son travail au garage. Rose Emma risqua une question sans regarder son mari, de peur qu'il n'intervienne. «Est-ce que je pourrai avoir l'argent pour le «marché» et le boucher, j'aimerais ça m'en occuper toute seule.

— On dirait que t'as pas d'mari ma femme! T'auras juste à m'en demander, pis j't'en donnerai.»

Le visage déconfit de Rose Emma reprit sa belle humeur lorsque belle-maman brisa d'une parole, le rêve de son fils. «Ta femme s'occupera de la question alimentaire. Tu auras assez de travail en dehors du garage alors… déléguer cette occupation à ta femme ne fera que t'aider mon fils.

— Bon ben, si tout est réglé d'avance, j'prendrai vos ordres dans le temps comme dans l'temps.»

Le faciès boudeur, il s'apprêtait à partir. «Yvan Mayer, tu ne fais rien pour rassurer ni ta mère, ni ta femme. Avant que tu partes rejoindre tes comparses à l'hôtel commences à penser que tu devras espacer tes visites de cet endroit si tu veux des responsabilités et l'argent pour t'en acquitter.»

Il avait déjà la poignée de la porte à la main. «Quand c'est que vous commencez votre mission, mère?»

Le ton dérisoire du mot «mission» frôlait l'impudence, mais le regard d'acier se chargea de neutraliser l'attaque du fils. «Tu le sauras dans l'temps comme dans l'temps.»

Elle s'arrêta devant lui et dans la seconde, le fils dégagea l'entrée de la porte, puis elle se tourna vers sa bru. «Je terminerai demain. Bonsoir.»

Léone s'engouffra dans l'escalier sous les yeux du fils, très fier d'avoir provoqué sa mère. Puis, il fixa sa femme de ses yeux bleus en colère. «Oublies pas que j'suis ton mari pis c'est moé qui va prendre les décisions ici'dans.» Il sortit en claquant la porte. Celle de belle-maman demeura fermée toute la soirée. Rose Emma se déplaça nerveusement dans son boudoir, se berça, se leva, sa tête trottait très vite. Elle avait peur, incapable de dormir. Rose Emma l'entendit rentrer et se plaça en mode défensive, bien décidée à ne pas se laisser faire. C'était sa résolution ultime pour sauver plus que son intégrité physique. Il ne l'avait pas touchée, mais elle demeura aux aguets et s'était finalement endormie sur la respiration régulière de son mari.

* * *

Les mois filaient à une telle allure et le mois du printemps se pointa sous un vent de froidure, peu révélateur de sa promesse d'apporter des jours plus doux. Rose Emma se languissait toute seule dans la grande maison. Sans sa sœur, partit découvrir de quoi aura l'air sa prochaine vie. Une tension nerveuse l'habitait depuis quelques temps, car Yvan devenait plus dur envers elle. Il buvait presque chaque soir et son comportement se transformait. Elle l'avait tant désiré et le trouvait si bel homme, mais son beau conte de fée s'effritait pour faire place aux regrets et à la douleur de reconnaître sa monumentale erreur et depuis son réveil brutal, elle vivait dans la crainte constante de ses réactions agressives. Même si ses journées s'amélioraient depuis l'absence de sa belle-mère, elle vivait la majorité de son temps en bas, dans la grande cuisine, apportant progressivement des jouets pour Adriane et ils gisaient de plus en plus sur le plancher. L'agréable impression de vivre une situation normale de maman au foyer persistait pendant la journée et se gâtait le soir, au retour de belle-maman fourbue de fatigue. Rose Emma lui préparait une tasse de thé et la dame se désaltérait, seule dans son vivoir, sans jamais y inviter sa bru. Son impression tournait en appréhension lorsqu'elle entendait le pied légèrement traînant de son mari se diriger vers leur chambre. Effectivement, quelque chose clochait dans sa belle image de femme au foyer.

Un matin, belle-maman buta sur un jouet et déséquilibra bien plus que son pas. « Bonté divine ma fille, mettez un peu d'ordre dans cette pièce. Je ne tolère pas ce laissez aller depuis que vous avez pris possession de ma cuisine.

— Moi, je tolère votre... je vous assure que c'est bien pire que des jouets sur un plancher. »

Elle contenait sa colère par crainte d'en perdre le contrôle. Sa chambre et Adriane dans ses bras demeuraient son refuge de paix. Rose Emma reprenait sa place à la suite du claquement de la grosse porte.

Rose Emma débuta les invitations pour le premier anniversaire de sa fille adorée. Elle sortit son carrosse en même temps que les jours de petit vent doux semblaient arrivés pour de bon. Elle passa beaucoup de temps dehors et Jacqueline l'aidait à supporter sa vie moribonde qu'elle tenait à bout de bras. Elle suivait le courant, malgré son envie de fuir son présent, préférant la rêverie. Les questions sur André, elle s'interdisait de les poser à sa sœur pour ne pas l'effrayer, pour ne pas se faire des accroires et s'ensiler. Elle se concentrait sur la fête grandiose qu'elle voulait vivre avec sa fille, ne pensait qu'à l'immédiat, conversait des balivernes, riait de la moindre occasion qui s'y prêtait. Ainsi, elle arrivait à la fin de ses journées, sans trop de mal et ainsi, elle engourdissait son cœur affadi par la mélancolie. Belle-maman avait même consenti une petite somme supplémentaire pour organiser ce festin.

Tout le brunch avait été fait maison sous la supervision de maman Levèrs et sa bonne nourriture sans flafla comme elle disait, mais tellement savoureuse. Un rôti de bœuf sortant du fourneau de sa mère goûtait tellement meilleur. Un gros jambon dans l'épaule avait été cuit selon ses indications et il se faisait passer au p'tit moulin pour en faire des sandwichs sans pareil. Jacqueline s'acharnait sur la graisse de rôti, elle en étalait généreusement sur son pain croûté badigeonné de moutarde. Elle s'empiffrait autant qu'elle aidait. En fin de journée, Madame Levèrs quitta la grande maison, après que le dernier plat, les derniers hors-d'œuvre furent bien emballés et reposaient dans le gros réfrigérateur de madame Mayer. Cécile rêvait de posséder un tel appareil si commode, elle n'avait qu'une glacière pour garder tout au frais.

Belle-maman offrit de faire préparer le gâteau chez le pâtissier, mais Rose Emma déclina poliment son offre. Elle tenait à ce que sa fille ait son premier gâteau selon la recette maternelle. Certes, n'avait-il pas la broderie de fleurs tout le tour, mais son glaçage exquis à l'érable se dégustait sans cérémonie et les papilles recevaient les fleurs du délice. La saveur naturelle et pure des Levèrs, voilà ce qu'elle désirait pour sa fille.

Il avait fait un temps superbe presque une journée d'été. Les deux familles avaient bien socialisé. Même Jean-Marc avait surgit après le souper, les bras chargés d'un magnifique petit cheval berçant. Sa crinière et sa queue toutes blondes avaient attiré l'attention d'Adriane et elle s'était mise à le flatter en essayant de le monter. Jean-Marc eut droit à son plus beau sourire lorsqu'elle fut bien assise et découvrit le mouvement du va et vient. Cécile Levèrs sortit une petite chaîne en or sur laquelle un petit cœur pendait et en décora le cou de sa petite-fille. Rose Emma reconnut le joyau que sa grand-mère maternelle avait toujours eu au cou et son émotion s'aggrava en rencontrant les yeux attendris de sa mère.

Albert avait écrit une carte postale provenant de la côte californienne. Il s'était offert une vacance inattendue et d'autant plus agréable, qu'il l'avait décidée spontanément. Il avait osé pour une fois et il goûtait du fruit de son cadeau de Noël en s'adonnant à sa passion.

Monsieur le Curé se présenta pour une courte visite à l'enfant et sa bénédiction se classa en tête de liste des cadeaux par la majorité des invités, n'était-il pas le plus beau cadeau qu'une petite fille pouvait recevoir ? Madame Mayer en profita pour faire bénir le magnifique chapelet en perles de culture emprisonné dans un joli coffret de satin blanc et plusieurs s'exclamaient à la vue de ce bel objet de piété. Vraiment, une belle journée se terminait et maman n'en était pas moins fatiguée, mais satisfaite.

Toutefois, depuis une heure, Rose Emma était anxieuse, car son mari montrait des signes d'euphorie éthyliques et ses frôlements brusques envers elle ne présageaient rien de bon pour plus tard. Léone quitta la fête en compagnie du Curé Rolland, Yvan en profita pour invectiver Jean-Marc de quelques sarcasmes, déplacées. Monsieur Levèrs sonna le signal du départ par un signe à sa femme. Il embrassa sa fille et lui confia un petit secret dans l'oreille qui lui embua les yeux, même si elle souriait. Le clan Levèrs quitta la grande maison. Une inquiétude imperceptible perdurait durant le trajet silencieux. Adrien Levèrs était songeur et sa femme était inquiète.

D'un pas chancelant, Yvan monta péniblement l'escalier après qu'il eut tiraillé sa femme par des mots disgracieux, de faire son devoir d'épouse en montant se coucher avec lui. Il titubait et ronchonnait des mots incompréhensibles et il finit par disparaître sans dire bonsoir à personne. Jean-Marc s'approcha de sa belle-sœur et l'entraîna au salon. « Rose Emma, je l'sais pas quoi t'dire, mais si tu veux, j'peux rester pour cette nuit. J'partirai de bonne heure. Je n'tiens pas à rencontrer l'frère, surtout pas quand monsieur se lève !

— Merci Jean-Marc. J'apprécie beaucoup…encore plus ton intérêt pour Adriane malgré que t'es ben occupé. Elle est tombée en amour avec toi, à t'suivait partout. J'vais demander à Jacqueline de rester si c'est nécessaire, inquiètes-toi pas.

— Ça c'est bien présenté, j'suis en ville jusqu'à dimanche. Yvan, c'est le bébé gâté…j'ai jamais compris ses réactions explosives. Faut dire, j'ai pas fait grand chose pour le connaître. On avait un trop grand écart d'âge. J'me tiens loin de lui. Tout ça pour te dire… si t'as besoin d'une place, si jamais…»

Il s'avança vers elle et lui confia un objet qu'il déposa dans sa main. Rose Emma fréquentait peu son beau-frère et voilà qu'il lui offrait une solution de secours. Ce petit objet de métal qu'elle tenait dans sa paume lui redonna un soupçon de solution, car son marasme intérieur empirait avec les mois qui s'additionnaient et toute délivrance tangible fuyait sa tête, jusqu'à ce soir. Son beau-frère représentait la personne la moins accessible pour Rose Emma et pourtant, c'était par lui qu'arrivait un endroit sûr, un refuge, si jamais. Elle le remercia du regard, l'aida à enfiler son paletot et il sortit doucement dans la noirceur sans se détourner.

Rose Emma attendit quelques secondes avant de retourner à la cuisine, le temps de ralentir les battements de son cœur, elle emprisonna la précieuse petite clef dans la poche de son tablier et retrouva sa petite sœur. Un bon thé, le rituel catalyseur des deux sœurs, clôtura cette soirée surprenante et le silence de la nuit les projeta dans une intimité familière propice aux confidences.

***

Léone, représentait déjà une figure imposante dans l'arrière maison, depuis son entrée en fonction au presbytère. Même les vicaires, parfois agacés, tenaient compte de ses judicieuses décisions. Rare, l'entendait-on demander un avis et tous ne pouvaient que constater l'évidence de son excellent jugement lorsqu'ils se trouvaient devant le fait accompli. Il lui arrivait fréquemment de passer la soirée entière au presbytère, surtout durant la phase des préparatifs en vue de la confirmation des élèves du couvent et du collège. Léone dérogeait de ses habitudes bien rodées.

La visite de l'Évêque lors cette cérémonie sacramentelle avait nécessité l'aide de deux couventines de l'école normale. Les jeunes filles mettaient à profit les leçons culinaires que l'école leur dispensait, mais elles faisaient face à un chef cuisinier n'appréciant nullement les initiatives personnelles, surtout pas devant ses recettes personnalisées.

Monsieur le Curé hébergea le prélat dans la meilleure chambre à l'étage, celle d'en avant, attenante à un petit salon et dotée d'un petit balcon. Elle surplombait la rivière et dispensait la fraîcheur tant recherchée durant la sieste. Des draps immaculés brodés de dentelle vénitienne juxtaposaient une courtepointe de velours rouge, aux motifs de croix dorées. Un prie-Dieu, placé devant la statut de la Sainte Famille, décorait le mur au fond du petit salon.

Léone avait séduit tous les invités en leur préparant des pièces de viande et des desserts savoureux pour l'œil et délicieux sur les papilles. Durant le dernier dîner en compagnie de son Éminence, Rolland avait fait précéder la réputation de Léone, il présenta dame Mayer comme étant une « grande donatrice pour les bonnes œuvres de la ville. ». Les vicaires corroborèrent d'une aimable gestuelle, la flatteuse allusion. Monsieur le Curé invita donc la dame à partager leur table. Léone, y voyait la reconnaissance de cet homme ne craignant point la petite entorse aux convenances afin de lui témoigner son appréciation. Le Prélat n'avait pas manqué de poser quelques questions la concernant, toujours accompagné de ce tact irréprochable dont était investi tout homme ecclésiastique. Il la remercia pour tant d'efforts et de frais envers son humble personne, mais Léone douta de la sincérité du grand homme et lui répondit qu'elle accomplissait simplement son travail de gouvernante du presbytère. Il accusa le qualificatif en souriant à monsieur le Curé. Toutefois, Léone conserva un sérieux professionnel autour des phrases de circonstance bien enroulées de politesse de l'Éminence. Trop d'années dans la prêtrise, trop d'égards et de serviteurs à son service afin de combler ses moindres besoins, avant qu'il ne les sollicite. Il s'élevait naturellement au-dessus des petites gens, impressionnées devant le grand homme, honorées de s'incliner devant sa grandeur afin de baiser sa grosse bague. Son imposant bâton de pèlerin recouvert d'or authentifiait son pouvoir. L'homme avait franchi quelques paliers dans la hiérarchie de son Église, il s'était institutionnalisé et les honneurs étaient devenus un dû. Son chauffeur le précéda et courut afin de lui ouvrir la portière et l'homme empourpré s'engouffra dans l'immense voiture noire. Le Curé et ses vicaires lui présentèrent un au revoir d'une main peu démonstrative. Toute la maisonnée retrouva son souffle normal après le grand soupir du soulagement, en fin d'analyse, tout s'était bien passé.

Les entretiens du curé Rolland à huit clos, en compagnie de l'Évêque, concernant quelques cas litigieux au sujet de ses paroissiens lui avaient valu quelques remontrances. Toujours sur un ton paternaliste, l'évêque le remettait à l'ordre sur ses agissements débonnaires et ses sermons trop emprunts de libéralité. Et le cas de dame Mayer était entré par la petite porte dans la discussion des deux hommes. L'évêque insista sur le fait que la dame Mayer n'était qu'un « dépannage » et bien sûr, il ne manquait sûrement pas de références dans la petite ville pour briguer honorablement ce poste. L'homme au ceinturon violet laissa transpirer sa future nomination et le curé Rolland entendit le mot « Chanoine » et tressaillit, convaincu de l'appréciation de son Supérieur même si le petit nuage gris au-dessus de sa ménagère pâlissait son parcours presque sans faute. De sournoises rumeurs autour de ses visites chez dame Mayer s'étaient étendues jusqu'à l'évêché et sa nomination pendait au menton de celui qui devait le garder bien relevé.

Toutes ces tracasseries avaient épuisé le Curé. Il se retira dans ses appartements en avertissant madame Mayer qu'il ne voulait pas être dérangé avant le thé de trois heures. Léone en profita pour donner ses ordres aux jeunes filles, elle voulait la salle à manger dans son immobilisme impeccable habituel autant que sa cuisine. Lorsqu'elles quittèrent le presbytère, toute chose avait retrouvé sa place. Les pièces principales bien astiquées contribuaient à la quiétude de Léone.

Plusieurs jours s'étaient écoulés, sans que Léone ne puisse rentrer à une heure convenable à sa maison et la dame ne s'y ennuyait pas autant qu'elle ne l'avait imaginé. Devenue l'intendante de l'une des principales maisons de cette localité, Léone était entrée dans son rôle très facilement. Elle tenait à s'acquitter elle-même de l'entretien des habits du culte de son curé et désormais, les Religieuses occupaient des fonctions d'arrière-garde, telles le reprisage et le repassage et le nettoyage de la sacristie et des objets liturgiques et l'assistaient dans son rôle de sacristine. Monsieur le Curé relégua toutes les tâches ménagères du presbytère aux bons soins de la Supérieure du couvent et les frais encourus pour l'entretien avaient été négociés et perçus sur l'avoir personnel du Curé. Elle ne pouvait s'empêcher de traverser dans la sacristie lorsque monsieur le Curé revêtait ses ornements liturgiques pour la grand-messe. Léone le scrutait soigneusement avant qu'il ne se présente devant ses chers fidèles.

Un dimanche, il se reposait dans le salon après un copieux repas et dégustait sa deuxième tasse de thé, il lui avait demandé son avis au sujet de l'aménagement de deux pièces sur le côté sud de la bâtisse. Elles servaient à l'entreposage d'objets de piété. Des caisses de cierges, de beaux volumes et plusieurs statues gisaient dans l'ombre de ces chambres secrètes. Des meubles de valeur, dont une commode ancienne, étaient recouverts soigneusement. Le lundi matin, Léone arriva au presbytère comme à l'accoutumée, revêtit son sarrau de toile immaculé, s'apprêtant à battre les œufs pour cuire les pains dorés, monsieur le curé aimait les déguster après la célébration de sa messe dominicale. Un bruit de marteau la fit sursauter. Elle se précipita à l'étage pour découvrir deux ouvriers cachés derrière une grande toile. L'un d'eux dessinait un arrondi sur un mur de la pièce. L'autre, vérifiait le mur de soutien, quand ils virent la dame. « Ça va faire du vacarme pour une couple de jours m'dame Mayer. Faut faire une porte d'arche avec c'te mur-là pis les planchers…

— Continuez votre travail, mais durant les prochains jours, aucun bruit avant huit heures le matin et après six heures. Monsieur le Curé vous en sera gré. La prière demande du silence. »

Satisfaite de l'air patois des deux hommes, Léone redescendit ayant une petite allégresse au cœur. Se pouvait-il que monsieur le Curé lui fasse l'honneur d'aménager ces nouvelles pièces? En tous les cas, il semblait suivre ses commentaires à la lettre. À commencer par cette porte en arrondie qu'elle lui avait suggérée, elle agrandira l'espace tout en adoucissant le profil du plafond aux poutres de bois foncées. Elle voyait un sablage rigoureux des deux couvre sols aux larges planches et un vernis plus rougeâtre pour donner une chaleur ambiante réconfortante.

Léone se retint d'en questionner le curé, lui, semblait s'amuser du peu de remarques de sa ménagère concernant le bruit. Ainsi, Léone et Rolland jouaient, sous des airs très sérieux, au chat et à la souris.

CHAPITRE VIII
LES VACANCES

Déjà, au milieu du mois de juin, Jacqueline était absente depuis maintenant une semaine. Le temps se languissait et avait paru un mois pour sa grande sœur. Le train-train de la grande maison filait rondement, mais Rose Emma s'ennuyait beaucoup toute seule, car tous ses habitants semblaient déserter les lieux. Madame Mayer y venait encore, mais elle distançait de plus en plus ses courtes visites et elles se produisaient toujours à l'improviste. Elle repartait, ayant sa petite valise remplie de ses affaires personnelles. Les pièces vides retransmettaient des sons de voix en écho, surtout dans le grand hall d'entrée. Rose Emma parlait à sa fille et on aurait dit qu'un fantôme répétait ses paroles. Même si elle s'en amusait au début, son isolement semblait encore plus flagrant depuis le changement. Son territoire d'activités s'était agrandi sans toutefois lui apporter le plaisir tant de fois imaginé. Yvan ne travaillait pas beaucoup au garage durant les mois d'été. Il prétextait devoir consacrer trop d'heures à l'entretien de ce grand terrain aménagé de bosquets de fleurs et de rosiers. Il ne voulait pas décevoir sa mère et cet exercice se transférait en dividendes pour lui-même. Yvan aimait vaquer aux travaux estivaux. Son bronzage accentuait le bleu de ses yeux et son corps athlétique retrouvait sa brillance sous son hâle. Il commença à boire au début de l'après-midi tranquillement, assidûment et il rentra près de l'heure du souper l'humeur trop embrumée de jovialité. Rose Emma adopta un comportement affecté, redoutant les changements d'humeur de son bel époux. Yvan, visiblement avait eu très chaud en après-midi. Il termina sa bière, affalé sur une chaise de la cuisine.

Rose Emma s'occupait, mal à l'aise, sous sa la bonne humeur. «J'ai pas l'goût de manger chaud moi. Des sandwichs aux tomates toastées salade mayonnaise, ça t'tentes-tu?»

Il acquiesça de la tête, Rose Emma s'approcha pour mettre la table, il l'attira sur ses genoux et l'embrassa, sa main montait le long de sa cuisse, elle lui flatta le chignon. «Yvan, faut qu'on soupe avant la couchette, hein!»

Et sur un ton qui se voulait enjoué. «J'ai pas l'temps de t'désirer, tu prends toujours les devants.»

Elle l'embrassa du bout des lèvres, car la sueur sur son corps la découragea d'aller plus avant. «Faut croire que tu m'inspires. Comptes toé chanceuse, ton mari te fait encore des avances. Y'en a ben qu'y aimerait ben ça que j'les assoye sur mes genoux.

— Bon, encore les autres!»

Elle se dégagea et se dirigea vers sa fille, un rempart bien précaire contre les attentes pressantes de son mari. Yvan monta le ton, car sa femme détournait encore son attention envers cette enfant. «C'est ça, néglige ton mari…maudit verrat que t'es «stuck up».

Il s'approcha et lui saisit le bras et Rose Emma tenta de se dégager, elle n'eut pas le temps de réagir, Yvan la poussa avec rage et elle trébucha tandis que sa fille hurla, le visage apeuré. Rouge de colère, il lui cria : «Tu vas savoir qui c'est qui mène ici'dans. Fais ton devoir, t'es ma femme verrat, oui ou non… tu m'appartiens…»

Il claqua la porte de la salle de bain et lorsqu'il en ressortit, tout était silencieux, car sa femme et sa fille avaient disparu. Rose Emma tremblait en déposant Adriane dans son carrosse. Elle s'était calmée en réalisant la distance parcourue à quelques coins de rue. Elle inspira profondément plusieurs fois avant de reprendre le chemin du retour. Son désarroi atteignait un niveau inquiétant et elle se voyait ainsi dans la rue, désemparée et la prochaine fois, quelle folie sera-t-elle amenée à faire sous l'emprise de la panique ? Capable de tuer pour protéger sa fille, mais décider et prendre les bonnes décisions pour elle-même, Rose Emma se dépouillait de son sens critique, incapable de se permettre ce qui était bon pour elle-même.

La porte avant verrouillée, elle se dirigea vers celle donnant sur la cuisine et la poignée enclencha l'ouverture salvatrice. Elle entra sur la pointe des pieds, les lieux étaient déserts, comme d'habitude.

Quelques jours plus tard, Jacqueline frappa à sa porte, fatiguée, mais un sourire radieux se lisait sur son visage. Son nouveau village, sa nouvelle maison s'élevait du sol parmi plusieurs sur cette rue boueuse. Une grande bande de terre, extirpée d'un morceau de terre cultivable se voulait le prototype de ce qu'on appellerait plus tard, la banlieue. Louis avait conservé plusieurs arbres matures pour rafraîchir les abords de la maison, choisissant un terrain au fond de la rue près du sous-bois, plutôt que ceux aux abords de la rue principale. Rose Emma avait déjà sorti les tasses et le gâteau aux bananes attendait le versement de l'eau bouillante dans la théière avant d'être découpé. « Peux-tu t'imaginer Rose Emma, quand Louis m'a amenée sur notre lot au fond de la rue, quand on a mis les pieds dessus pis qu'on a réalisé que c'était ben vrai, j'pense qu'on pouvait pas être plus heureux. »

Jacqueline en avait les larmes aux yeux en repensant à ce moment magique, comme si la richesse les avait visités par enchantement. Rose Emma pressa la main de sa petite sœur, heureuse pour elle. Une lueur de tristesse traversa le regard de Rose Emma en pensant au grand amour de sa sœur, l'unique, pour la vie, celui qu'elle ne connaîtra jamais. « On va avoir une cave, le constructeur appelle ça un sous-sol parce qu'y mesure plus que quatre pieds. On va pouvoir marcher sans se pencher. Les fondations sont déjà en place, c'est pas croyable comme y bâtissent vite à c't heure. Ah, j'suis assez énervée Rose Emma ! C'est ben simple, j'ai un million de choses dans tête parce qu'y faut que j'choisisse la couleur de toute, toute, jusque la couleur de la salle de bain. Un bain, Rose Emma, c'est-tu Dieu possible ? »

C'était au tour de Rose Emma d'écouter sa petite sœur discourir des phrases de bonheur, elle y nageait, transfigurée par tant de miracles dans sa vie. Sa sœur, mariée au frère de celui qu'elle gardait dans le secret de ses espoirs insensés. Parfois, elle se trouvait ridicule après s'être accordée la permission d'y penser, d'y rêver, qu'un jour peut-être! Alors, elle reporta son attention sur la voix de sa sœur. « Pour le moment, c'est difficile de rester chez moman, on n'avait pas l'choix. Fallait libérer le logement. Louis doit continuer de travailler à l'usine tant que les murs de notre maison ne sont pas montés. J'ai hâte de faire les foins avec la famille comme dans l'bon temps de notre jeunesse. C'est une p'tite vacance avant de les quitter.

— On est pas si vieilles, Jacqueline, même si des fois, j'me sens usée comme une grand-mère.

— Parle pas comme ça, ma sœur. Viens donc passer qu'jours avec moi chez nous, han ? Ça t'ferait tellement de bien, pis la p'tite aimerait ça aussi se faire dorloter par toutes nous autres.

— C'est vrai que ça m'ferait du bien de changer d'air. »

Jacqueline la quitta sur l'heure du souper et le soir même, elle avait décidé de profiter de cette vacance avec sa sœur.

***

Le voyage d'Albert sur la côte ouest l'avait changé. Son intérêt pour la mécanique se transformait, une envie de plus en plus grandissante se pointait en lui envers son hobby, la photographie. Il réfléchissait soigneusement aux possibilités qui lui avaient été offertes dernièrement. Albert aimait capter l'expression d'un visage et y déceler ses émotions. Les rides creusées des vieilles gens le fascinaient. C'était une agréable activité toujours intense quand il s'assoyait et les observait. Son œil scrutait et parfois, il déplorait de ne pas avoir son appareil devant telle expression ou tel regard.

Il réalisa que cette observation minutieuse avait toujours été là. Penché sur un moteur, il ne lui fallait pas beaucoup d'observation pour découvrir la cause du problème. Bien souvent, pendant qu'il réparait, ses pensées vagabondaient autour de ses épreuves pendues dans sa chambre noire. Sa passion de jeunesse de réparer quelque objet défectueux et la satisfaction de le voir fonctionner l'intéressait moins depuis quelque temps. Il savait que ce besoin avait jadis été motivé par l'envie d'aider sa mère et il avait compris que réparer des choses lui apportait l'attention qu'il recherchait. Même son goût pour les visages lui était sans doute venu en fouillant les moindres mouvements dans celui de sa mère. Très jeune, Albert saisissait ses états d'âme, les devançait parfois, pour mériter un signe de sa part. Il se rappelait des faits et plusieurs détails lorsqu'ils vivaient tous isolés dans ce rang de campagne.

Il se souvenait qu'il était impressionné par les grosses machines dont se servait son père pour la coupe des grands arbres. Il aurait aimé suivre les énormes chevaux aux pattes poilues, attelés par deux qui sortaient de gros troncs d'arbres et des hommes les cordaient sur une grande « sleigh ». Albert admirait tellement la force brute de ses grands chevaux, il en rêvait, mais l'interdiction formelle de s'en approcher lui avait valu la « fessée ». Son père la lui avait administrée, le jour de son périple dans la forêt pour mieux les examiner. Il ressentait toujours la crainte de ce père autoritaire, il fallait réussir à se rendre invisible à ses yeux et Albert n'y parvenait pas souvent. Il avait adopté l'ombre, se souvenait, lorsqu'il avait investi le poulailler et présenté un panier plein d'oeufs frais pour faire plaisir à sa mère. Il devait avoir sept ans. L'expression, plutôt le rictus de sa bouche se relâchait et le récompensait. Albert ne la voyait jamais sourire et en souffrait. Elle avait toujours l'air sévère, préoccupé et ne regardait que les choses en avant d'elle. Quand il voulait attirer son attention, il se braquait dans son champ de vision, en face d'elle.

Leur vie changea radicalement à la mort de son père. Il ne ressentait peu ou pas d'émotions quand il se le rappelait. Par contre, il se souvenait très exactement des travaux qu'il leur imposait été comme hiver, debout aux aurores pour faire le train, pelleter le fumier, des odeurs qui les suivaient jusqu'à l'école à plus d'un mille du village soir et matin. Son père distribuait ses ordres sans jamais le voir les aider dans l'étable. Il ne lui pardonnait pas ses taloches et coups de pied durant ses colères subites. Le manque d'isolation dans le haut de la maison les faisait grelotter de froid sous le gros confortable durant les gros mois venteux d'hiver et Jean-Marc, son grand frère le laissait partager son lit. Ils se réchauffaient mutuellement et Albert dormait tellement bien durant ces nuits absentes de peurs de toutes sortes.

Un jour, ils avaient pris le train, tous endimanchés et le monde s'était révélé à ses yeux d'adolescent. Sa mère s'était arrêtée devant cette immense bâtisse grise, éberlué de la regarder sortir la clef pour y pénétrer. Dès lors, la vie avait prit une autre saveur. Il avait posé les pieds dans le ciel alors qu'il venait à peine de quitter l'enfer. Pour éviter le collège privé comme Jean-Marc, il avait convaincu sa mère de le laisser travailler au garage de Monsieur Landry qui le trouvait très bon apprenti. Son patron avait pesé certainement dans sa décision en lui donnant son consentement, non sans lui rappeler qu'il devait commencer à épargner très jeune parce qu'il n'avait pas d'instruction. Huit années lui avaient été nécessaires pour en devenir le propriétaire. Maintenant qu'il avait travaillé comme un forcené, il réalisa très clairement durant ce voyage qu'il n'avait pas de vie. Il travaillait. Pas de femme, ni d'enfant, peu d'amis et aucune vie sociale. Il vieillissait, ayant l'impression de vide au cœur et ce constat l'avait effrayé. Seul, son compte en banque y échappait, car il s'y était entièrement consacré depuis qu'il gagnait un salaire. Cette année, le cadeau lucratif de sa mère lui permettait un coup d'envoi significatif. Tenter sa chance dans un autre domaine parce que c'était un risque calculé et que la guerre avait tout chambardé partout, dans tout le pays. Albert en avait réalisé toute l'horreur à cause d'une rencontre à l'autre bout du pays.

Assis, tout seul dans un resto terrasse, il examinait ses premières prises de vacances lorsqu'un homme l'observait depuis un petit moment. Ils avaient fait connaissance en parlant de photographie, d'ombres, de lumières, de pellicule et sans qu'il ne s'en rende vraiment compte, trois autres personnes se joignirent à leur discussion sans façon, comme si la connaissance du sujet discuté avait suffi à tous les rallier à sa table. Avec eux, il faisait la tournée des musées, mangeait au Chinatown, surtout, il avait visité plusieurs hôpitaux de vétérans de guerre. Les plus isolés, sans écriteau à l'entrée, aménagés depuis peu. Tous des soldats trop mutilés pour reprendre la vie normale. Bouleversant, pour lui qui n'avait pas quitté son patelin à cause d'une légère malformation de ses chevilles pendant que d'autres jeunes gars de l'autre côté du monde se faisaient charcuter. Il avait été réquisitionné par l'armée pour réparer l'attirail de tout ce qui fonctionnait à moteur. Il se rendait régulièrement à différentes bases militaires, même celle de Trenton en Ontario avait souvent sollicité son aide. Il s'occupait des engins les plus compliqués. C'était cette catégorie de casse-tête qui lui donnait le plus grand contentement. Comme quand il était petit - le plaisir de les entendre ronronner…

Peter lui offrait d'utiliser son talent d'observateur au service de ces hommes déshumanisés. Leur insuffler en image, combien ils avaient conservé leur essence profonde malgré leur combat personnel quotidien pour accepter leur apparence extérieure. La conséquence terrible de leur devoir altruiste, car au début, l'enrôlement les motivait. Tous ces jeunes costauds avaient envie d'aventures pour la meilleure cause - défendre la liberté - et surtout, ils ne s'étaient point dérobés, mais paradoxalement, leur sacrifice les gardait prisonniers de cet endroit, captifs, parce que défigurés dans leur âme et leur chair. Albert ressentit ce désir de les aider à transcender leur deuil par la communication et par la suite, transposer un peu de leur âme sur cette pellicule et leur donner la possibilité de s'ouvrir de nouveau à la vie. Il s'était projeté dans cette quête sublime – faire éclater ces preuves irréfutables - la guerre n'était pas faite pour les êtres humains. Combien, ces hommes transmettaient un message percutant pour l'humanité !

À son retour, il avait pris la décision d'effectuer un revirement complet de sa petite vie sans l'annoncer à personne. La pancarte « à vendre » écrite en rouge de sa main et clouée sur la devanture de son garage, s'était faite son porte-voix. Yvan, le premier abasourdi par l'écriteau, entra dans l'atelier et se dirigea directement vers son frère, «Verrat, Albert, c'est-tu une joke c'te pancarte-là? Que c'est qui s'passe verrat?

— Y s'passe que j'vend l'garage, c'est visible me semble. C'est toi qui vas être heureux d'ça, le jeune. T'as jamais aimé la mécanique. Ben là, t'es délivré.

— Han, j'ai pus d'job! C'est comme ça que tu me l'annonces. T'es pareil comme la mére verrat, j'suis toujours devant l'fait accompli.»

— J'suis toujours ben pas pour te d'mander la permission pour vendre mon bien. Qui c'est qu'ça regarde han? Pis, m'as-tu toujours averti quand tu décidais de pas rentrer, j'me ramassais tu seul avec de l'ouvrage par-dessus la tête. Ça fait que, fait pas l'offensé, dans l'fond, t'es ben content.

— Que c'est qu'tu vas faire Albert?»

Yvan s'était rapproché comme si sa voix adoucie lui en donnait la permission. «J'fais des changements…

— Des changements d'quoi.

— J'ai pas envie de discuter de mes affaires à matin…

— Pour une seconde, j'ai oublié qui j'étais devant toé, j'suis encore le morveux qui t'suivait partout, que tu voulais jamais dans tes jambes. Ça pas changé han. S'parler comme des fréres, ça jamais arrivé.

— On est des étrangers Yvan…on se bât encore comme des enragés autour du même os, notre mère. J'dit «chute» le jeune, comme quand t'étais p'tit justement. J'pars.»

Albert, se pencha pour ramasser une niaiserie afin de cacher son émotion entremêlé de sa colère, incapable de se rapprocher de son frère. Yvan se tenait en face de lui, les deux bras ballants, ne sachant pas quoi dire ou faire. Il se dirigea lentement vers la grande porte ouverte. Une fois sorti, il se retourna et vit son frère Albert, debout à son établi et ressentit l'envie de revenir sur ses pas, mais il poursuivit son chemin ayant le vide de l'orphelin au cœur.

***

Monsieur le Curé ressentait le besoin de prendre du repos et décida de visiter mademoiselle Rita au sanatorium. Ce bénévolat annoncé atténua sensiblement le sentiment d'inconfort du Curé devant son envie personnelle de se permettre une vacance d'une vingtaine de jours à la maison des prêtres. La résidence était située sur le bord d'un beau lac du nord. Depuis quelque temps, une fatigue persistante l'inquiétait passablement. Lorsque la permission de l'évêque arriva enfin, il fallut plusieurs jours au curé pour tout planifier et ses vicaires avaient fait le nécessaire auprès de l'évêché pour rassurer la haute autorité qu'ils seraient parfaitement capables de s'arranger pour trois semaines. Le Directeur de la maison de repos l'avait personnellement averti par téléphone qu'il pouvait l'accueillir.

Il ne lui arrivait pas souvent d'entrer dans la chambre de son curé et madame Mayer avait préparé sa valise avec soin, ordre et méthode. Elle s'arrêta un moment près de la table de chevet, le bréviaire aux coins de pages jaunies en faisait le compagnon le plus intime du curé. Il entra, Léone le tenait encore près de son cœur, mais elle reposa le livre à sa place avant qu'il ne la voie. Léone se détourna et sortit de la chambre sans que le silence n'en fût brisé. Durant les quelques jours précédant le départ du curé, le bruit des marteaux avait cessé, au contentement de tous. La poussière était en voie d'être maîtrisée et peu de temps après le dîner, Rolland entra dans la cuisine de sa ménagère d'un pas fringant. Il la pria de le suivre à l'étage, car l'affaire avait quelque urgence. « Je ne puis vous en dire plus. Vous constaterez par vous-même.

— Bonté divine, vous m'intriguez. Y'a-t-il un problème dans les nouvelles pièces ? La porte est demeurée fermée à clef vous savez, j'ai vérifié. »

Elle parlait alors qu'il l'entraînait dans l'escalier. Il se dirigea directement vers cette nouvelle aile de l'étage, en sortit une clef et la présenta à sa ménagère. « Voici chère amie, la clef de vos appartements privés. Vous ne devez pas effectuer tout ce trajet, matin et soir, en mon absence. Désormais, j'espère que vous serez un peu comme chez vous ici. »

Léone regarda la clef, pétrifiée sur place. Sa réaction, trop grave pour la circonstance, traduisait à peine la tempête qui faisait rage en elle. Ce petit objet représentait le premier cadeau de gratuité, elle n'avait jamais éprouvé une telle joie en tant que femme, auprès d'un homme attentionné. Il la sortit de sa torpeur à temps, car Léone ravalait la boule d'émotions qui se propageait jusqu'au pourtour de ses yeux. « Et bien, vous ne voulez pas savoir si cette clef convient à cette serrure ? »

Souriant, il essayait de comprendre sa réaction et Léone s'exécuta comme une enfant devant un ordre et le curé reçut sa récompense aussitôt que Léone eut franchi un pas dans l'entrée de la pièce.

« Mon ami ! C'est…magnifique ! Vous êtes d'une telle écoute, c'est extraordinaire ! »

Elle y pénétra religieusement, un endroit sacré qu'elle examinait minutieusement et tout ce qui se présentait face à son regard, la porte en arche, filtrait la lumière vive provenant des deux fenêtres à carreaux du petit salon. Il était aménagé d'un secrétaire en acajou aux longues pattes joliment tournées. Une chaise assortie, capitonnée de velours vert olive, faisait face à la fenêtre. Un beau fauteuil en tapisserie vert et bourgogne, prolongé d'un gros pouf, prenait place dans un coin du petit salon. Sur l'autre extrémité, à l'endroit de la descente du plafond vers le mur, un petit poêle à bois tout neuf ainsi qu'une ouverture dans la brique, abritait les quartiers de bois bien cordés. Des tentures de velours vert olive et or, harmonisaient le décor ainsi que dans l'embrasure de la porte en arrondie, retenues par des embrases frangées. Sans se retourner, contemplant la chaleur dont était imprégné ce lieu, Léone prononça dans un murmure. « La couleur du parquet demeure l'élément unificateur, n'est-ce pas Rolland ? »

C'était au tour du curé de figer quelques secondes. Puis, cordialement, il entra et s'avança vers elle. Léone n'avait pas réfléchi et osa révéler sa joie dans les yeux de son ami. «Merci... un jour...»

Il lui fit comprendre que sa confidence pouvait attendre. Posant amicalement sa main sur son épaule. «Vous savoir en sécurité quand je serai parti, me récompense du secret qu'il m'a été pénible de tenir. Combien de fois ai-je failli me vendre, étant sur le point de vous demander votre avis sur le choix des tentures par exemple. Je suis bien heureux de m'en délier aujourd'hui.

— Est-ce un hasard de retrouver le même plein jour que dans ma chambre à la maison? Qui vous a dit que j'aimais particulièrement ce large motif finement crocheté au milieu du rideau.

— J'ai utilisé quelques élèves de l'école normale pour espionner vos fenêtres du dehors et elles ont vu juste à ce que je vois. D'ailleurs, tout ce qui est tissu provient de leurs mains habiles, car les religieuses en ont fait des sujets d'examens.»

Léone apprécia ce mobilier ancien. De jolies petites tables en bois de rose, étoffaient le lit simple sur lequel une courtepointe de satin vert jade et blanc pendait sur le beau plancher verni. Une jetée de laine blanche tricotée à la main la fit changer d'expression. Un voile d'émotion la submergea soudainement à la vue de ce tricot duveteux. Elle repensa à sa mère, assise dans sa berçante ne comptant pas ses heures, ayant toujours un tricot en route. «Est-ce que vous vous sentez bien? Un teint pâle comme le vôtre ne peut démentir un malaise n'est-ce pas?

— Je déplore seulement que l'âge trahit bien plus que les ans.»

Elle reprit son maintien de rigidité et elle s'arrêta devant la commode ancienne qu'elle avait brièvement entrevue auparavant. Le curé s'en approcha et l'examina soigneusement avant de la toucher par un petit geste de tendresse à la dérobée. «C'est un héritage de mes parents. J'y suis très attaché. J'ai voulu que vous vous en serviez. Ainsi, elle reprendra vie. J'espère que vous ne la trouvez pas trop massive.

— Elle est très ancienne et magnifique. J'en prendrai bien soin. »

Ils redescendirent en silence. L'escalier de service donnant dans la cuisine craqua sous leurs pieds. Léone s'y arrêta tandis que Rolland reprit le chemin vers son bureau.

La veille de son départ, une atmosphère inhabituelle régnait au petit salon privé du curé. Il invitait souvent sa ménagère pour parler des affaires courantes de la maison tout en se reposant de sa journée toujours très productive. Après les petites conversations banales, le silence retomba entre eux. Monsieur le curé semblait pensif pour ne pas dire, préoccupé. « Je vous ai donné le numéro de téléphone de notre maison n'est-ce pas ? N'hésitez pas à vous en servir madame Mayer. »

Rolland se replaça dans son fauteuil et dirigea son regard vers l'appareil du téléphone. « Cet appareil est devenu indispensable, mais il ne prête guère aux confidences. Je demeure un fervent adepte du courrier. Le plaisir ne se dément pas devant des mots écrits d'une main attentive, n'est-ce pas ?

— Je suis bien d'accord avec vous. »

Léone lui présenta un visage exempt de toute gêne. Son regard braqué directement dans les yeux ambrés du curé, lui signifia qu'elle avait saisi son message.

***

Adrien Levèrs profita de quelques jours en compagnie de ses grandes filles. Même si elles n'abordaient pas le travail sur une charrette de foin comme un homme, il constata qu'elles étaient néanmoins très efficaces en coordonnant leurs tâches, sans perdre de temps. Il baissait la tête et souriait devant leurs maladresses pour ne pas les offusquer et le père se permettait quelques rires francs et quelques conseils de sa longue expérience. Quel bonheur pouvait se comparer au sien devant ce qu'il voyait ! La petite Adriane, grimpée sur la charge de foin, assise entre les jambes d'Élaine lui faisait des sourires, entrecoupés de petits cris de joie à qui voulait les entendre. Toute sa famille, sa raison de vivre, se trouvait dans son champ autour de lui et il la contempla, reconnaissant de pouvoir profiter de leurs présences pour si peu de temps.

La chaleur n'avait pas lâché prise. Chaque matin, le soleil était bien à l'heure pour les rôtir encore un peu plus. Les bras, jambes et nez rougis par les premiers jours de vacances, les filles sortaient dehors, manches longues, pantalons et chapeaux de paille aux larges rebords pour cacher les coups de soleil malgré les avertissements répétés de Cécile. Comme quand elles étaient petites. Les discussions au souper, suivaient le même rythme, beaucoup moins animées après quelques jours de travaux au champ. Après avoir profité de la douche rudimentaire, installée dans un coin discret à côté de la laiterie, l'appétit décuplé et rassasié, chacune avait son tour pour essuyer la vaisselle pendant que les autres s'installaient dans la balançoire sur la galerie d'en avant et profitaient de la douceur du soir sous le vent chaud et léger. Cette ambiance, orchestrée par des chants de cigales, les préparait au sommeil réparateur qui se manifestait beaucoup plus tôt que d'habitude. Cette vie rude leur semblait douce dans le giron protecteur de la maison familiale. Rose Emma et Jacqueline se comprenaient sans se parler, elles savaient qu'elles partageaient des moments uniques, les derniers soubresauts de leur affection fusionnelle avant que le grand chambardement du déménagement ne survienne.

Le vendredi, comme les jours auparavant, tout le monde était au champ, elles avaient vu une silhouette d'homme s'amener vers eux. Yvan leur était apparu dans une tenue qui ne laissait aucun doute sur l'aide qu'il comptait leur dispenser. « Verrat ma femme ! C'est quoi, c't'accoutrement-là ! Tu ressembles aux sœurs du couvent qui travaillent dans leur jardin. Ton chapeau est aussi pire que les cornettes des sœurs. »

Yvan ricana seul et Rose Emma se préparait à descendre de la charrette par les barreaux arrière. Yvan la rattrapa et la garda contre lui un moment avant de la dégager. Elle se sentit mal à l'aise devant son père et les autres de cette habitude qu'avait son mari, de lui démontrer son désir sans pudeur. Elle reprit le chemin de la maison tout en enlevant quelques pelures et marcha à petite distance de son fringant de mari. Soudain, lui agrippant le bras, il la fit bifurquer par la grange avant que madame Levèrs, penchée sur son jardin, ne lève les yeux sur eux. « T'es venu réclamer ton nénane Yvan ? Tu pourrais m'demander comment j'vais, t'informer de la p'tite. Ça fait cinq jours, pis t'as rien à m'dire ? Jaser, les p'tits becs Yvan, tu connais pas ça ! Les fesses, c'est ça hein…rien qu'ça qu'y t'intéresses. Ben, ta bébelle est toute crottée, va falloir que t'attendes.

— T'es toute chaude de soleil, y faut pas te r'froidir. T'en as pas de reste d'la chaleur, viens. »

Rose Emma se laissa dévêtir pendant que son mari la forçait à s'étendre dans le foin. Elle fut passive, le regard braqué sur les poutres tout en haut. Décontenancé par le comportement inhabituel de sa femme et bien qu'il avait obtenu gain de cause, il évita son regard pendant qu'elle se rhabillait en le dévisageant. Il était mal à l'aise devant son attitude trop froidement calme et ne savait pas comment se comporter, alors il sortit en vitesse et plongea la tête dans la tonnelle d'eau, avant de saluer sa belle-mère. Il s'en alla s'affaler dans la balançoire en proie à une forte envie de s'enfuir. Rose Emma le rejoignit avec Adriane dans les bras.. Elle lui tendit sa fille tout en sourires devant son père. « J'suis dans mon temps « danger » Yvan Mayer. Va falloir que tu trouves un moyen parce que c'est au-dessus de mes forces de retomber enceinte. T'as tellement de chums y paraît… va voir du côté des anglais par exemple. Les capotes, ça doit être bon pour les « french peas soup » aussi.

— De quoi tu parles ? Ça t'fait pas le grand air ou quoi ? C'est pas mon style de mettre des chapeaux ok. C't'à toé de voir à ça. Pis, chu venu t'chercher. Les vacances, c'est ben beau, mais on a une maison à faire rouler. »

— P'pa vient me r'conduire dimanche, j'partirai pas avant. Y'a encore beaucoup à faire et j'veux rester le plus longtemps possible avec Jacqueline.

— Rose Emma, recommences pas à bocquer pis à m'contredire. J'ai besoin de toé à maison, point final. »

Rose Emma reprit Adriane et se dirigea promptement dans la cuisine, accéléra le pas vers la porte arrière tout en élevant la voix. « Moman, faites rien pour Yvan, y faut qu'y parte, c'était juste une p'tite visite éclair. »

Elle sortit précipitamment et se dirigea vers le champ avec Adriane, lorsque Yvan la rattrapa et lui serra le bras pour stopper sa progression. Il lâcha prise, car Adrien avait son regard qui n'attendait pas à rire et il commençait à marcher dans leur direction. « Là t'as le beau jeu, profites-en ben comme faut ma femme. »

Un signe de la main à son beau-père et il s'en retourna vers le mastodonte de sa mère. Rose Emma n'avait pas dit un mot en passant devant son père, confia sa fille aux mains de ses sœurs et fit volte face. Elle se mit à courir vers la maison, les larmes coulaient en même temps que l'eau de la douche inondait son corps profané. Ayant épuisé l'eau chaude du long boyau d'arrosage exposé au soleil, elle retomba dans la réalité au contact de l'eau froide sur son dos. Rose Emma se berça avec vigueur un long moment, les yeux dans l'horizon. Après souper, sa petite sœur Élaine pouponna Adriane, une petite mère lui donnait un bain dans le grand évier de la cuisine, Rose Emma entendait les rires et les cris de joie de sa fille à travers la moustiquaire et cette petite voix aimée lui entoura le cœur d'un baume de tendresse, assez pour lui soutirer un sourire. La brunante s'était bien faufilée jusqu'à couvrir la démarcation du perron tout autour de la balançoire et Jacqueline déposa un châle sur les épaules de sa sœur avant de s'asseoir auprès d'elle. Pendant un long moment, toutes deux respectaient leur silence habité de complicité et le grincement du balancier les maintenait à l'affût de l'état d'âme de l'autre. « Jacqueline, promets-moi de m'faire demander au plus vite pour t'aider quand tu seras déménagée. Veux-tu faire ça pour moi ?

— Tu pourrais même rester plus longtemps que prévu à part de ça.

— Deux heures de route dans poussière, c'est tu assez loin pour m'éloigner d'lui ! Une chose, Jacqueline, c'est ça que j'suis pour lui ! Pis moi, j'suis tombée amoureuse de c'te beau visage d'homme si parfait. Je déteste tout le reste quand y m'approche.

— Penses à ton répit avec nous autres, profites-en, t'en as ben besoin. »

Elles savouraient tous les bruits familiers que la nuit leur dispensait et leur envoûtement cessa lorsque leur mère leur souhaita une bonne nuit à travers la porte. Un peu plus tard, Louis vint solliciter sa femme pour aller dormir.

***

Monsieur le Curé ne s'attarda pas trop sur l'au revoir de sa ménagère, celle-ci agitait une main peu convaincante dans un coin discret du perron, bien dissimulée derrière le massif de rosiers grimpants en pleine floraison. Il s'engouffra au volant de sa « Monarch » noire, mais sa bonne humeur s'affadissait. Il faisait une entière confiance à ses vicaires d'ailleurs, ils semblaient déjà bien s'organiser. Madame Mayer assurait la gérance du presbytère et il partait la tête tranquille et pourtant…

De son côté, Madame Mayer retourna à l'intérieur d'un pas peu enthousiaste, errant à travers les pièces sans se fixer nulle part. Une première fois, elle dérogea à son menu habituel et jamais un repas n'avait été préparé par Léone sans l'envie du dépassement. Elle se retira dans ses nouveaux quartiers beaucoup plus tôt et après le plaisir de humer l'odeur du neuf de sa chambre et replacer quelques affaires personnelles, Léone s'affala dans son beau fauteuil, posa ses pieds sur le grand pouf et n'eut aucune envie de lire ou de faire quoi que ce soit. Elle apprivoisa une nouvelle expérience, l'oisiveté. Son esprit cessa de vouloir faire quelque chose et Léone renversa sa tête sur le dossier du fauteuil et se sentit très vulnérable en s'accordant le droit de s'arrêter et de ressentir. Pour la première fois, elle découvrit le verbe « languir ».

Le curé Rolland apprécia le calme de l'endroit, l'odeur de la plage émanant par sa fenêtre l'anima d'une légère euphorie en rangeant ses effets personnels dans le placard. Il sortit son bréviaire de sa mallette et se rendit sur la grande «galerie» s'enroulant sur trois côtés du bâtiment et surplombait le lac. La vue saisissante, l'immobilisa quelques minutes, Rolland inspira profondément ragaillardi par l'air chaud et surtout il apprécia le port d'un léger pantalon de toile, une chemise de lin sans collet, pieds nus dans ses sandales et de ressentir toute cette bienfaisance sur sa peau. Il se servit une limonade et rencontra ses confrères, beaucoup plus bronzés que lui puisqu'ils avaient déjà emmagasiné une semaine de plus dans cette enceinte de repos. Après quelques jours de baignade matinale, de randonnées en canot en compagnie d'un de ses confrères, de parties de tennis disputées dans l'esprit de compétition qui le caractérisait et de repas savoureux, tous apprêtés avec les bons légumes frais du grand potager. Il ponctuait ses activités par de fréquentes siestes et Rolland se sentit redevenir l'homme énergique et actif, animé d'un sens aigu d'entrepreneur.

Le dimanche suivant, après sa messe dominicale, le curé Rolland conduisit une petite demi heure pour se rendre au sanatorium auprès de mademoiselle Rita. Il entra dans sa chambre le sourire joyeux, mais la maigreur de la dame et son teint grisâtre l'atteignit au cœur et l'homme réfréna le réflexe du recul et continua d'avancer, concentré sur son sourire de circonstance. Une bouffée de tristesse le traversa, puis il se sentit gêné de se trouver en si bonne forme devant elle. Le visage transformé par la surprise, mademoiselle Rita n'arrêtait pas de sourire, pendue à sa main. «Vous êtes bien bon, j'ai tellement de plaisir à vous voir. Comme vous semblez bien portant monsieur le Curé.

— Je le suis, grâce à Dieu, chère mademoiselle et j'espère que mes prières quotidiennes pour votre rétablissement ont influé sur le Seigneur.

— Ces derniers mois ont été bien durs, les médecins me disent que le pire semble passé. Mon vieux corps a décidé de répondre positivement aux fortes doses d'antibiotiques dont on me gave et cette petite lésion sur mon lobe gauche a l'air de régresser.

— C'est une très bonne nouvelle effectivement et sachez que vous êtes attendue au couvent. Je vous ai réservé une chambre parmi les Religieuses à votre sortie. Votre place y est amplement justifiée. Vous, vous êtes tellement dévouée depuis tant d'années, c'est un honneur de vous rendre un peu de votre bonté et vous garder autour de votre noyau social. Ah, les dames de Sainte-Anne vous saluent chaleureusement ! »

La demoiselle dissimulait mal son émotion et ses larmes après l'énoncé de son curé. Elle s'essuya les yeux et invita son visiteur à sortir sur la véranda, une grande place située dans les hauteurs, avoisinée d'un boisé. L'on devinait la descente abrupte derrière le massif de feuillus. « Vous voyez le petit if à gauche, tout près du chêneau, il fut mon centre d'intérêt, ma ligne d'horizon durant tous ces mois pénibles. »

Elle s'appuya sur le large montant de la véranda. « Parfois…quand la fièvre ne voulait pas s'estomper, je me concentrais sur sa lutte pour survivre au froid, au vent et au gel. Il a été bien chétif durant quelques temps et je pensais qu'il ne s'en sortirait pas. Je me concentrais sur son combat, limitant ma vision à ce petit arbuste. Sauf, ce printemps, quand l'air s'est adouci et le jeune chêne a commencé à le protéger de ses feuilles grandissantes. J'ai observé de nouvelles pousses vertes très pâles, au bout de ses extrémités roussies et j'en ai éprouvé une grande joie. Je me suis identifiée à lui et le jeune chêne parce qu'il était placé dans l'immuable hasard, l'aidait à survivre malgré lui. Je crois que vos prières ont influé comme le chêneau, elles m'ont protégée. Je le crois fermement. Vous savez, quand on a plus de famille, la bonté des gens devient presque une condition essentielle de survie. Je vous remercie de tout cœur de vous soucier de moi, Monsieur le Curé. »

Mademoiselle Rita reprit le chemin de sa chambre et s'étendit aussitôt, car sa blancheur dénotait son degré de faiblesse. Elle respira plus calmement, une fois son corps étendu en position horizontale. Monsieur le Curé comprit qu'il était temps de partir, non sans lui offrir sa bénédiction et avec la promesse de revenir avant de s'en retourner.

Rolland, conduisait sur la route sinueuse du nord, traînant un sentiment de lassitude intérieure. Il devait se discipliner à l'attention de sa conduite, car sa tête s'incrustait encore au sanatorium. Il saisissait l'isolement physique autant que moral de cette femme, en lutte pour sa survie. Ils avaient partagé les jeunes années de son apostolat dans cette petite ville inconnue, sous les bons offices de mademoiselle Rita qui l'avait épaulé telle une ombre bienfaisante autour de lui. Depuis, le Curé bénéficiait du bon ordre teinté de sérénité qui régnait dans le presbytère grâce à son implication positive. À présent, malgré quelques lettres trop rarissimes de paroissiennes amies, peu de personnes se souciaient du sort de la ménagère du curé. Elle avait fait ressurgir son propre isolement durant les quelques instants en proximité avec elle. Ce poing de détresse gisait tout au fond de lui devant la perspective de vieillir seul dans une chambre impersonnelle. Ces endroits froids, réservés aux vieux prêtres sans famille l'horrifiaient, surtout depuis que sa petite sœur était décédée de cette même maladie quelques années auparavant, le seul lien filial sur cette terre disparut et malgré son ministère très impliquant, il n'arrivait pas à se résigner. Et, tel un éclair de survie, le visage de Léone lui apparut et l'apaisa suffisamment pour diminuer la masse fielleuse dans son intériorité.

C'était la première fois qu'il pensait vraiment à elle, mais la dame couvait sous-jacente presque à son insu. Sa présence et son discours auraient sûrement fait diversion à son angoisse durant ce voyage de retour et le Curé enfila dans l'allée bordée de vieux peupliers de la résidence, le cœur morose. Un bon repas agrémenté d'un bon bordeaux rouge comme l'amour, n'avait pas réussi à déloger la miette de tristesse affligeant les abords de son cœur et il ne fut pas d'agréable compagnie. Il préféra la quiétude de la plage qu'il évalua plusieurs fois de ses grandes enjambées pour qu'enfin, il se décide à monter se coucher.

Déjà, la dernière semaine s'amorçait et Rolland se réveilla tôt et de très bonne humeur, car il avait décidé de faire venir Madame Mayer avec beaucoup de fleurs qui inondaient les rocailles aménagées par mademoiselle

Rita, des années auparavant. Des vivaces qui arrivaient chaque année en leur temps et remplissaient leurs promesses, fleurissaient abondamment la devanture du presbytère. Elles y mêlaient des parfums bienfaisants pour chaque personne qui se donnait la peine de s'y intéresser quelques secondes. Oui, Rolland s'en alla téléphoner à madame Mayer, la priant de mettre quelques narcisses en pots et de fabriquer le plus beau des bouquets de roses et de joindre des cartes de vœux et des intentions de prières auprès des paroissiens. Il lui demanda de le rejoindre au sanatorium, le samedi suivant afin de faire une surprise de taille à mademoiselle Rita. Cesser de ne penser qu'à son bien-être et reprendre le temps qu'il avait négligé envers sa précieuse collaboratrice lui apporta de la joie et la sérénité regagna son cœur.

La voix du Curé, joyeuse et volubile stimula Léone à la pensée de le revoir dans quelques jours. Elle enregistra très attentivement toute la conversation et comprit le désir éminent de son curé – rendre hommage à cette femme et lui assurer le soutien des paroissiens -. Madame Mayer lui confirma qu'elle se fera conduire par monsieur Giroux le bedeau, selon son désir et non par un de ses enfants. Léone travailla fermement et utilisa ses talents de « leader » afin de persuader tous ces gens apeurés par le spectre de la tuberculose, mademoiselle Rita n'était plus contagieuse depuis un bon moment. Les médecins avaient effectivement élargi le nombre des visiteurs. Elle leur rappela le message de monsieur le Curé, il tenait cette œuvre très à cœur et il ne fallait pas le décevoir. Léone monta dans sa vieille Cadillac accompagnée de trois personnes, dont la maîtresse d'école, une grande amie de la malade. Deux autres voitures les suivaient, des membres de la chorale pour la plupart, côtoyaient cette personne depuis longtemps, car l'assiduité, une fois la décision prise s'observait tel un devoir de conscience pour ces gens. La parole donnée, c'était sacré ! Le coffre arrière emportait les plus beaux spécimens de fleurs, la brassée de roses embaumait dans l'auto et agrémentait le voyage sur la route de terre très cahoteuse. Ils étaient partis aux aurores et arrivés sains et saufs au bout de leur périple à l'heure indiquée. Monsieur le Curé les attendait dans le hall et la joie se lisait sur son visage à la vue du petit groupe de paroissiens qui répondait à son appel de manière si spontanée. Il serra toutes les mains et les remerciements chaleureux fusaient et il s'attarda un peu plus longuement sur la main de madame Mayer.

Les Religieuses avaient placé mademoiselle Rita sur la véranda, bien confortablement assise dans un fauteuil roulant et ils entrèrent tous en même temps. Les fleurs furent déposées autour d'elle et la gerbe de roses sur ses genoux, bien qu'ayant eu un peu chaud, inonda les narines de la dame. Elle huma profondément cette senteur tellement familière et ne savait pas à qui s'attarder tellement la surprise avait été totale. L'émotion ne s'était point éternisée puisque les dames groupées autour d'elle lui narraient des histoires de la petite localité, banales pour un non initié, mais tellement attachantes pour ces gens en appartenance à leur chez soi. Monsieur le Curé tenait à ce repas amical dans le réfectoire des sœurs et il avait réglé tous les frais. Ce moment de gratitude dans les yeux affaiblis de son amie l'avait payé au centuple. À la mi-journée, tous s'étaient agenouillés pour entendre la prière et recevoir la bénédiction du curé Rolland et ils laissèrent reposer la fêtée, le visage lumineux et la fatigue évidente également. Les cartes amicales ainsi que les fleurs odorantes renouvelleront le souvenir de cette magnifique surprise durant plusieurs jours.

Le Curé Rolland insista pour ramener sa ménagère, il avait apporté son bagage, content d'écourter sa vacance d'une journée. Personne ne porta attention lorsque madame Mayer enfila à l'arrière de la voiture du Curé puisqu'ils quittèrent le sanatorium les derniers, son dévoué bedeau venait de quitter la grande cour en compagnie des dernières paroissiennes. Le curé et sa ménagère profitaient de l'intimité de l'automobile et les silences habités augmentaient leur contentement, surtout après la cohue qui avait joyeusement animé les personnes durant la fête. Plusieurs milles les séparaient maintenant du chemin de gravelle cahoteux si incommodant, même la poussière s'infiltrait à l'intérieur de l'automobile et lorsqu'ils eurent l'impression de rouler sur un tapis parce que la route asphaltée venait de commencer, ils approchèrent de la grande ville. Rolland rompit le silence au moment de bifurquer pour se rendre sur une grande artère de Montréal. « Une petite escale s'impose n'est-ce pas ? La fatigue et surtout la faim prennent le dessus sur mon plaisir de voyager. Chaque fois que je ressens cette lassitude, je me dis que le train me donnerait tellement plus de confort, mais je me suis habitué à cet engin de liberté. Voyez-vous un empêchement à ce que nous prenions un bon repas chez les Dominicains ? Ils sont toujours d'un accueil cordial pour le curé de campagne que je suis.

— Vous êtes bien humble monsieur le Curé… vous êtes le guide spirituel de ce gros village, devenu une ville. Quant à moi, me délasser les membres me fait beaucoup plus envie, mais un peu de nourriture me fera aussi du bien. »

La grande allée en U de l'entrée principale du monastère avait déjà retrouvé ses coins d'ombre lorsqu'ils saluèrent le Prieuré. Une fois près de l'automobile, Rolland ouvrit la portière avant et madame Mayer s'y engouffra sans s'y opposer. Ils avaient encore une heure à parcourir avant la fin de leur destination. « Je m'en voudrais d'omettre de vous remercier pour le succès de cette belle journée. Un travail éclairé, accompli dans la promptitude, un dénouement au-delà des espérances, voilà ce qui vous caractérise, ma bonne amie. Un grand merci ne peut traduire toute ma gratitude.

— Voyons, monsieur le Curé, vous me faites trop d'honneur, je n'ai fait que suivre vos instructions. »

Un temps mort lui donna la chance de changer de sujet. « Je me rends compte maintenant, le pourquoi de l'intérêt des hommes pour la banquette avant de l'automobile. Je déroge à l'étiquette par votre faute, mais je vous avoue, je commence à l'apprécier davantage, j'ai une meilleure vue sur la route et cela me sécurise un peu plus.

— Vous m'en voyez ravi et mon cou s'en porte mieux. Quant à la dérogation, le Seigneur connaît son serviteur et je vous assure qu'Il sait que j'ai grand besoin de cette proximité en ce moment. Vous voyez, ma chair est faible et je lui réclame des personnes solides, des piliers fidèles pour m'épauler. Elles me sont indispensables pour accomplir au mieux mon ministère. Cet apport moral est primordial et Dieu a toujours eu pitié en y plaçant quelqu'un d'intègre sur ma route. »

Son regard quitta la route un instant et leurs yeux se rencontrèrent et ni l'un ni l'autre n'osa ajouter quoi que ce soit par la suite. Ils étaient habités par le même sentiment de complétude. Léone vibrait sur le bien-être de son cœur vidé momentanément de son amertume. Habituée à la rigueur de la froidure et maintenant la mansuétude, doucement s'y présentait, mais devant ces nouvelles sensations trop moelleuses, Léone interpréta qu'elle perdait la maîtrise d'elle-même. Elle se remit à l'ordre intérieurement et stoppa cet élan inquiétant qui la plaçait sur la pente descendante de sa perte de contrôle. Elle n'éprouvait pourtant aucun scrupule face à la dualité de l'homme « prêtre », car elle savait qu'il n'enfreindrait jamais la règle sacrée de la distance physique entre eux et c'était cette règle justement qui régissait la condition, *sine qua none*, à son attachement. Voilà, pourquoi elle se plaisait tant au contact de cet homme galant, l'ambiance des bonnes manières, la distance dans le rapprochement des mots, son âme les réclamait maintenant qu'elle avait goûté à ses fruits, des sucs qui lui avaient cruellement manqués durant toute sa vie. Léone, commençait à entrevoir la raison de sa préférence d'habiter un deux pièces au presbytère plutôt que les grands espaces de sa maison. Elle se tenait le cœur chaud dans son alcôve alors que sa résidence si imposante était-elle, lui renvoyait une froidure au cœur et désormais, ni son orgueil, ni sa fierté du paraître ne la satisfaisait autant. Sa théorie se confirma lorsque l'automobile emprunta l'allée du presbytère, assombrie par une nuit sans lune.

CHAPITRE IX

LA DÉSOBÉISSANCE

«Demain, c'est le grand jour Rose Emma. Louis a décidé de déménager nos meubles même si la finition intérieure est pas toute terminée. C'est surtout dans les chambres et dans le salon, mais la cuisine est tellement belle. Les armoires de chêne pis le p'tit comptoir lunch, c'est au-delà de mes espérances. Le prélart est posé partout, les planchers de bois franc, ça va venir avec le temps. Finie, la «mozus» de fournaise à l'huile dans la cuisine ma sœur. Louis en a fait installer une énorme dans la cave, pardon… le sous-sol, avec des trappes dans l'plancher, pis j'ai gardé mon poêle à bois, j'aime ben ça cuisiner dessus. Ha! Je l'sais pus comment j'me sens. J'suis heureuse et tiraillée aussi. J't'attends au plus tard la semaine prochaine han? C'est sérieux Rose Emma, j'ai vraiment besoin de toi avec tout le barda que ça va faire. Louis ne pourra pas m'aider ben gros, y commence à travailler dans trois jours. C'est tout le temps que les patrons leur donnent pour se placer.»

Rose Emma surveillait sa fille d'un œil pour se donner une raison d'éviter le regard anxieux de sa sœur, car elle n'avait pas de trop bonnes nouvelles à lui transmettre. «Ça fait au moins trois fois que j'aborde le sujet avec Yvan, pis j'ai pas l'impression qu'y va vouloir.

— Quoi? Y peut pas t'empêcher de venir m'aider! Veux-tu que j'aille y parler à ton borné de mari?

— Surtout pas Jacqueline. Il va me l'faire payer quand on va se retrouver tout seuls. Mais j'ai une autre carte dans ma manche. De toute façon, j'ai très envie d'aller voir tout ce nouveau qui t'rends si heureuse.»

Jacqueline la quitta, car le méchant loup entrait par la porte avant. «Verrat, c'est-tu moé qui la fait fuir ta p'tite sœur. C'est juste si à m'a salué en sortant. Tu trames rien avec elle, Rose Emma. J'te l'ai dit, ça va faire le «sortage» dans ta famille pour cet été. Ta place c'est à maison avec Adriane.»

Yvan traversa le long couloir et se dirigea dans la cuisine vers le réfrigérateur et s'ouvrit une bière. Il n'eut pas le temps de retenir sa femme, elle avait franchi la porte. Rose Emma marcha au pas de course en direction du presbytère même si l'heure du souper n'était pas le temps idéal pour solliciter audience auprès de sa belle-mère. Occupée à sortir sa fille de son carrosse, Rose Emma sursauta. «Vous me semblez bien préoccupée ma fille. Y a-t-il un problème pour avoir l'honneur de votre visite et avec ma petite-fille ?»

Rose Emma monta les marches décontenancée par la question de la femme, mais sa belle-mère tendit les bras vers Adriane, ayant tout de même le regard presque bienveillant. Elle l'invita à s'asseoir sur l'une des quatre chaises berçantes sur la galerie tout en examinant l'enfant, celle-ci avait revêtu son air sérieux, dévisageant sa grand-mère sans toutefois avoir l'envie de pleurer. «Ça fait un bout d'temps que vous êtes pas venue chez vous… j'espère que tout va bien pour vous…

— Je vais bien en effet. Ne me dites pas que je vous manque à la maison ? Vous y êtes la maîtresse à présent.»

Le ton à demi sarcastique de sa belle-mère figea quelque peu Rose Emma qui s'apprêtait à lui narrer sa requête. Léone la sortit de son embarras. «Bon, je n'ai pas beaucoup de temps à cette heure-ci, qu'est-ce qui me vaut l'honneur de votre visite ?»

Rose Emma attaqua le vif du sujet : «Vous êtes la seule à…avoir de l'autorité sur Yvan…du moins, il vous écoute malgré lui. Il refuse de m'laisser aller chez Jacqueline. Elle déménage demain pis elle m'a demandée de l'aider à se placer dans sa nouvelle maison…j'ai très envie d'y aller. J'suis venue vous avertir… si vous refusez de vous en mêler ou si dimanche, y veut toujours pas… j'irai quand même. J'veux que quelqu'un soit au courant.»

Rose Emma se leva de mauvaise grâce sans regarder sa belle-mère, elle reprit sa fille. La dame demeurait un tantinet surprise de sa requête. Elle observait cette bru, surprenante devait-elle en convenir. Ce qu'elle venait d'entendre ne la scandalisait nullement et ne disait mot, elle attendit que sa belle-fille soit descendue. «Je prends note et je vous sais gré de m'avertir.»

Un petit au revoir de la petite main d'Adriane vers sa grand-mère ne provoqua point la pareille de la part de la dame, mais le «bon voyage ma fille» surprit Rose Emma qui se retourna vivement, mais sa belle-mère avait déjà réintégré l'intérieur du presbytère. Elle se questionna sur cette dernière réplique et en conclut que sa belle-mère, sans l'approuver dans sa désobéissance, ne la condamnait pas. Elle se demandait qu'est-ce qui adoucissait le tempérament austère de cette femme depuis qu'elle s'était investie dans cette «œuvre» paroissiale? Qu'est-ce qui retenait la dame dans un endroit ne lui appartenant pas alors qu'elle possédait une «résidence». La femme changeait lentement, le ton de voix, l'approche moins distante, ses traits durcis et sa mâchoire serrée semblaient se relâcher. Sa pensée dévia sur son problème, comment allait-elle déjouer le verdict exécrable de son mari ou comment lui arracher un consentement en sa faveur? Être obligée d'agir par calcul envers Yvan, lui jouer des petites pièces de câlineries totalement intéressées lui déplaisait souverainement. Elle s'haïssait de seulement y penser, car elle détestait se sentir à la merci de, obligée d'obéir à, comme une enfant alors qu'elle était mariée et avait la responsabilité de sa fille et Rose Emma marchait rapidement, totalement absorbée par ses pensées et déjà, elle arrivait devant le grand parterre si admiré des passants. Rose Emma se consola à la pensée du petit magot de piastres qu'elle avait réussi à amasser petit à petit, semaine après semaine, depuis qu'elle était en charge de la nourriture. Elle continuait de quémander de l'argent à Yvan pour ne pas éveiller de soupçons et tout à coup, elle réalisa qu'elle jouait déjà des petites pièces hypocrites à son mari et qu'elle devait lui mentir pour récolter quelque satisfaction personnelle bénigne.

Elle s'occupa machinalement à préparer les carottes et la purée de pommes de terre pour Adriane, tout en mémorisant son scénario. Elle espérait faire grand effet sur son mari, le gratifia d'un petit sourire en entrée et par la suite, elle s'était vue agir prudemment pour ne pas froisser son tourmenteur. Puis, sur un ton de confidence pour le convaincre de son intention. «Yvan, j'aimerais ça que tu restes un peu plus longtemps à soir. Y fait si beau. J'pourrais coucher Adriane plus d'bonne heure, on pourrait boire un p'tit «drink» sur la véranda tous les deux. C'est tellement tranquille le soir…qu'est-ce que t'en dit?»

Yvan, essaya de cacher son intérêt pour la proposition et répondit une phrase qui ne correspondait nullement à sa pensée. «J'avais pas l'intention de sortir. Mais là, j'pense que j'changerai pas d'idée.»

L'intention justement, était claire comme de l'eau de pluie et Rose Emma monta avec sa fille. Ainsi, la pièce de théâtre s'activa vers sa mise en place. Madame s'attarda exprès afin de produire l'effet escompté et elle y parvint parfaitement lorsqu'elle descendit, revêtue d'une jaquette de satin noir dont le boléro assorti lui couvrait les épaules. «Verrat que t'es belle Rose Emma. Y'a pas un homme qui pourrait t'résister…»

Curieusement, il ne s'approcha pas d'elle pour consommer sa proie dans la minute mais il semblait figé par l'apparition ou il se méfiait du comportement de sa femme. Ils prirent place sur la véranda et aussitôt assis, aussitôt Yvan se leva pour offrir un «drink» à sa femme. «Un cognac dans les coupes de ta mère, hum, ça serait bon.»

Il s'exécuta et Rose Emma savait ce que ressentait l'esclave envers son maître, même si elle semblait mener le jeu et Yvan lui présenta la coupe de cristal qui étincelait et dont la brillance rehaussait la saveur du liquide ambré. Ils trinquèrent en se toisant mutuellement. Rose Emma lui proposa une partie de crible, son jeu préféré et ils s'apprivoisaient et riaient à mesure que les coupes se vidaient.

Rose Emma se sentit un peu étourdie et elle quitta sa place subitement et ouvrit la porte. Le vent se baladait sur son corps et atténua quelque peu l'effet de l'alcool. Il s'approcha par derrière et l'enlaça, lui égratigna le cou de ses baisers doux rugueux. Elle se dégagea et tenta de descendre une marche, mais il la retint et la força à lui faire face. Il referma la porte, l'enlaça de nouveau et la suite se déroula sous les soupirs dans une ambiance légèrement incandescente. Rose Emma reprit ses esprits au milieu de la nuit, allongée près de son mari sur le canapé du grand salon. Elle entendait des pleurs vaguement au loin avant de comprendre qu'ils étaient bien réels et que sa fille la réclamait. Yvan monta la rejoindre et la sollicita de nouveau tout en lui faisant remarquer qu'elle s'investissait beaucoup plus dans leurs ébats sous l'effet de l'alcool, mais Rose Emma était très lucide lorsqu'elle avait subi ce dernier acte non prévu à son scénario élaboré la veille et pensa « qui est pris qui croyait prendre. »

Bien qu'il devait aller travailler, Yvan se leva plus tard et descendit ayant une faim de loup. Il la frôla avant d'aller s'asseoir pour recevoir son repas et il allait de soi que sa petite femme s'apprêtait à préparer le déjeuner de monsieur. Effectivement, un café bien fort lui fut servi, puis les crêpes au jambon rassasièrent la bête. Une fois son deuxième café enfilé, Yvan se leva et s'approcha de sa femme debout devant l'évier. Il s'amusa à la retenir prisonnière entre lui et l'évier et soudainement, il l'étreignit suffisamment fort pour l'effrayer et tout en lui embrassant l'oreille, il lui chuchota. « Si tu m'as joué ton p'tit jeu de séduction pour me faire plier ma p'tite femme, ça reste non. »

Il la força à se retourner et un visage dur lui serinait sur le même ton. « Pas de voyage chez ta p'tite sœur, point final. »

Il se retira lentement ayant l'index pointé en avertissement et le silence cette fois, résonna bruyamment aux oreilles de Rose Emma qui regardait son mari embrasser leur fille dans sa chaise haute et quitter la cuisine sans se retourner. Rose Emma se sentit presque soulagée que ce jeu d'infâme comédie se termine et surtout, elle réalisa combien dupe et stupide elle avait été en sous-estimant son mari. Elle le savait pourtant très instruit dans les astuces pour arriver à ses fins. Il la connaissait trop bien et pouvait deviner ses intentions beaucoup plus qu'elle ne le pensait. Tout en replaçant ses frasques de la veille, elle se sentait relativement calme en admettant sa défaite, mais elle n'avait pas perdu la guerre. Ses démons de culpabilité sur la morale et la conduite d'une bonne mère et épouse s'atténuaient sensiblement depuis que sa belle-mère l'avait laissée à elle-même dans sa grande entité vide. Elle entrevit son affranchissement tout proche.

Le lundi matin suivant, Rose Emma habilla sa fille et elle-même, avait choisi un deux pièces de toile jaune pâle, elle cacha son chapeau et ses gants blancs dans la poussette d'Adriane et sortit comme d'habitude. Elle passa devant l'hôtel et se dirigea vers la rue des commerçants et brusquement, elle bifurqua et se mit en marche accélérée. Elle savait comment se libérer de ces interdictions infantiles et elle savait aussi exactement à quelle heure partait le train pour l'Estrie. Elle y monta avec Adriane et la poussette pour tout bagage. Un peu de petit linge de rechange pour elle et sa petite, des biberons, son chapeau et ses gants. Le contrôleur rédigea son billet et sa tenue soignée ainsi que sa main gantée lui donna une contenance devant l'homme. Le « merci madame » renforça son allant et soudain, une impression de liberté commençait à l'envahir à mesure que le train amorçait son roulement initial vers sa toute première désertion. Pour la première fois, Rose Emma comprenait la pertinence de son statut d'adulte et elle ne l'avait jamais vraiment ressenti jusqu'à ce qu'elle s'autorise à monter dans ce train. S'estimer responsable de ses décisions, brisait toutes les emprises qui la gouvernaient auparavant et de se percevoir à la barre de son gouvernail lui insuffla le goût de l'aventure. Elle ouvrit son sac à main et vérifia l'horaire des arrivées et considéra que l'Estrie, c'était très loin, puisqu'elle aurait à passer quatre heures dans ce compartiment avant de voir le profil de l'endroit que sa petite sœur et son mari avaient si hâte d'habiter. Un petit accessoire était logé dans une petite pochette de son sac, la petite clef la rassura même si elle ne servait que de support moral pour l'instant. Elle referma son sac et le clic fit sursauter Adriane, endormie sur le banc près d'elle. Elle caressa ses petits cheveux d'ange et sa fille se rendormit sous la caresse de sa mère.

Tout en regardant un paysage toujours fuyant sous ses yeux, Rose Emma éprouva tout à coup une immense solitude et le désarroi s'empara du beau sentiment de liberté ressentit au départ du train. Seule avec sa fille dans cet engin en mouvement, sa tête s'arrêta de vouloir aller de l'avant et elle remit en question toute cette théorie selon laquelle, une femme devait obéir à son mari et qu'une femme devait être protégée, car effectivement, une présence protectrice et rassurante lui manquait à cet instant. Le remord était sur le point d'entrer parmi son questionnement lorsqu'un employé traversa d'un pas rapide l'étroit couloir et annonça que le wagon restaurant était en service. Elle sortit son rouge à lèvres et Adriane se réveilla doucement sur le sourire rouge frais de sa mère. L'escapade au wagon restaurant la secoua et à la suite de son deuxième café, après un repas léger délicieux ainsi que la courtoisie des serveurs, Rose Emma flaira de nouveau cette petite envie de vacance timidement amorcée en elle. Le temps fila aussi vite puisqu'une voix nomma l'arrivée de sa destination et une escale de quinze minutes pour ceux qui continuaient sur l'itinéraire annoncé.

Un taxi, s'arrêta au fond d'une rue de terre sur l'heure du souper. Quelque chose n'était pas habituel même si Rose Emma se montrait joyeuse. Louis lui adressa sa surprise. «J'pensais de t'voir arriver en Cadillac avec Yvan. Prendre le train tu seule avec la p'tite, tu dois être ben fatiguée.

— J'avais surtout hâte de vous voir. J'ai pas l'habitude de voyager comme ça, mais j'ai aimé l'expérience.

— As-tu caché tes bagages dans ta sacoche ma belle-sœur?»

Louis souriait, mais le malaise de sa belle-sœur lui commanda de bouger. «Bon, tu vas toujours ben prendre le temps de t'asseoir, pis de prendre une bonne tasse de thé han, pis, j'va donner un p'tit verre de lait à c'te belle enfant-là.»

Louis amena la petite dans le salon et laissa les deux sœurs se parler tranquillement avant de recevoir le verdict…il ne lui sembla guère favorable. Rose Emma résuma le principal de sa tentative d'amadouer son mari et sa fugue qui lui avait mis le cœur en vacance dans le train. «Je l'sais Jacqueline… c'est une folie, mais j'voulais y désobéir à tout prix…pour y montrer que j'ai pas dix ans… j'suis pas sous ses ordres.

— À c't'heure, t'es en sécurité, pis on verra ben c'que demain va nous réserver, han. C'est juste que tu vas manquer de linge pour la p'tite…mais on va s'arranger. Viens manger, après j'vais t'faire visiter notre paradis.»

Louis installa sa nièce sur un petit banc posé sur la chaise et l'attacha avec une de ses cravates, la p'tite faisait connaissance avec la table sur laquelle elle tapait et ne semblait nullement incommodée par sa contention.

Les maisons, pour la plupart, se ressemblaient sur cette nouvelle rue, l'uniformité du style semblait devenu novateur. Un toit descendant en pente abrupte vers l'entrée de côté, de la brique rouge et une grande fenêtre en façade, créaient un effet très contemporain à côté des maisons traditionnelles de la rue principale, pas très loin. Celle de Louis et Jacqueline, différait des autres avec son toit de proportion égale et ils avaient plutôt opté pour un long perron prenant deux côtés de la maison sur laquelle une balançoire y était accrochée. Ce large espace, habillé de jolis barreaux tournés, lui rendait bien son allure rustique. La maison semblait se cacher parmi ces beaux grands arbres tout autour. On y respirait la quiétude sur cette belle propriété, car elle abritait des êtres faits pour s'aimer, heureux.

Rose Emma était assise dans les marches et appréciait la fraîcheur du boisé à l'approche de la brunante et des maringouins. Une soirée calme au dehors ne reflétait en rien l'agitation dans le cœur de Rose Emma.

Jacqueline vint la trouver pendant que Louis surveillait princesse Adriane qui buvait son lait, couchée au milieu du grand lit conjugal.

«J'pas ben fière de moi de me présenter chez vous comme ça, de vous mêler à mes histoires.»

Rose Emma se retourna face à sa sœur. «Comment ça s'fait que j'pas capable d'être heureuse avec c'que j'ai, hein Jacqueline? Qu'est-ce que j'ai de travers veux-tu ben m'dire?»

Ses yeux roulaient dans l'eau et Jacqueline se contenta de lui frotter le dos tout en gardant sa réponse pour elle-même. «C'est toi pis Adriane qui avez l'honneur d'étrenner notre chambre d'ami. On n'aurait pas mieux choisi ma grande sœur.»

Curieusement l'invitée s'était endormie sans le questionnement culpabilisant. Le tourment habituel dans le noir avait fui la chambre à la senteur de neuf. Même ses pensées semblaient avoir subi l'esprit novateur de cette maison.

Yvan était rentré à la brunante, éméché et il retrouva une maison vide. Aucune lumière n'éclairait cette entité, il monta l'escalier à la lueur des vitraux du vestibule et l'évidence de la désertion de sa femme lui était apparue quand il poussa la porte de sa chambre et découvrit un lit bien fait. Il s'empressa d'aller regarder dans la chambre de sa fille, vide aussi. Il illumina toute la maison dans l'espoir d'y trouver un mot, un indice, même la table de la cuisine ressemblait trop au quotidien et le grand vase sur pattes emprisonnait les fruits de la veille. Yvan demeura attablé, incrédule, trop conscient que sa femme n'aurait pas mis sa fille en danger sur un coup de tête et il commença à entrevoir plus clairement ce qu'elle avait fait. L'avait-elle défié, enfreint son autorité? La colère lui monta au visage et aux poings, il les serra jusqu'à ce que la tension extrême de ses bras le fasse lâcher prise. Il s'éveilla aux petites heures. La courbature de son dos trop longtemps sollicité sur le fauteuil en rotin du solarium lui commanda de bouger. Il s'étira, ouvrit le robinet de l'évier et y présenta sa nuque et l'eau froide le ramena à la réalité et à sa colère. L'orgueil l'empêcha de questionner qui que se soit de l'absence de sa femme et le lendemain midi, il se décida et sortit le mastodonte du garage. Il tenta une incursion au presbytère et sa mère l'observait, soucieux, peigné et endimanché, elle savait que sa belle-fille s'était soustraite à l'autorité de son fils. «Est-ce qu'il y a une mortalité ou un événement particulier pour te voir ainsi et à jeun sur l'heure du dîner?»

Il détestait les réflexions de cette femme, mal à l'aise dès les premières secondes. «Vous me semblez en bonne santé, mère.

— Je le suis. Ta femme va bien j'espère?

— Euh, ça fait-tu longtemps que... vous l'avez pas vue...

— Elle m'a rendue visite avec Adriane, il y a quelques jours.

— Rose Emma est venue vous voir? Verrat, en quel honneur?

— Pour m'avertir qu'elle irait aider sa sœur avec ou sans ta permission.»

Yvan accusa le coup et en une seconde, son visage devint blanc comme du lait. «Maudit verrat! Vous m'avez pas averti ni rien? À va savoir qui c'est qui mène la maudite tête dure.

— Soit attentif à tes paroles en ce lieu et baisse le ton, Yvan Mayer. Quand on veut de l'autorité, on commence par s'imposer une discipline et une ligne de conduite qui soutient son commandement. Et tu ne possèdes ni l'un ni l'autre. Alors ne t'en prends qu'à toi-même.

— Vous prenez pour elle à c't'heure? Ben, verrat, c'est moé son mari, pis j'va m'faire respecter sans votre aide.»

Une voix, très autoritaire celle-là, provenait du corridor et se rapprochait. «Le Seigneur recommande d'aimer, de protéger et de subvenir aux besoins de sa femme. Remplissez toutes ces conditions essentielles et vous n'aurez plus à invoquer votre autorité pour la faire obéir. Allez réfléchir mon fils et laissez-nous prendre notre dîner en paix. Au revoir.»

Yvan recula jusqu'à la porte, embarrassé, il sortit sur la galerie. «La colère n'est pas de bon conseil. Ne conduis pas mon auto ainsi. Soit conséquent de tes actions pour une fois.»

Il dévala les marches en marmonnant une phrase pour lui-même. «J'vais m'en occuper de ma colère r'gardez ben ça!»

Il retourna chez lui, remit la Cadillac à sa place et s'en alla réfléchir à l'hôtel et y pensa jusqu'au soir. Un bon samaritain l'avait reconduit chez lui. Yvan vit un autre jour lui faire grâce de sa gueule de bois, qu'il soigna jusqu'au dîner. Puis, le vendredi matin, il s'endimancha de nouveau et s'installa au volant de la limousine. Son ego en prenait pour son rhume, lui qui se vantait d'être le maître chez lui. Il se concentra sur sa fière allure, pantalon de toile beige et chemise de lin amandine, cigarette au bec et cheveux bien lissés et il reprit du poil de la bête. Yvan, quitta la rue principale et amorça son périple en conquérant.

La journée débuta par un bon déjeuner et Rose Emma se sentit reposée, observait sa fille courir sur les talons de son oncle au milieu de la cuisine encombrée. Puis, elle avait plié et placé du linge dans les tiroirs, lavé la salle de bain. Tout sentait le neuf dans cette maison, aucune odeur de moisissure ou de renfermé, tout était sec et sentait le bois frais coupé, le bran de scie frais tombé dans l'air du matin. Tout était nouveau, même de voir son beau-frère laver et ranger la vaisselle dans les nombreuses armoires et les portes claquaient et s'ouvraient constamment. Rose Emma n'avait pas vu un tel spectacle bien souvent dans sa jeune vie. Parfois, son père faisait la vaisselle quand sa mère était très grippée ou accouchait, mais c'était exceptionnel. Pourtant, sa mère aidait journellement son père comme un homme, au dehors.

La soirée avait filé aussi vite puisque des copains d'usine de Louis étaient venus et ils avaient joué aux cartes. Rose Emma avait ri et jasé avec les femmes et remplacé l'une d'elles à la table de cartes, quand sa fille avait consenti à s'endormir sur le grand coussin du canapé aménagé par terre dans sa chambre. Elle ne se souciait plus de son mari depuis qu'elle avait mis le pied dans cette demeure. Le téléphone n'était pas encore en fonction et elle n'avait aucune envie d'avoir de ses nouvelles. Chaque fois qu'elle pensait à lui, un serrement de cœur ramenait ce coup de cafard bien connu qui n'avait pas cessé d'augmenter depuis son mariage.

Le vendredi soir après souper, une traînée de poussière virevolta dans le chemin de terre et quand la poussière eut tournoyé jusqu'au fond de la rue, toute la rue avait su que Louis Lacasse aurait de la visite. Yvan débarqua du véhicule en vitesse, mais Louis montait la garde sur la galerie et l'empêcha d'avancer. «J'm'en viens chercher ma femme pis ma fille.

— Pour commencer, on dit bonjour au monde quand on arrive ailleurs, monsieur le frais chié d'la famille Mayer. Si Rose Emma veut pas partir, c'est son droit.

— C'est ma femme, pis ça te r'gardes pas. Si tu mets des culottes courtes chez vous c'est ton affaire, moé j'sais c'que j'ai à faire chez nous.»

Yvan cria le nom de sa femme d'une telle rage, qu'elle se sauva dans la chambre. «Essayes pas de rentrer, tu vas trouver mes culottes ben assez longues si tu y touches ou ben si tu la menaces.

— J'ai la loi de mon bord. Qu'à m'donne la p'tite, c'est ma fille, à porte mon nom, qu'à reste si à veut.

— Maudit lâche! En attendant, tu sors de ma propriété, tu verras demain matin.»

Yvan voulut protester, mais Louis lui coupa la parole. «C'est ça qui est ça, mon vieux. J'peux l'avoir de mon bord la loi, si tu veux faire le fin- finaud.»

Yvan rebroussa chemin non sans crier à tue-tête qu'il ne partirait pas sans sa fille, le lendemain. Une poussière dense se dégagea derrière l'automobile, Yvan mena son engin à toute vitesse, sachant très bien ce qu'il faisait.

Rose Emma berçait sa fille, silencieuse après que Louis lui avait confirmé qu'elle pouvait rester aussi longtemps qu'elle le jugerait nécessaire. Qu'il fallait penser à sa fille, ne pas la mettre en danger au nom d'une paix éphémère. De le faire mander, si son mari voulait la violenter, il sera toujours heureux de lui arranger le portrait à ce freluquet. Jacqueline lui souriait et n'insista pas pour jaser, sachant sa sœur enfermée dans ses questionnements parmi ses démons. Yvan l'avait fait trembler, une peur primale tapie au creux de son ventre ne cessait de la tourmenter. Ce petit être était son seul bonheur et voilà que son mari menaçait de lui enlever sa raison de vivre. Les heures défilaient et Rose Emma adjugea son verdict devant le tribunal de sa culpabilité bien avant que le jour eut pointé une lueur. Une belle journée d'été plus fraîche se leva en même temps qu'elle et la chaleur lui procura une meilleure disposition.

Pour une rare fois, Yvan entra dans un hôtel à reculons, forcé de payer une chambre pour la nuit. Il avait peu ingurgité et s'était retiré tôt, mais le sommeil l'avait fui presque toute la nuit. Tôt après le déjeuner, la rencontre avait été brève, car Rose Emma apparut sur la galerie et Yvan demeura dans l'automobile. Elle rassura sa petite sœur la voix peu appuyée, lui réitéra sa promesse de revenir et cette fois, avec une valise. Rose Emma s'appropria la banquette arrière tenant Adriane sur ses genoux et la limousine disparut dans un nuage de poussière. Yvan la surveillait par le rétroviseur et il observa sa femme soutenir son regard. Elle semblait bien masquer sa peur et lorsqu'il fut certain que sa fille s'était endormie, il immobilisa l'auto sur le bord de la route. « Couches la p'tite sur le siège, viens t'en en avant, j'ai affaire à t'parler.

— Si c'est pour me menacer Yvan Mayer, va falloir que t'attende à maison parce que je bougerai pas d'ici.

— Soit pas inquiète, j'réveillerai pas Adriane. »

Rose Emma s'exécuta, mais en ouvrant la portière avant, une petite voix lui disait de ne point le faire. Elle prit place sur le siège en gardant une main sur la poignée. Elle amorça la conversation la première pour contrer son trop plein de nervosité. «Yvan, même si tu trouves pas ça correct c'que j'ai faite, j'le regrette pas. J'suis pas à tes ordres, on est supposé se faire du bien, essayer d'être heureux ensemble, pas se faire du mal comme on s'fait. J'suis pas juste un corps à ta disposition, j'ai une tête pis un cœur aussi…t'es en train de tuer l'amour que j'ai pour toi.»

Rose Emma dissimulait son désarroi, car son plaidoyer ne touchait pas son mari, il semblait plus en colère. «Penses-tu que t'es une femme qui aime son mari de partir de même avec ma fille? Penses-tu que les autres femmes se sauvent chaque fois que leur mari leur dit non, verrat.

— Oui j't'aime pour endurer ta boisson. Trop souvent, tu reviens chaud, tu deviens méchant…j'serai pas ton esclave Yvan».

Yvan se rapprocha et lui embrassa le lobe de l'oreille et le lui mordit juste assez fort pour la sentir se crisper. «Si jamais tu veux jouer à ce p'tit jeu-là, j'va m'arranger pour t'enlever la p'tite. Fuite du domicile familial. Devant la loi, j'vais gagner.

— C'est tout ce qui t'intéresses, gagner! M'as-tu déjà aimé Yvan Mayer?

— Tu vas en avoir ben des preuves que j't'aime parce que j'veux d'autres enfants. Comme ça, tu vas être ben occupée à maison. T'auras plus le temps de t'sauver. Tu vas faire ton devoir conjugal assez souvent pour mettre un autre héritier en route, mâle celui-là.

— J'aurai pas d'autre enfant de toi Yvan Mayer. Arranges-toi pour pas que j'retombe enceinte parce que tu vas te r'trouver veuf, pis ta fille, tu vas l'avoir à toi tout seul.»

Rose Emma dirigea son regard gris clair dans le bleu des yeux du mari et pour une seconde, la pupille du mari enregistra la détermination déraisonnable de sa femme. Il hésita avant de se replier sur ses arrières. «Hey! On dirait que tu t'fiches de la religion toé pour parler d'même. Que c'est que l'curé dirait de ça, une femme mariée qui empêche la famille, qui menace son mari, hein! Dis pas de niaiseries. Verrat que t'es têtue!

— J'suis pas têtue, j'suis malheureuse.

— Ben tu vas l'être à ton goût parce que t'es madame Rose Emma Mayer à c't'heure, pis t'es mariée pour la vie. Ça fait que, prends-en ton parti. Fais-moé plus jamais honte de même. »

Il pointa son index menaçant presque sur son nez et il l'envisagea férocement. Puis, il se détourna et démarra l'automobile dans un silence inquiétant. Rose Emma surveillait le sommeil de sa fille le cœur à l'envers, enlisé dans la confusion sur ses arguments et ceux de son mari. Elle comprit combien le chemin du retour allait être languissant dans cette ambiance malsaine. Sur la route longeant la rivière, Yvan formula sa dernière menace. « À l'avenir, la mére à pas besoin de savoir nos histoires. J'veux pas que tu y dises ce qui s'passe entre nous deux. Ça la regarde pas… c'est-tu clair ? »

Yvan était satisfait de l'attitude soumise, tête et yeux baissés de sa femme. C'était ainsi qu'il entrevoyait sa vie maritale. Silence et soumission de sa femme lui semblaient plus important que l'amour et la communication. Toutes les émotions qu'il ressentait passaient par un seul exutoire, le sexe, le seul canal d'expression qu'il connaissait qui le satisfaisait. L'homme commandait et la femme obéissait, l'homme travaillait et la femme demeurait à la maison. Ces formules corroborées par les sermons du prêtre confortaient Yvan dans son droit. N'était-il pas le chef de sa femme ?

Rose Emma se concentra sur sa fille afin de réussir à trouver le courage de descendre de voiture. Elle entra dans son univers sur lequel tout élan de décision lui était interdit.

Le soir même, Yvan prouva à sa femme son désir d'un héritier mâle après une brève escapade chez ses copains à l'hôtel.

***

Albert attendait que sa mère daigne se présenter au grand salon du presbytère, car lorsque sa mère le faisait demander, c'était pour lui annoncer une décision le concernant, sachant qu'elle ignorait le sens du mot «concertation». Elle apparut subitement devant lui alors qu'il se baladait encore dans ses questionnements. Il sursauta et se leva aussitôt pour la saluer. Pendant qu'il faisait le mouvement de tête, Albert remarqua ses traits détendus et elle semblait quelque peu rajeunit et ce constat lui causa un certain embarras, mais il constata bien vite que son regard incisif n'avait pas varié d'un iota. «Tu sembles effectuer un grand changement dans ta vie. Tu as bien réfléchi, n'est-ce pas? J'espère que tu ne regretteras pas de tout laisser derrière toi, après avoir tant travaillé.»

Léone relâcha sa proie un instant et adopta un ton plus conciliant. «Je t'ai fait demander concernant ton garage...»

L'air stoïque de son fils ne la surprit point. Il attendait le dénouement, ayant son calme habituel. Tout à coup, elle fut fière de ce fils qui n'avait jamais rien exigé d'elle depuis sa petite enfance. Un être de maturité précoce, aidant, la devinait la plupart du temps. Un enfant dans l'ombre, mais tout près d'elle sans l'encombrer, sur lequel elle pouvait s'appuyer. Léone le regarda intensément, mais incapable de lui témoigner sa reconnaissance, elle reprit son maintien de commandant. «En effet, si... au terme de ton délai tu ne trouves pas d'acheteur... je serais disposée à racheter ce que tu as mis tant d'efforts à acquérir. Je dis bien si, en dernière instance.»

Elle se leva pour éviter tout débordement de sa pensée et le fils l'imita, tiraillé entre sa surprise et le déplaisir de l'embarrasser. «J'y penserai si le délai survient, je vous remercie de votre offre, mère.»

Il se ravisa et se retourna vers elle. «Je n'aimerais pas vous causer de l'embarras avec un garage sur les bras.

— Ne t'en préoccupes pas, je connais déjà sa vocation si jamais tu acceptais mon offre. »

Albert descendit les marches, franchement satisfait de son entretien. Il se pencha pour fixer les clips sur ses bas de pantalons et tout en se redressant, il osa un sourire en direction de sa mère avant d'enfourcher sa bicyclette. Léone retourna à ses occupations ayant la satisfaction d'avoir placé un pion au bon endroit sur l'échiquier à qui perd gagne envers ses enfants

CHAPITRE X

L'AVILISSEMENT

L'automne se manifesta tôt, prenant les habitants par surprise. On se hâtait d'arracher les oignons et les patates à la terre, cette bonne terre semblait vouloir se reposer plus vite que les mains rougies par le vent froid et la pluie abondante, pouvaient lui résister. Les feuilles jaunies par plaques se produisaient déjà en représentation sans supplémentaire dès la fin septembre et les arbres dépouillés subitement découvraient leurs spectres dès la première gelée dure, au début d'octobre. Les travaux routiniers d'automne tels que l'alignement à proximité de la maison des cordes de bois, remplir le réservoir d'huile pour la fournaise, la pose des châssis doubles et leur calfeutrage, les conserves, s'exécutaient à la hâte, comme si les habitants attendaient un quelconque cataclysme incessamment. La monotonie des mois d'hiver les prenait d'assaut pour un bon bout de temps et les habitants plus frileux recherchaient la proximité du poêle et finissaient par se résigner..

Une langueur se profilait dans la grande maison depuis l'escapade, dont on ne parlait jamais. De plus en plus, Rose Emma, tapie devant la fenêtre arrière, se projetait sur le grand saule. Elle demeurait ainsi jusqu'à ce qu'un obstacle la surprenne. Adriane y parvenait, elle s'agrippait à ses jupes, le sourire irrésistible. Chaque automne, madame Guérard s'acquittait du grand ménage de la grande maison et chaque année la tâche lui semblait plus ardue, car il y avait tant à faire sur ces trois étages encombrés de chambres, de meubles et de vivoirs. Rose Emma faisait sa part, mais de longues phases mélancoliques envahissaient la jeune femme et madame Guérard observait, mais elle hésitait à engager une quelconque interaction avec elle, impuissante devant une telle tristesse.

Yvan décupla ses raisons d'aller boire à l'hôtel en apprenant la vente du garage, Albert avait vu le jeune devenir blanc de colère après la divulgation de son frère. Il sacra de rage, car il demeurait la patte bien prise dans le piège matriarcal. Pourtant, il ne songea nullement à s'en échapper et sa hargne s'abattit sur celle qu'il retrouva, en rentrant chez lui. Sa femme le trouva particulièrement de mauvais poil, écartant de coups de pied, les jouets sur son chemin. Il monta directement à sa chambre et redescendit, vêtu d'une tenue qui ne laissait aucun doute sur son intention. Il s'ouvrit une bière et comme si l'écoute active lui était acquise. «J'ai appris une maudite nouvelle à midi. Albert a vendu son garage pis les oreilles m'ont tombé quand y m'a dit le nom de l'acquéreur.»

Rose Emma, s'occupait de la petite sans manifester d'intérêt. «Rose Emma, j't'ai parlé. Sors de ta lune de temps en temps, tu vas voir que t'as un mari, verrat.

— J'ai entendu.»

Les mâchoires serrées, il se dirigea vers la porte avant, il articula : «La mére, toujours elle.»

Il sortit et claqua la porte de toute sa fureur.

Le transfert des documents s'était fait à la dernière minute. Albert avait eu le temps de contacter ses amis de la côte ouest pour les prévenir qu'il prenait le train à la fin du mois. Une sensation de légèreté l'avait envahi en prononçant cette phrase, une impression de liberté l'anima durant ce court moment, Albert vibrait soudainement à sa jeunesse, sentiment nouveau jamais ressenti, même durant son enfance. Il abandonna mobilier, coffres d'outils, mais son coffre de bois contenant des outils anciens, seul cadeau de son père même si Albert ne l'avait jamais utilisé, l'ayant reçu trop jeune pour en jouir et plus tard, trop occupé pour entreprendre un loisir quelconque. Il dirigea sa relique vers la grande maison, l'entreposa dans son antre aux milles espaces. Deux grosses malles de voyage prirent le chemin de la consigne à la gare, l'une pour ses vêtements, l'autre contenait tout son attirail de photographies et tel un enfant, il ne se résignait pas à se séparer de son nouvel appareil et ses lentilles plus performantes enfermés dans l'étui en cuir épais dont l'odeur particulière de ce matériau lui délivrait le mandat des vacances toutes proches.

Il avait reçu une invitation de la part de sa mère en son honneur. Un repas était en cours sous la gouverne de Rose Emma afin de souligner son départ vers des cieux lointains. Penser à tout, pour faire plaisir à ce beau-frère qu'elle ne voisinait pratiquement pas, lui demanda une attention soutenue et l'éloigna de son vague à l'âme pour une quinzaine. La joie pour elle-même, avait été le téléphone de Jacqueline lui annonçant son arrivée, le vendredi soir. Madame Levèrs répondit à la requête de sa fille et s'amena à sa rescousse, prenant charge des viandes pendant que Rose Emma suivait ses instructions et apprit pour la millième fois le tournemain et les secrets de sa maman concernant les pâtisseries. À l'heure du souper, Adrien Levèrs entra dans la cuisine arrière de la grande maison et y admira, en même temps que son estomac vide le lui faisait sentir, l'énorme jambon à l'ananas perforé de clous de girofle noircis qui avaient libéré toute leur saveur dans la chair rosée. Sur le comptoir, des tartes aux sucres et aux raisins, avoisinant le gâteau au chocolat fourré de confitures de fraises refroidissait avant de recevoir son glaçage à l'érable. « Eh ben, vous avez pas chômé sur votre temps, mes femmes ! La cuisine de ta mére, je la reconnaîtrais partout juste à l'odeur. Ça sent la chaleur, aussi chaud que ses joues, regarde.

— Arrêtes, grand tannant. Amènes plutôt la tarte pour le souper. À moins que t'aimes pas ça, on peut la laisser ici. »

Adrien décrocha un clin d'œil à sa fille, avant de prendre l'objet de sa convoitise et l'emporter avec précaution.

Le repas d'adieu se déroulait dans la bonne humeur pour la plupart des invités, en joie de la part de Rose Emma. Ses yeux n'avaient pas reflété une telle intensité de clarté depuis bien des mois. La présence de Jacqueline et de Louis comblait son envie de se coller à des visages heureux, elle s'ennuyait tellement de l'intimité des confidences en compagnie de sa sœur. Le bonheur de Rose Emma, les rires et aussi la gêne emprunte de reconnaissance d'Albert, masquaient le peu de façon d'Yvan parmi les invités. Il s'activa plutôt à ouvrir les bouteilles de vin et à entretenir sa coupe toujours pleine. Madame Mayer félicita sa belle-fille pour le délicieux repas, mais son air condescendant gâcha le plaisir de l'intéressée. Sur un ton de commandement celui-là, elle enjoignit les invités à se diriger vers le grand salon avant de servir le dessert. La dame entendait un rire sarcastique se faufiler derrière les conversations et le mouvement des personnes vers l'avant camoufla pour l'heure, l'envie du jeune de régler des comptes. Louis le fuyait et s'efforçait de ne pas laisser sa rancœur prendre le dessus tandis que Léone, exaspérée, fit volte-face devant Yvan et sous le couvert de la confidence lui intima l'ordre de s'abstenir de sarcasme durant cette soirée. Yvan, comprit à son attitude particulièrement rigoriste, qu'il devait battre en retraite.

Rose Emma et Jacqueline, disposèrent les desserts, assiettes ciselées, fourchettes et la crème épaisse sur la desserte tandis que Louis en faisait rouler une autre contenant les breuvages chauds. Il se résigna et but dans les petites tasses en fine porcelaine. Jacqueline observa son mari souffrir et tenir la tasse dans sa grande main velue et enfiler le thé tiède d'une gorgée, suivi d'une moue explicite. Jacqueline retourna à la cuisine en souriant.

Albert fut à l'honneur dans le salon, répondait aux questions du curé Rolland en tentant de terminer ce délicieux gâteau au chocolat nappé de crème. Il racontait juste assez pour ne pas trop se compromettre envers sa vie qu'il tenait à garder privée le plus possible. Ainsi, la famille l'écoutait parler de ce nouvel emploi de photographe dans l'équipe d'une firme, ayant pour clients le gouvernement fédéral via les amputés de guerre. «Vous êtes en quelque sorte, engagé dans un travail de missionnaire et je vous souhaite la joie que vous retirerez, en investissant envers les êtres humains. Je serais honoré de débuter une correspondance selon vos disponibilités. J'aurai grand plaisir à vous lire.

— Missionnaire, c'est un grand mot monsieur le Curé, mais je promets de vous écrire mes impressions.»

Albert, souriait, mais il se sentit en devoir de rendre des comptes alors qu'il n'était pas encore parti et un léger malaise entravait sa totale liberté. Madame Mayer se leva et s'avança vers le foyer duquel une douce chaleur et de légers craquements de bois s'y dégageaient. Sa place favorite pour présider. Une onde silencieuse s'ensuivit à la vue de la dame face aux invités. «Mon fils Albert part très loin…c'est la rançon quand on possède de multiples talents, entre autre qualité, celle très précieuse de réfléchir sérieusement avant d'agir. Je sais que ton travail là-bas sera apprécié. J'ai pensé à cette mallette de voyage, elle te sera sans doute utile. Bonne chance Albert.»

Le fils s'avança vers sa mère, puis recula et resta figé au milieu de la place quelques secondes. Rose Emma le sauva de son malaise d'avoir eu l'envie d'embrasser sa mère et détourna son attention. «Regarde Albert, comme elle est chic.»

Il soupesa la petite malle en beau cuir brun signé «Vuitton» fermée par une serrure du bel or dix carats. «Vraiment, mère, vous me gênez… c'est bien qu'trop beau !

— Ce n'est pas ce que je crois. Débuter ta nouvelle carrière de photographe dans du neuf, c'est un bon présage. N'en sois pas gêné.»

Albert la remercia à maintes reprises, ses yeux brillaient de reconnaissance. Cette fois, il eut le sentiment tellement rarissime qu'elle était vraiment fière de lui et le lui exprimait de manière quasi affectueuse. La joie qu'il en éprouva combla beaucoup plus le fils que ce magnifique fourretout si bien ouvragé.

Madame mit fin aux effusions en ordonnant à Yvan de servir le brandy. Celui-ci se détacha nonchalamment du cadre de porte, se composa un visage à peu près convenable et exécuta les directives, sans beaucoup d'enthousiasme. Rose Emma ressentit un léger pincement d'amertume en regardant le liquide ambré aboutir au creux de la grande coupe.

Jean-Marc arriva vers la fin de la soirée, comme un cheveu sur la soupe et demeura juste assez longtemps pour laisser espérer sa présence dans un avenir assez court et sa mère réitéra sa requête en le reconduisant dans le vestibule. Après la sortie de Jean-Marc, madame Mayer n'eut guère de façon, elle repartit au bras de monsieur le Curé dans la demi heure suivante. Albert posa toutes les coupes et la vaisselle sur la desserte et la glissa jusqu'à la cuisine, remercia sa belle-sœur et éprouva l'urgence de quitter pendant qu'Yvan le réclamait au salon. Il ramassa ses cadeaux et d'un geste de la main à son frère, il sortit à la sauvette, à moitié satisfait.

Louis s'excusa et monta dans la grande chambre mansardée, aménagée au grenier. Il s'y retrouva, à l'écart, au-dessus des hommes et des paroles, à l'affût du moindre craquement, imaginant son toit de tôle faisant danser les gouttelettes sur une musique apaisante, les soirs de pluie. Ainsi perché, Yvan ne se risquerait pas à venir le relancer, car le beau-frère était passablement pompette. Après avoir incité sa femme à l'appeler si nécessité, Louis savoura ces instants de silence, étendu sur le lit tout habillé. La tension de ses muscles et la retenue dont il avait fait preuve durant toute la soirée le quitta progressivement, laissant place au repos du corps et de la tête. Une nostalgie soudaine s'empara de ces moments de solitude nocturne. Tout en haut, à l'extrémité de cette belle résidence, Louis avait fui les manières affectées et l'atmosphère lourde, à couper au couteau, ayant fait loi plus bas. Haut perché dans ce nid d'aigle, il vola jusqu'à son enfance, se remémora l'odeur de sa mère, un mélange de fumée de bois et de savon, l'imagina s'affairer l'air sévère près du poêle à bois. Son visage s'éclairait en l'apercevant, elle lui faisait signe d'approcher pour humer la soupe qui achevait son temps de cuisson. La chaleur dans la brusquerie de cette femme habituée aux travaux durs, sa mère, sans fard ni dentelle l'aimait sans jamais le trahir même dans ses punitions. Louis ressentait le

geste retenu, le souci de le protéger passait avant la sévérité de la conséquence à subir. Ses souvenirs chassèrent les mauvais esprits et il s'était
assoupi, encore imprégné des odeurs du passé.

Rose Emma et Jacqueline, parlaient à huis clos en faisant la vaisselle
comme quand elles étaient petites. Rose Emma essuyait pendant que
Jacqueline plus rapide, lavait sans lever son regard de son plat à vaisselle, toutes les deux absorbées par leur besogne. Soudain, Yvan s'avança
péniblement et se retint sur le montant d'une chaise de la cuisine. «Rose
Emma, laisses faire la vaisselle. Tu finiras ton barda demain. Viens t'en
t'coucher.

— J'achève Yvan… vas-y, j'vais t'rejoindre, ça sera pas long.»
Un coup de poing retentit sur la table. Les deux femmes se retournèrent brusquement. «Pas dans deux heures ma femme… j'te donne cinq
minutes.» Jacqueline s'interposa. «Vas-y, j'va finir le peu qu'y reste.»

Elle jeta un regard maussade vers son beau-frère qui la dévisagea d'un
œil vitreux. Il prit la taille de sa femme, s'y appuya afin de la suivre dans
l'escalier et disparut. On entendit la porte de leur chambre claquer sur
l'écho des grands espaces. Jacqueline demeura seule, plantée au milieu de
la cuisine et un frisson de colère amalgamé de tristesse la parcourut. Savoir
sa sœur à bord de cette galère maritale, auprès de ce mari abusif qu'elle
méprisait. Aussitôt, elle se dépêcha de terminer sa tâche en ne songeant
qu'à son Louis et au moment de se blottir bien au chaud dans ses bras.

Ce dimanche matin paraissait bien triste pour Rose Emma même si le
soleil brillait dehors, elle demeurait prostrée, assise sur le bord du lit tout
en haut. Jacqueline arrêta de s'affairer et regarda sa sœur. «T'as l'air nerveuse Rose Emma. On dirait que tu veux m'dire quelque chose.»

Elle la rejoignit et lui prit les mains pour la sortir de sa torpeur. Soudain,
elle redouta l'expression de cire sur le visage de sa grande sœur. Sans quitter le point fictif auquel Rose Emma était suspendu.

« J't'enceinte, du moins j'pas mal sûre. »

Elle marqua une pause et soupira péniblement. « Jacqueline, c'est au-dessus de mes forces… j'pourrai pas. »

Ses paroles résonnèrent dans la pièce même si le ton en était un de confidence. Jacqueline ne savait pas quoi lui répondre. Elle s'efforça de ne point lui démontrer sa propre impuissance, voire sa préoccupation devant la déclaration alarmante de sa sœur. « Rose Emma, tu m'fais peur…t'es chanceuse de pas l'avoir été avant. C'est plutôt rassurant d'élever des enfants dans des conditions comme ça. T'es plus que privilégiée ma sœur… même si ton mariage a des ratés.

— C'est toute ma vie qui est ratée, mais personne peut comprendre…à force d'essayer de m'conserver à peu près entière, je m'enfonce. Le monde me prend pour une capricieuse…y'est temps que j'me débrouille avec ma vie. »

Jacqueline obligea sa sœur à lui faire face. « Voyons, j'suis là, toute là, m'entends-tu ? J'essaie de dédramatiser ta situation. Promets-moi de ne rien faire pour te nuire…ta santé…pis surtout, parles-moi, hein ? »

Rose Emma se laissa embrasser et promit de consulter sa confidente avant d'agir. Rose Emma la pria de garder le secret même pas à Louis. Suite au départ des invités, Rose Emma se changea et revêtit un tailleur, habilla sa fille, car ils étaient attendus au presbytère. Madame Mayer les attendait tôt, avant la grand-messe et il n'était pas question d'être en retard. Yvan s'était endormi tard, après plusieurs tentatives de coït et rejeta son incapacité sur sa femme pour son manque d'ardeur. Il tardait à descendre. Rose Emma se gava de café et la cafetière était vide lorsque le retardataire voulut se prévaloir du breuvage réveille-matin. « Bon, tu pouvais pas m'en laisser une tasse…verrat que t'es sans dessein, même pas capable d'entretenir ton mari… pas plus couchée que debout. On dirait que t'es sur une autre planète. Réveilles, ton mari a besoin d'un café en se levant ! T'es bonne à rien. »

Rose Emma se retourna et lui présenta un visage indifférent. Il passa devant elle en coup de vent et se précipita dehors. Rose Emma sortit sur la grande galerie et respira l'air frais du matin, faisant marcher Adriane en attendant le mastodonte. Yvan le sortit du garage et passa devant sans s'arrêter pour la prendre. Incrédule, elle le regardait filer dans l'allée et disparaître. Revenue de sa stupeur, Rose Emma rentra et reprit sa place devant la fenêtre et soudainement, elle mit de l'eau à chauffer, sortit un chaudron et y versa une bonne tasse de vin rouge qu'elle fit chauffer. Un peu plus tard, profitant du dodo de sa fille, elle sortit un grand bol dans lequel elle y délaya deux cuillères à soupe de moutarde en poudre avec l'eau chaude. Elle y plongea les pieds et se fit violence pour les prolonger dans l'eau trop chaude. Elle ingurgita le verre de vin chaud d'un trait et failli vomir après plusieurs nausées. Ses pieds tournaient au rouge violacé et elle chercha son lit en titubant. Rose Emma se recroquevilla en boule et pleura de désespoir, de douleurs et d'impuissance. Il fallait qu'elle retrouve la liberté de son corps à tout prix, avant qu'elle ne s'enlise dans une vie de mère au foyer, entourée d'une ribambelle d'enfants non désirés. S'imaginer subir une vie de famille moribonde autant que sa vie de couple la poussa hors du lit, elle se traîna jusqu'à la salle de bain, se dévêtit et s'étendit dans la baignoire. Elle introduisit la canule, défit la clampe qui retenait l'eau et le vinaigre chaud. Pendant que l'eau s'écoulait à petits bruits, la peur, la honte et la détermination maladive de se libérer coûte que coûte primait sur la panoplie de sentiments qui traversa la tête de Rose Emma. Étendue, à moitié nue dans cette baignoire dure et froide, un sentiment de mort s'infiltra dans tout son être. Son mari rentra, il trouva sa femme et sa fille à la cuisine. « J'ai tellement mal à la tête, je dois couver une grippe. Peux-tu t'occuper de la p'tite, j'vais aller m'étendre. »

Il n'eut pas le temps d'approuver, Rose Emma s'acheminait déjà vers l'escalier. Elle l'entendit maugréer, mais elle écouta son besoin immédiat sans amoindrir sa détermination. Durant la soirée, elle borda sa fille pour la nuit et répéta le rituel dans la baignoire qui s'avéra très douloureux. Le visage défait par la douleur, elle s'étendit dans son lit avec une bouillotte chaude sur le ventre pour tromper les envies de son mari et tomba dans un sommeil très agité. Une crampe douloureuse la réveilla au petit matin. Elle se retint pour ne pas crier. Rose Emma s'aperçut de l'absence de son mari. Étonnée, mais tout de même soulagée qu'il n'ait point démasqué sa quête morbide, elle resta prostrée dans le lit, implorant le ciel et l'enfer de la délivrer de son obsession. Elle entendit les signes joyeux de sa fille qui commençait cette nouvelle journée en gazouillant.

L'entretien de la veille avait scellé le sort d'Yvan. Il entendit sa mère lui confirmer ce qu'il redoutait : devenir prisonnier de ce garage même si la patronne lui en offrait la gérance. Il pouvait toujours refuser l'offre bien sûr, mais il s'exposait à la précarité monétaire afin de reprendre sa liberté et vivre selon ses propres choix. Voilà, le dilemme, il ne savait pas quoi faire, vers quel domaine se diriger pour devenir indépendant financièrement. Devoir payer un loyer, la nourriture, entretenir sa femme et sa fille l'avait saisi d'une peur infantile de devoir se priver et il avait dû se ranger aux conditions moins contraignantes de sa mère. En contre partie, il devait ouvrir et fermer le garage à heures fixes même le samedi. Devoir gérer et conserver la clientèle établie par son frère et faire valoir sa compétence sinon, aucun espoir d'en devenir le propriétaire, pire, il n'avait plus aucune marge de manœuvre. Mère ne tolérait plus ses écarts et il avait dû se résigner de devoir se salir les mains pour gagner son pain qu'il désirait plus blanc qu'il pouvait le mériter. Après une brève escale chez lui, Yvan se réfugia à l'hôtel, se désaltéra toute la soirée et évita de regarder l'heure. Il commit le premier manquement à ses principes, si minimes étaient-ils, ayant toujours refusé l'infidélité totale. Il s'éveilla aux aurores, étendu auprès d'une femme connue de la clientèle de l'hôtel. Yvan reprit pied dans la réalité, envahi par un imparable sentiment de dégoût envers lui-même. Il se commanda de se lever, de se laver et sortit rapidement de cette chambre dans laquelle, il étouffait.

Il marcha jusqu'au garage et trouva le mécanicien dans la boutique arrière, en train de se préparer du café sur le poêle à bois. Une chaleur bienfaisante se répandait dans l'étroite pièce et Yvan souriait en pensant à son frère frileux qui avait installé ce gros poêle dans un si petit espace. Julien Benoit avait tenu le garage en fonction même si un apprenti n'était plus suffisant pour fournir à la tâche. L'engagé avait paru surpris mais tout de même satisfait et une autre paire de mains ne se refusait pas. Qu'il soit patron de la place n'impressionna point l'homme, il l'écoutait discourir sur les changements qu'il désirait apporter tout en buvant son café. Sa réputation de fainéant n'étant plus à faire dans la ville. Son ego étant revenu à un niveau acceptable, Yvan quitta le garage suffisamment étoffé pour affronter les yeux gris de sa femme. En chemin, il repensa à la veille, il était rentré et n'avait pas eu la chance de rejeter sa frustration sur sa femme, forcé de s'occuper de sa fille. Il l'avait regardée se jeter dans le gros tas de feuilles mortes qu'il avait ramassé pour elle. Tout en s'amusant de voir sa fille si heureuse, un cafard l'avait surpris, il se voyait agir en bon père comme si c'était son choix de vie. Il abandonna son travail de nettoyage à demi terminé, rentra avec sa fille et sans perdre de temps, il escalada les marches pour secouer sa femme. Il l'avait trouvée pâle, mais son besoin de s'enfuir avait été plus fort. Yvan avait laissé sa fille sur le lit près de sa mère et s'était précipité dans l'escalier en lui criant de ne point l'attendre pour souper. Ce matin, l'infidèle rentrait en assez bon état pour croire à son histoire inventée et surtout, elle devait tenir la route devant sa femme. Une bonne odeur de café l'accueillit. Yvan s'attabla auprès de sa femme pour prendre un copieux déjeuner. Curieusement, Rose Emma ne posa aucune question sur sa désertion et il changea sa version. L'attitude de sa femme lui en permettait la pertinence. « J'ai décidé de prendre la gérance du garage d'Albert. La mère accepte mon offre. J'ai été ouvrir de bonne heure pour donner la nouvelle à Julien. À partir d'à matin, j'ai des obligations strictes, j'veux être au poste à la même heure à l'avenir. Faudra que tu m'réveilles à six heures, demain matin. »

Yvan quitta la table comme si la ville entière lui appartenait et Rose Emma, bien qu'elle doutait des bonnes intentions de son mari, se félicita de constater qu'il ignorait tout sur ses propres desseins. Elle n'eut jamais la certitude, toutefois, ses tentatives de libération eurent l'aboutissement souhaité. Un matin, elle fut à la joie et pleura des larmes tranquilles, car son calvaire prenait fin. Un terrible mal de ventre la força à s'aliter et elle se gava d'aspirines. Yvan la retrouva couchée sur l'heure du souper. « Faudra que tu voies le docteur, c'est pas normal. Fais un effort pour descendre préparer le souper au moins.

— J'aime mieux rester allongée, j'viens de prendre des aspirines, ça m'fait saigner plus. Tu peux te débrouiller han ? Amènes la p'tite, j'peux pas m'reposer avec elle.

— Penses-tu que j'vais m'transformer en bonne d'enfant chaque fois que j'vais rentrer de travailler ? Arranges-toi pour que ça soit exceptionnel.

— Yvan, c'est ta fille… parles pas comme ça.

— Ah, à c't'heure que tu peux pas faire autrement, que t'es forcée de te décoller d'elle, tu t'rappelles que j'ai une place. T'es pas honnête Rose Emma…. tu te sers du monde… de ton mari. »

Rose Emma se leva péniblement, lança sa bouillotte à travers la chambre, prit sa fille violemment et passa devant son mari, spectateur de sa réaction. Pendant qu'elle descendait les marches, Adriane couvrait de ses gros pleurs les méchancetés dont sa mère invectivait son papa. Étourdie, elle s'appuya sur le montant d'une chaise pour repousser une crampe douloureuse puis elle se retourna face à un mari qui affichant un air d'impertinente satisfaction. « Je suis très bien capable de m'occuper de ma fille toute seule, j'ai pas besoin de toi. Durant les longues soirées que j'ai passées tu seule, c'est ça que je faisais, prendre soin d'elle. Je sais que j'peux m'occuper de moi, pis de ma fille…sans toi. J'en peux pus Yvan Mayer. Commence à envisager la séparation avant que le découragement me fasse faire une bêtise. »

Rose Emma se sentit très solide et elle profita de cette énergie pour vider le fond de sa pensée. « On est pas fait pour vivre ensemble Yvan. L'amour, c'est fini pour moi, pis j'veux pas me chicaner, t'es libre de trouver ta satisfaction ailleurs que sur moi. J't'e l'ai dit… j'veux pas d'autre enfant, pis le meilleur moyen de pas en avoir, c'est de pas faire l'acte. J'veux plus que tu m'touches. »

Yvan la regardait et continuait de sourire en hochant la tête même si d'entendre sa femme lui dire qu'elle ne l'aimait plus l'avait frappé à l'endroit qu'il croyait invincible. Son orgueil subissait le revers d'avoir sous-estimé sa femme. Il s'avança vers elle sans qu'elle ne puisse le repousser. « Si tu pars je t'enlèves la p'tite pis j't'e l'ai dit…la loi est de mon bord. T'es mariée, tu vas faire ton devoir conjugal comme une bonne chrétienne. »

Il se recula et lui cria vertement. « C'est péché d'empêcher la famille ma femme… Sors de ta lune… t'es mariée pour la vie. »

Il riait fort, mais il était incapable de couvrir les pleurs de sa fille, assise dans sa chaise haute, ne sachant plus qui regarder. Yvan sortit dans un bruit terrible. Rose Emma consola sa fille, elle-même, ne pleurait pas, durant ces jours d'inquiétudes et d'enfer, elle avait fait la découverte de son besoin primal - se libérer de son esclavage – et prendre le risque du jugement d'autrui. D'ailleurs, ne lui avait- t- on pas fait l'allusion de sa chance d'avoir hérité « d'une cuiller d'argent dans la bouche » en se mariant ? Rose Emma ne savait pas comment s'y prendre, mais elle ressentait l'urgence d'y travailler activement afin de calmer le bruit de ses chaînes qui résonnaient en elle.

CHAPITRE XI

LES GRANDS DÉPLACEMENTS

Les évènements s'étaient précipités lorsque Jacqueline réclama sa sœur à son chevet. Une pneumonie tenace avait fait craindre le pire. Louis insista pour de l'aide auprès de sa belle-mère et madame Levèrs lui avait consacré les deux semaines les plus éprouvantes et un matin, elle s'était elle-même présentée chez son beau-fils pour plaider la cause de sa fille malade. « Yvan... Rose Emma doit me remplacer auprès d'elle. J'peux pas laisser la maisonnée plus longtemps à l'approche des Fêtes. Comprenez, Jacqueline est tu seule pis... Louis peut plus s'absenter du travail sans risquer sa place. »

— Es-tu si mal en point que ça ? Verrat, on dirait qu'est à l'article de la mort !

— Bonne Sainte Ânne ! On a craint l'pire durant les journées de fièvre tellement forte que la pauvre enfant délirait. J'serais moins inquiète si Rose Emma prenait la relève le temps qu'elle reprenne des forces. »

Yvan, voyant sa décision planer au-dessus de son pouvoir se montra magnanime en acceptant de laisser partir sa femme pour au moins deux semaines. Il se tourna vers elle et grimaça son verdict, la mâchoire quelque peu crispée. « Tu connais le chemin par le train ma femme... c'est comme ça que tu t'en iras. Ça m'fait manquer d'ouvrage, mais j'suis pas un sans cœur, j'vais aller t'conduire à gare demain matin. »

Madame Levèrs était déçue de la réponse de son gendre ne daignant pas faire l'effort du transport pour sa femme, mais tout de même soulagée de savoir sa petite fille entre des mains attentionnées pour sa convalescence. Cécile se confondit en remerciements devant son gendre et Rose Emma reconduisit sa mère à la porte. Celle-ci lui déclencha un clin d'œil complice avant de descendre les marches. Rose Emma rencontra le regard scrutateur de son mari en se retournant, un frisson la traversa et elle se dirigea vers l'escalier. « Deux semaines, maximum. C'est ça que j'te donne pour aider ta sœur. J'te conseille de t'dévouer à ta tâche, ma femme. »

Rose Emma se retint de répliquer quoi que ce soit. À tout moment, il pouvait revenir sur sa décision et elle se consacra à faire sa valise et celle de sa fille. Elle l'entendit monter. Yvan s'adossa au montant de la porte et la regardait s'affairer et soudain il se dirigea vers elle, lui prit le bras et la força à le regarder. Silencieux, il la poussa sur le lit, s'étendit sur elle et l'embrassa sans s'aventurer plus loin. Il glissa sur le côté tout en ayant le faciès préoccupé. « C'est comme si j't'envoyais moi-même vers ta liberté… »

Il prononça ces paroles tel un constat pour lui-même quand tout à coup, il se redressa sur son coude face au visage de sa femme.

« J'devrais garder notre fille si j'veux que tu reviennes han, ma p'tite femme.

— Yvan, pourquoi… pourquoi tu m'fais souffrir en te servant d'Adriane ? Tu l'sais, j'partirai pas si j'peux pas l'amener. »

Yvan se leva brusquement et marcha vers la sortie sans se retourner. « Soit prête pour neuf heures. »

Rose Emma se détendit à mesure qu'il descendait les marches, puis elle expira à son aise quand la porte avant claqua. Pendant qu'elle se faisait couler un bain, l'allégresse foudroya son cœur et elle se mit à rire comme une petite fille. Sept heures n'avaient pas encore sonné, Rose Emma avait les yeux bien ouverts depuis un bon moment. Certaine que son mari dormait, un regard azuré la pénétra quand elle se retourna. Sans un mot, il commença à la câliner, effleura sa bretelle de jaquette et lui baisa l'épaule. Yvan étudiait sa victime. « Laisse-moi aller me rincer la bouche, tu devrais en faire autant. On va être plus approchable après. »

Elle se glissa hors du lit ayant la crainte de sentir sa patte la retenir, mais elle se hâta de s'enferma dans la salle de bain le temps de respirer et se préparer mentalement à son devoir. Yvan entra à son tour et commença à se brosser les dents, l'air contrariété. « À c't'heure qu'on est levé, va préparer le déjeuner, j'ai faim. L'appétit, c'est bon chaud. »

Rose Emma refusa de répondre à son allusion, trop heureuse d'être libérée de sa couche et se dirigea vers la chambre de sa petite princesse avant de descendre contenter son ogre.

Ce matin-là, la grande maison respira d'une fébrilité électrifiée surtout pour Rose Emma, car son corps vibrait déjà sur la perspective de revoir sa petite sœur alors que le silence lourd dans l'automobile ne traduisait point telle allégresse, car le faciès contrarié de Yvan s'alliait à son peu d'éloquence pour comprendre combien le départ de sa femme lui déplaisait. Rose Emma ne laissa point transpirer une lueur de sa joie jusqu'à l'arrivée à la gare et lorsque les valises furent chargées sur le train, Yvan l'enlaça, elle sentit sa poigne fermement au travers de son manteau d'hiver. Il lui arracha un baiser et lui souhaita « bonne vacance » sur un ton sarcastique, mais une fois installée dans son banc, Rose Emma ne se présenta point à la fenêtre pour l'au revoir à son mari. Le train amorça son roulement et Yvan se détoura et regagna son auto, songeur.

Rose Emma se sentait épuisée, mais elle revivait cette même bouffée de délivrance qui l'avait envahie durant son premier voyage. Le train avait atteint sa vitesse de croisière depuis un bon moment et une surprenante bonne humeur se fraya une place et le goût de chanter lui parvint jusqu'aux lèvres. Curieux, comme il suffisait d'un léger état d'euphorie pour changer la mélancolie en joie. Il suffisait de ressentir cette douce impression, quand le cœur se met en vacance et propage cette sensation à tout le corps. Rose

Emma était empêtrée dans l'immobilité de sa désespérance peu de temps auparavant et voilà tout à coup, cet état de grâce énergisant s'attardait sur elle et persista durant ces longues séquences d'inaction, bercée par l'incessante monotonie du roulis sur rails.

Jacqueline lui sauta au cou dès son entrée dans la porte et Rose Emma avait dû la pousser pour l'enlever du courant d'air tout en l'embrassant. Rose Emma débuta son séjour en grondant la malade. Elle remarqua les cernes bleus sous ses yeux pendant qu'elle déshabillait la petite, assise sur un coin de table de la cuisine. Jacqueline semblait tellement heureuse de la voir malgré son teint si pâle et la grande sœur comprit que son combat contre la maladie avait été beaucoup plus pénible qu'elle n'avait imaginé. «Rose Emma, c'est une bénédiction que tu sois là, en chair et en os. J'ai tellement eu peur que Yvan t'empêches de venir...»

Jacqueline s'affala sur la chaise berçante et se mit à sangloter, ce qui ne ressemblait pas au tempérament optimiste de sa petite sœur. «Si toi t'avais peur, imagine, moi? Ma nervosité s'est relâchée quand le train a été complètement sorti de la gare.»

Jacqueline leva ses yeux pleins de larmes sur ceux de sa grande sœur puis elles se mirent à rire et s'étreignirent comme des gamines. Une quinte de toux stoppa l'euphorie et ramena la pertinence de la présence de Rose Emma chez elle. «Laisses faire le thé, vas t'étendre, je t'en apporterai une tasse tout à l'heure. Si tu permets que je fouille, je vais sûrement trouver un petit quelque chose pour Adriane.

— Y'a de la soupe dans le frigidaire… fais comme chez toi.»

Jacqueline s'empressa de s'étendre, car de petits points noirs apparaissaient devant elle et lui donnaient un étourdissement inquiétant. Bien au chaud dans son lit, elle se reposa le cœur léger en entendant sa sœur «jazouiller» en compagnie de sa petite soie. Louis retrouva une maison animée. Le sourire éloquent, il embrassa sa belle-sœur, souleva Adriane de terre avant de lui asséner deux gros becs puis il se dirigea vers la chambre de sa bien-aimée. Il se fit une place sur le bord du lit et constata la quiétude sur le visage amaigri de sa femme. « T'as l'air d'un p'tit poulet déplumé, mais le p'tit poulet me semble plus tranquille… ça fait dont du bien de revoir l'étincelle dans tes beaux yeux. »

Sans lui laisser le temps de répondre, il l'enlaça et la garda dans ses bras pour savourer sa rémission qui s'acheminait vers une guérison totale. « Tu m'as fait peur Jacqueline, très peur. »

Jacqueline ressentit l'émotion de son mari jusqu'au bout de ses bras. « Promets-moi de pas trop en faire trop vite, han. Laisses faire Rose Emma, fais-toi chouchouter un p'tit peu. »

Jacqueline le rassura d'un signe joyeux, elle voulait atténuer l'inquiétude sur son visage. « Va souper, le pire est passé… j'vais remonter la pente ben vite, tu vas voir. »

Il l'écouta et Jacqueline se sentit heureuse même si une légère mélancolie envahissait son cœur à mesure qu'elle entendait son Louis s'occuper de sa nièce. Il était si habile avec les enfants et semblait fait pour être entourée d'eux. Elle glissa dans une demi conscience qui l'amena vers sa rêverie préférée - présenter un gros poupon à son mari et l'imaginer, dépassé par le bonheur. Jacqueline se fit violence pour arrêter son supplice et s'endormit profondément.

La semaine débuta par la visite du médecin de famille, un homme assez jeune malgré ses tempes grisonnantes pénétra dans la chambre de la malade. Rose Emma se faisait du mauvais sang dans la cuisine, craignant les mauvaises nouvelles. Après un temps qui parut interminable, il ressortit et Rose Emma essayait de lire quelque révélation sur ce visage sérieux de professionnel. Il rédigea l'ordonnance, Jacqueline devait passer des radiographies à l'hôpital et il prévoyait une convalescence un peu plus longue quoique bien amorcée pour sa patiente. « Combien de temps, docteur ? »

Il détacha ses yeux de sa paperasse et lut l'inquiétude dans sa voix. «Le temps des Fêtes devra se passer dans la stricte intimité et elle devra éviter les courants d'air bien qu'une petite marche par vent calme serait bénéfique. Surtout, beaucoup, beaucoup de repos. Si tout se passe comme je prévois, un autre mois de repos total viendra clore cette vilaine pneumonie.»

Il laissa ses instructions sur la table et se dirigea vers la porte. Rose Emma l'aida à enfiler son manteau de ce beau cachemire qui lui seyait parfaitement. Il prit quelques secondes pour ajuster son chapeau, agrippa sa sacoche et sortit en s'excusant et ses traces de pas souillèrent la nouvelle couche de neige fraîchement saupoudrée sur la rue décharnée. Rose Emma regardait dehors et se questionnait pendant que Jacqueline arriva dans la cuisine sans que sa sœur ne l'aperçoive. «Moman va être déçue cette année!»

Rose Emma se retourna vers elle et lui prit les mains en signe de réconfort. «Voyons, on te laisseras pas tu seule avec Louis... penses-y même pas. J'vais m'arranger avec moman, pis on va passer un beau Noël, tu vas voir.

— As-tu pensé à ton mari? Y voudra pas que tu reviennes.

— J'pourrai pas revenir... si j'pars pas...»

Jacqueline, découvrit la détermination de sa soeur derrière son voile de timidité.

Yvan reçut le message par sa mère et un petit mot trônait sur la table de la cuisine. Rose Emma spécifiait de ne point venir la chercher avant d'avoir téléphoné. Yvan était furieux de savoir sa mère dans la confidence et ce message confirmait la curieuse impression ressentie lors du départ de sa femme. Il téléphona le lendemain matin, n'ayant aucunement l'intention de modifier ses plans. «Yvan, j'ai parlé à moman hier matin après la visite du docteur. Jacqueline peut pas sortir pour le temps des Fêtes. On organise un p'tit souper de Noël juste notre famille. On peut pas les laisser tu seuls, ça s'fait pas.

— Pis…quoi ? En quoi ça t'regarde directement ? »

Le silence s'intensifia entre les deux interlocuteurs. Yvan s'impatienta. « Verrat Rose Emma… es-tu encore dans ta lune ? »

Une voix calme et déterminée traversa le récepteur. « J'suis là Yvan. J'ai décidé de passer Noël ici. Tu pourrais venir me rejoindre, t'es le bienvenu.

— T'as décidé…es-tu folle ? Verrat, ça va faire encore trois semaines, j'verrai pas la p'tite ? Comprends-tu pourquoi, j'te donne pas de permissions. T'ambitionnes tout l'temps, maudit verrat.

— J'ai décidé que j'ai pas d'permission à demander. J'suis une adulte comme toi pis, Jacqueline a plus besoin de moi pour le moment…que toi. Viens m'voir ou viens voir ta fille, mais j'partirai pas avec toi.

— J'en ai rien à faire de tes crises de liberté, m'entends-tu ? Tu t'en viens comme j'te l'ai permis. Obliges-moi pas à aller t'chercher Rose Emma, tu vas t'en repentir.

— Yvan, j'm'ennuie pas de toi. Je t'attends pour le souper de Noël… bye. »

La communication coupa brusquement, Yvan raccrocha le récepteur d'une telle rage qu'il lui avait fallu trois tentatives avant de réussir. Il déambulait de long en large dans la maison, essayant de se dérager, pourquoi le défiait-elle ? Cette envie d'autonomie de sa femme l'humiliait, l'insultait et il refusait de s'intérioriser, la réponse y était enfouie depuis qu'il était petit.

Rose Emma retenait sa main tremblante sur le récepteur replacé sur son socle. La peur, cet état de nervosité, elle ne l'avait pas ressenti depuis qu'elle était arrivée chez sa sœur. Il avait fallu la voix de son mari pour la replonger dans ce processus de tremblement intérieur. Cette fois, sa petite voix la réconfortait suffisamment pour reprendre contenance. Jacqueline attendait le verdict. « C'est fait, j'reste ici.

— C'est toi qui es blanche à c't'heure. On va s'faire une bonne tasse de thé… laisse-moi faire, viens t'assoire…t'as pas à avoir peur Rose Emma, t'es en sécurité ici. »

Jacqueline mit de l'eau à chauffer et s'inquiétait de lire cette frayeur sur le visage de sa sœur. Devoir supporter toute cette violence, autorisée par le Sacrement du mariage la révoltait tandis qu'elle-même, recevait tendresse et sollicitude au quotidien de la part de son mari.

Louis marchait rapidement, écoutant distraitement une quelconque baliverne racontée par un copain de travail. Il sentit une main lui serrer l'épaule et se retourna rapidement. « Tu reconnais pas ton p'tit frère ? »

Louis n'était pas remis de sa stupeur et demeurait planté sur place sans dire un mot. Soudain, comme si quelqu'un l'avait poussé, il se rua sur lui et l'étreignit fortement avant de l'éloigner pour mieux l'admirer. « Ouais ! Tu fais ton frais avec tes galons, j'suis fier de toé…

— J't'avoue que j'suis assez satisfait moi aussi…ça m'a coûté pas mal de sueur !

— Qu'est-ce que tu fais dans les parages comme un voleur ?

— J'm'en viens fêter ma promotion pis, passer un peu d'temps pour les Fêtes avec vous autres. J'ai aussi ben hâte de voir ta maison. Quand j'ai eu la nouvelle, j'étais ben content pour toé, mon frère. »

Un visage souriant, mi-figé lui faisait face.

« J'espère que j'dérange pas. J'ai installé mes pénates à l'hôtel. J'ai ben hâte de voir la binette à Jacqueline quand à va m'voir dans porte. »

Louis le rassura, mais sembla soucieux tout en continuant de sourire à son frère. « On a d'la visite. Jacqueline a été ben malade, sa sœur est à maison pour l'aider à reprendre des forces.

— Laquelle ? »

Demanda-t-il soudain très anxieux. « Rose Emma…

— Ah… ben qu'est-ce qu'on attend pour y aller ? »

Le sourire anxieux du jeune frère éveilla quelque soupçon de Louis. Il se doutait que quelque chose avait incité son frangin à demeurer dans les Forces Armées et il préféra ne pas pousser sa réflexion plus avant. Quant à André, son cœur s'était accéléré en entendant le prénom de celle qui occupait tout l'espace vacant de son intériorité depuis bientôt une année. Même si sa surprise et sa joie étaient totales, à ce moment, il n'en laissa point paraître son émoi devant Louis. Il vivait l'implosion, bien à l'abri par devers cette façade en uniforme qui le camouflait si bien. Il marcha d'un pas rapide aux côtés de son grand frère, parlait, riait et quand il arriva au bout du chemin de terre détrempé de boue et de neige, André éprouva une vive émotion et figea sur la première marche du perron. Louis avait déjà ouvert la porte du côté et le sourire affecté, il attendit que Jacqueline lui dise de fermer la porte avant d'annoncer la surprise. «Viens, entre voyons ! On fait geler la maison.»

André se présenta sur le seuil comme un petit garçon gêné d'attirer l'attention sur lui. Jacqueline fendit le silence en criant son nom et s'empressa de l'embrasser tout en lui retirant sa casquette. «Ça fait si longtemps ! J'suis contente de t'voir ! Oh, monsieur est Officier maintenant… félicitations !»

André n'avait point en tête de la remercier puisque son regard était déjà ailleurs. Rose Emma venait d'apparaître avec sa fille dans ses bras. Leurs regards se rencontrèrent et le temps se figea pour quelques secondes. Puis, Rose Emma s'avança vers lui. «Bonjour André… je te présente Adriane, ma fille.»

La petite lui tendit les bras et le militaire ne résista pas au charme de ce sourire dévastateur. Il lui parlait tout bas comme à une grande amie et il l'installa dans sa chaise haute tandis que Louis finissait de remplir les verres de bière, les distribua et ils burent ensemble à la vie et au bonheur que chacun intériorisait. Le repas fut animé et les nouvelles se racontaient de part et d'autre. Les deux frères passèrent au salon pendant que les sœurs s'affairaient à la cuisine. Rose Emma regarda sa sœur. «Va te reposer, t'es tout pâle. J'vais finir de ranger pis après, j'vais aller coucher la p'tite.»

Jacqueline se rapprocha, mais le sourire de sa soeur lui indiqua que tout allait bien. Quelques minutes plus tard, Louis laissa son frère et alla s'enquérir de sa femme. André prétexta un verre d'eau et entra dans la cuisine. Rose Emma lui tendit le verre, la main légèrement tremblotante. «J'ai…imaginé te revoir de mille et une façons…jamais j'aurais imaginé celle-là.»

André se composa un visage d'homme poli, masquant cette joyeuse appréhension cognant dans son cœur. «J'suis heureux de te rencontrer ici.»

Il étouffa son émotion tant bien que mal devant ce regard de cristal percé de pépites d'or. «J'espère, avoir l'occasion de te parler… dans les prochains jours. Au moins, une fois. J'veux pas te manquer de respect…mais j'y tiens même si j'sais que t'es mariée.»

Un signe affirmatif de la tête la délivra, car ses jambes la portaient comme deux guenilles et elle s'affala sur le lit. Plus tard, André lui adressa un coup d'œil intentionnel en sortant et le cœur de Rose Emma s'emballa, incapable de retenir sa bride déchaînée.

***

Madame Mayer se présenta chez elle à l'improviste et y constata un tel désordre qu'elle demanda Madame Guérard de toute urgence pour rétablir l'ordre dans le fourbi de son fils. Yvan semblait s'y complaire depuis l'absence prolongée de Rose Emma et elle commença à réaliser qu'il était très désorienté pour ne pas dire, dérouté. Sans sa femme pour le maintenir dans une vie maritale boiteuse, tout de même bien à l'ordre, Yvan déclinait vers un laissez aller décourageant. La mère décida de l'attendre.

Madame avait gardé son chapeau de feutre vert à large rebord et l'attendait assise à la table. Surpris de trouver de la lumière dans la cuisine alors qu'il montait les marches arrière, sa mine déconfite en voyant sa mère, dénotait clairement qu'il avait espéré un retour de sa femme. Yvan la salua d'un air maussade, se dirigea vers le réfrigérateur, s'ouvrit une bière et laissa choir la capsule sur le sol. «Tu as pris des habitudes déplaisantes à vivre seul. As-tu seulement remarqué que ta saleté est effacée ? Fais un effort je te prie pour ne pas te comporter comme si tu étais dans une taverne en ma présence.

— Vous m'laissez pas grand temps pour m'en apercevoir, ouais, c'est un fait, la main d'une femme a passé ici'dans. Qu'est-ce que vous voulez, j'ai pus d'femme pour entretenir la place.

— Qu'attends-tu pour aller la récupérer ? Les Fêtes s'en viennent et je voulais vous parler des dispositions que j'ai prises. Mais pour le moment, peux-tu m'expliquer qu'est-ce qui advient de ta vie, Yvan Mayer ?

— J'attends…j'attends ma femme…à veut pas m'voir avant Noël. Madame a décidé de rester avec sa sœur. Ça fait que j'verrai pas ma fille avant le réveillon !

— Bon ! Ne lui reproche pas son dévouement… alors profites-en pour faire une démarche envers toi-même et c'est la dernière fois que je supporte un tel laissez aller dans cette maison. Tu t'en iras à logement si tu refuses d'agir en homme responsable. Bon sang, Yvan Mayer, qu'attends-tu de la vie ! »

Yvan buvait de grandes rasades tout en se détournant du regard accusateur de sa mère. Il s'appuya contre l'évier sans regarder son juge. «J'veux c'que vous m'avez jamais donné, ma maison, mon argent…

— C'que je t'ai donné tu le méprises comme tout ce que tu touches. Ne viens pas te plaindre, je ne suis pas une bonne oreille pour écouter tes lamentations. Regardes ce que tu as, fais-le bientôt je te le conseille et laves-toi je te prie, avant de me reconduire. »

Elle mit son manteau et agrippa sa sacoche qu'elle fit glisser sur son avant-bras tout en enfilant ses gants de cuir. Elle sortit sur la galerie et se sentit mieux, le fait d'inhaler la fraîcheur suffisait à adoucir les vapeurs aigres-douces qui remontaient des profondeurs de son intériorité. Parfois, au contact de son curé, Léone ressentait une impression de lévitation intérieure dans sa complétude et ces instants de béatitude lui manquaient. Elle s'habituait à ce bien être sans l'admettre consciemment, comme si se l'avouer la contraignait à une autre sorte d'esclavage. Ce fils, la gardait dans ses anciens rôles d'autorité et à ce moment, ils pesaient lourds. La porte claqua derrière elle et la fit sursauter. Yvan alla quérir l'auto et s'arrêta au pied des marches. Léone s'y engouffra et le silence les accompagna jusqu'au presbytère. Un bonsoir sec fendit le silence et la dame referma la portière sans attendre une réponse.

Yvan retourna chez lui. Il apporta un tabouret près du téléphone et commença à téléphoner à sa femme. Il répéta son geste le lendemain soir puis le surlendemain. Parfois il l'appelait tôt le matin, la menaçait des pires représailles si elle ne revenait pas. Le soir, il la suppliait presque comme un mari repentant. Yvan refusa de lui envoyer de l'argent, refusa d'aller la chercher en automobile, récusa tout ce que Rose Emma lui demandait. Il exigeait qu'elle revienne par le même moyen de transport, le train. Une quinzaine de jours les séparaient du réveillon de Noël et le harcèlement absurde d'Yvan brisa la ténacité de sa femme. Il y avait bien un mince espoir de projet si le docteur permettait à Jacqueline de voyager, ils s'en reviendraient tous en train pour fêter la Noël en famille chez les Levèrs. Sinon, Adrien Levèrs avait promis à sa fille de fêter le Jour de l'An avec elle si jamais…et de bien écouter son docteur. Mais le médecin avait été intraitable. Aucun risque de refroidissement et de fatigue, sa patiente toussait encore un peu et faisait encore de légères poussées de fièvre au moindre signe de fatigue. Louis et Jacqueline se résignèrent à passer le réveillon de Noël en compagnie de quelques amis de travail. Presque tous ces jeunes couples devaient se résoudre, l'aménagement de leur maison avait raflé la moindre économie du bas de laine.

Rose Emma commença à replacer ses effets personnels dans les valises puisque les appels d'Yvan l'exaspéraient, la mettaient mal à l'aise et dérangeaient la quiétude de ce couple amoureux. L'avant-veille de son départ, André avait rencontré Louis au village. Il les invitait tous à la salle à manger de l'hôtel pour un repas spécial.

Une belle table ronde endimanchée de blanc, chandeliers et couverts brillant les attendaient ainsi qu'un magnifique bracelet de roses rouges agrémentait chacune des places réservées aux femmes. Le sourire radieux, chacune le passa à son poignet et Jacqueline se déplaça pour embrasser son beau-frère tandis que Rose Emma lui offrit un « merci comme c'est gentil » en demeurant à sa place. André leva sa coupe de vin avant d'ajouter. « C'est presque un repas de Noël puisque j'apprends le départ de Rose Emma et moi-même, j'te quitte mon cher frère, j'm'en vais en Beauce demain, alors, buvons à la vie ! »

Le repas fut succulent, la dinde farcie aux agrumes et le dessert chocolaté. Un bon vin aromatisait délicatement chaque bouchée de ce dîner d'adieu. Rose Emma manifesta le désir de partir plus tôt après le café, car Adriane en avait assez du souper des grands et rechignait pour reprendre sa bouteille de lait et Jacqueline, encore fragile ne devait pas veiller tard. Un André heureux, mais tout de même nostalgique leur avait dit au revoir sans trop s'attarder sur son coup de cafard qui semblait résolu à lui gâcher ce moment magique.

Le déjeuner du samedi matin se vécut en silence et chacun se servait et buvait son café, l'air ailleurs. Louis sortit de la cuisine et Jacqueline en profita pour s'enquérir de l'état d'esprit de sa sœur. « J'aurais ben aimé te garder plus longtemps, mais j'comprends ton mari. Une maison sans femme, y parait que c'est une maison sans âme. C'est déjà un miracle que t'aies resté aussi longtemps. J'pourrai pas assez te remercier Rose Emma. Tu m'as tellement aidée…à r'monter la côte, j'te prenais presque pour acquise. Y faut que tu retrouves ta vie à c't'heure, han ? »

Rose Emma agitait le liquide dans le fond de sa tasse n'ayant aucune envie de poursuivre la conversation. Jacqueline lui prit la main pour faire cesser le mouvement répétitif. «Rose Emma, dis-moi qu'chose. Si j'me ronge d'inquiétude après ton départ, ça va être pire pour ma santé.»

Elles entendirent Louis secouer un petit sapin sur la galerie, il s'apprêtait à le rentrer. La diversion avait été suffisante pour faire lever les deux femmes et elles se précipitèrent à la porte pour l'aider. L'on s'empressa autour de l'arbrisseau déposé sur une petite table près de la fenêtre du salon. Louis s'amusa à l'animer de lumières et de boucles rouges, vivifiant l'atmosphère chargée de morosité. Adriane ouvrait de grands yeux autant que sa bouche devant ce spectacle flamboyant. Louis ne se lassait pas de regarder cette enfant imprégnée d'innocence et il pensa combien la perte de l'émerveillement puéril de l'enfant teintait le cœur de l'adulte d'une morosité platonique depuis qu'il était devenu raisonnable. Louis, chassa ses pensées existentielles et s'approcha de l'arbre avec la petite dans ses bras et des yeux se réjouissaient de toucher l'objet aux mille lumières. Jacqueline regardait son mari discourir avec sa nièce, très captivé par les réactions de l'enfant. Puis elle se tourna vers sa grande sœur, lui serra la taille et lui dit tout bas. «Je l'sais pas c'que j'donnerais pour avoir une enfant comme elle dans les bras de son père. Un enfant bien à nous. T'es ben chanceuse Rose Emma.

— Moi, j'sais pas c'que j'donnerais pour avoir un père attentionné comme ça pour élever ma fille.»

Elles demeurèrent ainsi, serrées l'une près de l'autre, admirant le spectacle devant leurs yeux. Rose Emma se coucha tôt, mais ne trouva pas le sommeil. Trop de questionnements virevoltaient constamment dans sa pensée. Elle se leva aux aurores du dimanche.

La journée s'annonçait éprouvante. Louis emprunta l'automobile d'un ami et Jacqueline serra sa soeur très fort et sa tristesse se reflétait peu sur son visage qu'elle s'efforçait de maintenir serein malgré ses yeux rougis. Rose Emma et sa fille, quittèrent la maison des amoureux pour prendre le train de dix heures. Louis l'installa dans un compartiment et lui remit sa fille sur ses genoux. Il insista, elle devait téléphoner si jamais… n'importe quelle heure…si elle avait besoin. Son regard intense ajoutait à la véracité de ses dires. Il lui glissa quelques dollars dans la main et insista devant le refus de sa belle-sœur. «Prends-le Rose Emma, t'en aura besoin. J'sais que t'as rien voulu prendre. Oublies pas de faire ben attention à ma p'tite soie.»

Il caressa sa joue et Adriane tendait ses bras vers Louis. «Tu es ce qu'Adriane a de meilleur. Prends soin d'toi, ok.»

Il sortit en vitesse, car le train commençait à bouger lentement.

Le roulis du train filait rondement depuis une bonne heure et Rose Emma voulut bouger car le sommeil la harcelait depuis un bon moment. Elle plia soigneusement son manteau et demanda à la dame en face de veiller sur ses affaires et marcha difficilement jusqu'au wagon restaurant. La petite semblait peser plus lourdement dans ses bras. Une fois bien assise à côté de sa fille, elle s'occupait à lui faire boire un peu de lait et la petite plongeait son petit visage jusqu'au fond du verre et faisait sourire sa maman. Soudain, une voix d'homme lui demanda. «Est-ce que j'ai la permission de m'asseoir à votre table madame?»

Rose Emma sursauta, faillit renverser le verre de lait et le réflexe des mains pour le retenir provoqua des rires nerveux. André prit place en face d'elle et Rose Emma se questionnait à haute voix. «Je comprends pas…la Beauce, c'est pas dans la bonne direction…du moins, j'pense…
— Je sais, mais j'ai du temps. Nous étions supposés avoir une conversation. Ben, me voilà! J'y tiens plus que tu pourrais l'imaginer.»

Rose Emma était figée, incrédule devant cette apparition. Lui, ricanait de sa réaction et Rose Emma frissonna encore sur cette cascade qui l'avait tant retournée la première fois. Trop de questions se lisaient sur son visage et elle se déroba en le couvrant de ses mains pour reprendre ses esprits.

André tomba dans le regard lumineux de cette femme. «C'te moment-là, j'veux pas en gaspiller une miette…»

Il commanda du café et ils burent lentement, silencieux, sans se quitter des yeux. Les secondes s'égrenaient doucement afin d'introduire ces instants d'éternité entre eux. Le temps d'apaiser la fébrilité de ce moment unique. « Je vais…descendre au prochain arrêt. Il y a une base d'entraînement tout proche. Tu seras pas inquiète…. J'vais descendre ben avant ton arrivée.»

Il sortit une petite enveloppe et la plaça devant elle. Il laissa sa main ouverte tout près, telle une invitation et Rose Emma osa effleurer la sienne. André entrecroisa ses doigts autour des siens, se concentra sur sa paume rose quelques secondes. Puis, il se retira doucement, se leva, lui télégraphia un au revoir des yeux et fit volte face. Rose Emma regardait cette silhouette s'éloigner, abasourdie par ce qu'elle venait de vivre. Elle retourna à son compartiment et une fois sa fille endormie, Rose Emma décacheta doucement l'enveloppe. L'émotion lui embua le regard, devant deux petites phrases. *« Tu m'as redonné la vie…elle t'appartient. Toujous, ce mot ne me fait pas peur…*

J'aime t'attendre, Rose… »

Un numéro de casier postal était inscrit dans le coin gauche du billet. Rose Emma sursauta, le haut-parleur annonçait l'entrée du train en gare. Elle s'était occupée de sa fille machinalement, à demi présente, réfugiée dans son monde imaginaire beaucoup plus satisfaisant que sa réalité. La femme mariée était bien en mal d'y venir à sa vie puisque un mari, un maître, l'attendait de pied ferme.

Yvan monta à bord aussitôt qu'il l'aperçut debout dans l'allée et lui prit Adriane des bras sans l'accueillir. Il rebroussa chemin et descendit de l'engin bien avant sa femme. Il lui arracha une valise des mains à sa descente du train et marcha rapidement jusqu'à l'auto, sa femme traînait derrière.

Rose Emma ouvrit la portière avant, mais Yvan lui signifia la banquette arrière, alors elle tendit les bras pour prendre Adriane avec elle. «Adriane reste à sa place.

— Pour commencer, agissons comme des personnes civilisées. Bonjour Yvan, j'espère que tu vas bien. Moi, ça va très bien.»

Le cœur gros de devoir se battre encore contre la manie de son mari de vouloir l'humilier, cette fois l'irrita plus que d'avoir honte. «J'pas d'humeur à t'faire la conversation.»

Il démarra le moteur et soudainement, la portière arrière s'ouvrit. «Puisque tu veux faire le taxi… j'préfère en prendre un vrai…au moins le chauffeur sera de bonne humeur.»

Elle sortit de l'auto et elle entendit Yvan. «Tu peux t'en retourner, j'ai la p'tite.»

Il remonta la vitre de l'auto et démarra en trombe et sa femme, désemparée, regardait la prunelle de ses yeux s'éloigner avec son geôlier. Rose Emma releva le grand collet de son manteau sur ses oreilles et débuta sa marche rapide. Cette promenade de plein air lui faisait du bien à mesure que la chaleur de son corps combattait le vent glacial. Elle rentra, le bras douloureux d'avoir porté sa petite valise et la tête libérée du brouillard invalidant qui l'accompagnait depuis sa descente du train. Elle referma la porte du vestibule et la prestance de cette demeure aux immenses pièces lui insuffla une bonne disposition, mais Yvan l'accueillit avec son arrogance habituelle. «Tiens, ta mère se rappelle qu'on existe Adriane, pis à l'a trouvée le chemin tu seule !»

Rose Emma remplissait la bouilloire sans se retourner. «Tes farces plates ne m'atteignent pas Yvan Mayer. C'est toi qui m'criais dans les oreilles que j'suis mariée pour la vie, jusqu'à la mort, ben j'suis chez nous pis j'repartirai pas de si tôt. J'suis là, tu peux arrêter tes méchancetés, ça prend plus.»

Yvan s'avança près d'elle, observant sa nervosité, mais sa détermination lui enleva un peu d'emprise. Il resta tout près et soudain il la serra dans ses bras, mais il comprit bien vite que l'étreinte n'était pas réciproque, toutefois il l'embrassa et s'anima sur son visage de marbre. «J'suis content... t'es r'venue, ma femme.»

Il insista sur le mot «femme» et se détourna d'elle. Rose Emma le questionna pour sortir de cette ambiance intimiste non désirée. «Qu'est-ce qu'on va manger... le frigidaire est vide.

— J'suis pas le commissionnaire d'la maison, mais, on pourrait aller manger au grill... à l'hôtel. Le «roast beef» est ben bon le dimanche soir.»

Rose Emma resta bouche bée, la surprise de l'invitation l'étonna. Fatiguée, elle accepta afin d'éviter l'intimité, mais elle savait qu'Yvan masquait une motivation plus égocentrique que généreuse. En effet, à peine s'étaient-ils assis à une table de la salle à manger, Yvan s'excusa et traversa dans le grill, n'en revint qu'après une dizaine de minutes accompagné de deux compères. Il les lui présenta et ils possédaient tous cet éclair éthylique dans le regard. La pièce de bœuf confirma sa réputation et le repas fut bien arrosé de vin rouge. Rose Emma était étourdie puisqu'elle avait bu à sa coupe toujours remplie par son mari. Elle commanda un grand verre d'eau et cessa de boire et se concentra sur Adriane, car la petite montrait des signes de fatigue en gigotant et pleurnichant dans sa chaise haute. Rose Emma lui fit manger son dessert assise sur ses genoux et redonna le sourire sur le faciès de son mari. Elle sollicita le départ après le thé, elle perdait patience envers Adriane qui voulait descendre pour explorer les lieux par elle-même. «T'en viens-tu Yvan, j'suis morte de fatigue surtout avec la p'tite.

— On va finir la bouteille de vin, pis on partira après. Laisses-la marcher un peu, ça va nous r'poser une couple de minutes.

— C'est toi qui iras la chercher entre les jambes des clients en dessous des tables ? Ça s'fait pas, viens-t'en s'il te plaît Yvan...

— C'est pas la question verrat, on est jamais capable de veiller tranquille avec elle. À l'attire toute l'attention encore. Tu viens de r'venir pis...

— Reste encore un peu si tu veux, j'vais aller la coucher pis j'vais t'attendre.

— Le taxi d'Émile est icite. Y va aller te r'conduire... »

Il la retint, jusqu'à ce qu'elle lève enfin les yeux vers lui.

« Tu t'prépareras... »

Sa poigne contraignit Rose Emma afin qu'elle saisisse bien son message. Elle se dégagea mal à l'aise, habilla sa fille et sortit aussitôt. Un bain chaud avec Adriane dans les bras ramena la chaleur et la bonne humeur sur les deux visages. Rose Emma changea la literie laissant à désirer, s'étendit dans son lit tout propre et savoura sa bienfaisance. Elle s'endormit rapidement.

Yvan retrouva une maison sans lumière en rentrant. Il était passablement éméché, espérant tout de même que sa femme l'avait attendu. Déçu, il monta à grand bruit afin de la réveiller, mais rien n'y fit. Il se dévêtit et se glissa près de celle qui sentait si bon. Tout en ayant le désir de la toucher, il hésita, une gêne le surprit comme si cette femme, allongée sur le côté dont il admirait le cou et la crinière blonde était étrangère à cette jeune femme qu'il avait épousée. Il se retourna sur le dos, les mains derrière la tête, il ressentit un bien être de savoir sa femme revenue au bercail et il réalisa combien il l'aimait, combien sa dépendance le forçait à la contraindre malgré lui, car sa peur de la perdre était immense.

Avait-il déjà ressenti un attachement quelconque envers quelqu'un depuis son jeune âge ? Ni sa mère ni ses frères lui étaient chers. Ils étaient tous imbriqués dans des rôles de convenance, au nom de la famille. À défaut de se sentir important pour eux, il s'employait inconsciemment à vivre dans l'insouciance totale. Quand il exaspérait, il se sentait vivant parmi les réactions qu'il observait et maintenant, contrôler était devenu son seul leitmotiv. Aussi, devoir dépendre de sa femme pour vivre une sécurité affective même boiteuse le contentait, car Yvan savait que les prérogatives pour mériter le véritable amour, il n'était pas suffisamment étoffé puisque le ressentiment occupait tout l'espace. Il en voulait à ce père mort trop jeune, sans rien lui laisser. Il méprisait sa mère, en contrôle de tout et le tolérait uniquement par devoir, humilié de lire l'indifférence sur son visage depuis son jeune âge. Incapable de vivre une saine intimité même dans ses rapports avec ses frères, Albert avait raison de dire qu'ils étaient tous les trois des étrangers, des guerriers qui se battaient pour mériter l'approbation de leur marâtre de mère. Incapable de calmer sa peur de la solitude, Yvan soupira et se tourna vers la nuque de sa femme, l'embrassa et descendit sa main le long de son dos. Rose Emma, reçut les caresses et les mots d'amour de son mari dans un état de demi conscience.

Tôt le lendemain, Yvan était parti au garage et après quelques travaux routiniers, Rose Emma retrouva son poste d'observation devant la fenêtre, portant toute son attention sur le grand saule qui s'agitait sous les secousses brutales du vent hivernal. Il combattait une force d'envergure sans doute assez puissante pour l'arracher à la terre durant ses terribles colères. Et comme elle, le vieux saule ne résistait pas aux assauts répétés de son tourmenteur, il contrecarrait sa force en s'unissant à lui. Pourtant, fermement, il résistait et se balançait sous les caprices de la furie. Soudain, Rose Emma se dirigea vers le téléphone et appela sa mère, lui demanda de venir dans le courant de la semaine. Elle avait affaire à lui parler en privé, le plus tôt possible. La réponse positive de sa mère rassura la fille et elle habilla Adriane chaudement pour la tournée des commissions qui débutaient chez le boucher.

Madame Levèrs arriva vers neuf heures en matinée, passablement intriguée par la teneur de la demande de sa fille. Elle enleva sa capine de laine et ses cheveux se hérissèrent droit sur sa tête sous l'effet de la statique. Rose Emma ricana tout près d'elle.

« Sainte Vierge, j'savais pas que j'avais tant d'énergie en moi pour me faire écheveler d'même. J'dois mettre trop de vinaigre dans mon eau de rinçage. Bon… ton canard es-tu sur le feu, ma fille ? Un bon thé ça va réchauffer mes vieux os. »

Rose Emma lui servit son thé tout en jasant de Jacqueline et le visage de madame Levèrs refléta sa hâte de revoir sa petite fille, car elle avait décidé de faire le souper de Noël au lieu du réveillon afin de se donner quelques jours de plus pour jouir du Jour de l'An en intimité chez Jacqueline. D'ailleurs, monsieur le Curé leur avait souvent fait quelques allusions concernant ces réjouissances de chair et de boissons alcoolisées avant la messe de minuit ? Cécile chassa cette interférence lunatique en voyant sa fille soucieuse, elle lui posa la question : « De quoi voulais-tu m'entretenir… j'espère que c'est rien d'grave… j't'écoute… »

Madame Levèrs envisagea sa fille pour lui signifier qu'elle avait toute son attention. Rose Emma expira et se lança. « Moman, j'vous ai fait venir pour vous parler d'affaires de…femmes. J'me demandais, comment vous aviez fait pour…vous avez pas eu beaucoup d'enfants en comparaison aux familles du voisinage. J'sais que vous êtes fragile des « organes » mais… »

Rose Emma se frotta les mains nerveusement, craignant de vexer sa mère par ses indiscrétions, mais elle revint à la charge. « Vous pis popa, aviez-vous des ententes là-dessus ? Moman, je l'sais, empêcher la famille, c'est contre les principes de l'Église. Yvan m'dit que c'est à moi, de voir à ça, mais c'est pas simple avec lui même si j'essaie de compter mes jours, c'est pas moi qui mène dans la couchette ! Aidez-moi, si vous voulez ben sûr. J'voudrais pas vous donner des problèmes de conscience mais…un autre enfant pour le moment c'est au-dessus de mes forces. »

Le visage anxieux et les yeux suppliants de sa fille lui rappelait qu'elle avait éprouvé le même questionnement il y a si longtemps, au temps de sa jeunesse. Tous deux dévorés par leur passion mutuelle et son Adrien, si inquiet d'avoir été fertile après leurs ébats, le redoutable processus de mettre un enfant en route chaque fois qu'ils avaient envie l'un de l'autre. Cette épée à deux tranchants ne les quittait jamais et gâchait leur intimité. Madame Levèrs avait rougi en pensant au merveilleux temps de leur passion de jeunesse. «Ma pauvre p'tite fille, c'est toujours les femmes qui s'retrouvent avec le problème sur les bras, pis on ramasse les conséquences aussi. Ton père, disait que les Curés avaient pas d'expérience sur c'te question-là et que personne avait d'affaire dans son lit, à part sa femme. Ton père, c'est pas un homme comme les autres... y m'aimait assez pour pas m'user la santé en m'faisant accoucher comme une lapine à toués ans. Ça fait que, ton père se protégeait... quand, y pouvait pas en avoir je...c'que j'vas t'dire ma fille, je l'ai jamais dit à personne. Faudra que ça reste icite, entre nous deux.»

Un signe affirmatif très convaincant rassura la mère. «Bon, je plaçais une p'tite éponge légèrement vinaigrée dans l'passage...tu comprends... je l'sais pas si c'était la chose à faire, mais j'peux te dire ma fille, que ton père pis moi, on a eu les enfants qu'on voulait. On a rien à s'reprocher devant le Bon Dieu.»

Madame Levèrs expliqua en quoi consistait sa prévention bien personnelle et Rose Emma savait que seule cette application contraceptive irait rejoindre le lieu de ses cachotteries envers son mari puisqu'il ne voulait point entendre parler de se protéger lui-même. La conversation dévia sur un autre sujet et pendant que Rose Emma jasait avec sa mère, un sentiment de soulagement s'empara d'elle, comme si ses épaules redescendaient à leur place. Tout son corps reprenait le contrôle de lui-même et elle se sentit de bonne humeur et son rire sonore lui confirma son état de bien être. «T'as gardé ton rire de p'tite fille ma Rose...»

La fille savoura ces paroles à saveur de miel de sa mère, elle l'aimait cette femme qui représentait le courage par amour des siens, la générosité au quotidien, la sollicitude dans la bonne humeur, alors que le mot «impossible» avait toujours été un vain mot parmi les principes altruistes de cette femme. Madame Levèrs quitta la grande maison ayant le sentiment d'avoir accompli une bonne action envers sa plus vieille si fragile, une sensibilité à fleur de

CHAPITRE XII

L'AMORCE EST ENCLENCHÉE

Les préparatifs, les décorations, entourant le temps des Fêtes anesthésiaient les états d'âme. Extérieurement, Rose Emma s'affairait et s'abreuvait jour après jour à cette effervescence, s'étourdir, nourrissait son impression de vivre pleinement. Elle magasina des jouets et une robe de velours bleu royal pour sa petite soie, de petits riens choisis avec amour pour les siens ainsi qu'un étui à cigarettes en argent pour son mari. Un luxe déraisonnable envers ses économies accumulées au fil des mois et qui fondaient comme beurre au soleil. Elle comptait bien passer la veille de Noël en intimité, entourée de sa petite famille, sachant que le lendemain sera entièrement consacré chez ses parents et les femmes de la maison auront à fricoter au milieu de victuailles suffisantes pour nourrir une armée. Elle savait aussi sa belle-mère à Montréal, en compagnie de son prodige de fils, mais cette année madame s'était fait conduire par le bedeau du Curé. Albert avait écrit de l'ouest, il passait les Fêtes parmi ses nouveaux amis. Aussi, il leur avait annoncé qu'il partageait une maison avec un collègue.

Rose Emma avait confectionné un menu spécial pour ce goûté du soir, espérant un rapprochement tendre avec Yvan. Elle avait tout fait d'avance même les ablutions de sa fille. Vers huit heures, elle avait mis la table avec soin, les coupes de cristal ainsi que les deux chandeliers rehaussaient la brillance des couverts bien disposés. Yvan lui avait promit d'arriver au plus tard vers neuf heures après sa tournée au garage en compagnie de ses deux employés et bien sûr, un arrêt obligatoire à l'hôtel pour célébrer une petite heure avec ses chums. Rose Emma monta coucher sa fille et en profita pour se changer. Un léger maquillage rendit hommage à son visage, mais un point d'inquiétude persistait dans ses yeux. Son mari ne devrait pas tarder maintenant. Elle descendit sur la pointe des pieds, s'arrêta devant la table de la salle à manger et alluma les bougies.

Immobile au milieu de la pièce, le silence s'étendit dans toute la maison, menacé par les battements de la grande horloge et Rose Emma commença à s'agiter intérieurement. Elle se servit une coupe de vin et regarda les bougies dégouliner lentement le long de leurs minces silhouettes. Onze heures à la grande horloge, lui remettaient sa solitude à chacun de ses battements. Rose Emma se leva et courut vers l'escalier qu'elle escalada d'un trait vers la chambre de sa fille. Elle la réveilla doucement, l'habilla tout en la bécotant. Elle enfila son manteau, prit son chapeau de fourrure et ses mitaines et sortit le traîneau, adossé sur le côté de la maison, y installa sa petite soie et la couvrit de la couverture de fourrure. Elle se retint pour ne pas pleurer devant le fait accompli qu'elle passait bel et bien une veille de Noël, toute seule. « Viens-t'en avec maman, on s'en va à messe de minuit. »

Elle tira sur la corde de cuir et tourna le dos à sa fille pour lui cacher sa tristesse durant ce début de nuit si particulier. Le froid également se battit contre elle pour la geler du dehors, elle redoubla son effort en marchant plus vite encore et ainsi, elle arriva à l'église tout essoufflée, le corps tout chaud et surtout, la tête vidée de ses démons, retranchés profondément au creux de son mitard. Rose Emma prit place dans le banc des Mayer et lorsque Monsieur le Curé se présenta devant les paroissiens, tenant le petit Jésus de cire entre ses mains, le silence parcourut l'église pendant qu'il se dirigeait vers la crèche, aménagée dans l'espace normalement réservé à Saint-Joseph. Il plaça le Petit dans sa mangeoire avec précaution, replaça sa petite robe de soie blanche et il le laissa bien entouré de ses parents. L'officiant se dirigea vers l'autel au son des chants d'allégresse qui pénétraient directement au cœur même des hommes croyants ou pas. Adriane était très sage puisqu'elle était aux premières loges pour regarder le va et vient de la cérémonie. Elle se retournait chaque fois que le chœur entonnait un chant là-haut dans le jubé. Un calme intérieur anima Rose Emma durant la messe et se prolongea jusqu'à la sortie de l'église. Avant de partir, elle avait laissé une aumône à l'ange tout près de la crèche qui oscilla la tête et lui soutira un sourire.

Elle marcha lentement, savoura pleinement ces brefs instants de paix imprégnés en elle. Elle leva les yeux vers les grandes fenêtres et ne vit aucune lumière dans la résidence. En entrant dans le salon, un grand corps ronflait sur le canapé de l'immense salon et Rose Emma se dirigea dans la cuisine, elles burent un verre de lait, puis elles montèrent l'escalier sur le bout des pieds. Elle coucha la petite avec elle et s'endormirent toutes les deux, bien collées l'une près de l'autre.

Au matin, Yvan entra dans la chambre et ne s'arrêta point auprès de sa femme. Il s'engouffra dans la salle de bain adjacente pour y cacher ses vêtements froissés et son visage de bagnard. Rose Emma s'attardait au lit, s'amusant à chatouiller Adriane qui riait tout excitée. Yvan apparut, tenant une serviette autour de sa taille, il s'approcha du lit et s'assit auprès de sa femme. «Tiens, j'ai la chance d'embrasser mes deux femmes en ce beau matin de Noël. Tu t'étais sauvée hier soir, mais c'est un miracle, te v'là toute entière à matin. Joyeux Noël, ma femme!»

Il lui colla un baiser sur la bouche et s'empara de la joue de sa fille, puis il se pressa près de sa femme, la força à se ranger pendant qu'il se glissait sous les draps. «On va finir l'année en bon accord…
— Yvan…pas devant la p'tite… de grâce!
— Voyons donc, elle sait pas c'qui s'passe… est trop p'tite…»

Il ne cessait de la toucher même si Rose Emma tentait de se dégager, puis emportée d'une colère subite, elle le poussa hors du lit. Il voulut cacher sa nudité en sacrant. Rose Emma s'engageait déjà dans l'escalier et entendait l'invectiver des pires insultes. Pourtant, il ne descendit point et Rose Emma le cœur à l'envers, commença à brasser les chaudrons pour un déjeuner de Noël, semblable à l'année qui s'achevait.

La maison des Levèrs était pleine de visite et les deux tablées occupèrent passablement les femmes de la maison. Rose Emma s'affaira tout en pensant à sa petite sœur dont le manque de sa présence trouvait écho autour de son sentiment d'ennui. Elle le dissimula admirablement pour ne pas inquiéter sa mère. Il avait fallu remettre la table à six heures et on dansa toute la soirée au son du violon et de l'accordéon et des oncles qui suaient sous les nombreuses demandes spéciales des danseurs. Vers minuit, la maisonnée commença à respirer plus librement et chaque départ refroidissait la maison. Les salutations et les remerciements répétés des parents enchantés et passablement ivres, retardaient le retour à la pleine possession des lieux.

Cécile Levèrs s'était finalement assise à sa table, enleva ses souliers et remercia sa fille qui lui servit une tasse de thé. « La p'tite est couchée avec Élaine pis ton mari s'est endormi sur le divan…couches dont icite Rose Emma, tu partiras demain à clarté.

— C'est pas de refus moman. J'redeviens une p'tite fille chaque fois que j'dors ici. J'reste. On va pouvoir jaser un peu pis j'vais vous aider à finir de ranger avant de s'coucher.

— On finira demain. Mes jambes sont trop enflées. Viens t'asseoir Rose Emma. »

Rose Emma se plaça en face de sa mère et elles parlèrent de l'absente, du voyage de ses parents vers l'Estrie dans quelques jours et Cécile Levèrs regarda son aînée dans les yeux. Sa tendresse s'exprima envers cette jeune femme secrète, sa plus vieille tentait de bien camoufler son désarroi, mais pas suffisamment devant elle. La mère flairait ce quelque chose qui couvait dans les yeux reconnaissants de sa grande fille. « Vous direz à Jacqueline que j'va y écrire aussitôt que j'aurai un peu de temps et téléphonez-moi moman si y s'passe du changement, hein !

— Inquiètes toé dont pas, tu sais ben que tout va s'passer pour le mieux. Bon, ben, en attendant, allons nous coucher. Une bonne nuit même écourtée, c'est pas de refus. »

Madame Levèrs effleura les cheveux de sa fille, une petite douceur un peu brusque, Rose Emma la regardait se diriger péniblement vers sa chambre et les ronflements du profond sommeil de son père entrecoupaient les silences de la maisonnée.

***

Léone Mayer ne lésina point, elle paya une chambre au bedeau et s'assura ainsi un retour au presbytère afin de préparer son souper de Noël pour monsieur le Curé. Un repas dégusté en intimité auprès de son ami ne se présentait presque jamais et celui-ci, Léone y tenait mordicus. Le banquet en grand apparat parmi ses marguilliers et leurs conjointes se déroulait toujours après les grandes Fêtes de Noël.

Jean-Marc l'avait accueillie comme d'habitude et durant le souper grandiose, il lui avait annoncé la nouvelle qu'il avait été choisi pour aller jouer au hockey aux jeux olympiques à St- Moritz. Son grand garçon s'en irait représenter son pays, une fierté anima la dame et le fils l'avait captée dans les yeux puissants de sa mère et il en fut ému. « Je sais, que tu nous feras honneur dans cet autre pays de neige. La vie pousse en avant, à peine a-t-on enterré les morts de cette longue guerre… les hommes se lancent d'autres défis de lutte. Il semble que le prix ultime dans cette vie doit toujours comporter des gagnants et des perdants à tout prix. Même pacifiste, la défaite est toujours amère. »

Léone déposa sa fourchette, s'adossa sur sa chaise et ressentit une grande lassitude. Ses paroles avaient été dites pour elle-même et son regard continuait de fixer un point dans le vide. Puis, comme si quelqu'un d'invisible la grondait de sa faiblesse, la dame reprit son maintien rigide et but une petite gorgée de thé. « Mère, ce périple dans les alpes Suisses me sera salutaire et je n'aurai pas une seconde chance de vivre une telle expérience. Je suis déjà un des plus vieux, mais je me sens en grande forme physique. C'est peut-être héréditaire…mais j'ai peu de temps pour améliorer mon jeu et conserver c'que j'ai de plus précieux, ma santé.

— Tu ne sembles pas fait du même bois que les autres, car le sang des Valois coule dans tes veines et tu vis pour gagner, n'est-ce pas ?

— On a tous besoin d'une raison pour… »

Il n'acheva pas sa phrase et regarda son assiette, mal à l'aise. « Qu'est-ce qui te manque Jean-Marc ? Je vois toujours une telle tristesse au fond de tes yeux…tu n'as pas le droit d'être malheureux, tu as trop de talent et… trop tout qui ferait le bonheur de n'importe quel rescapé de la terre. Alors, trouves-toi une femme si ta vocation d'athlète ne te suffit pas…mais, soit conscient que la vie s'écoule de plus en plus vite.

— Justement, la seule femme que j'aime vraiment n'est pas libre…c'est ça que vous voyez dans mon œil, mère…et je sais que vous n'approuverez jamais une telle relation. Maintenant que vous savez, ne me poser plus de questions sur ma vie intime, elle m'appartient et j'en fais ce que je veux.

— Même au prix de perdre ta réputation et ta famille. Je ne tolérerai pas que tu souilles notre nom, il m'a coûté trop cher… »

La femme s'était mise en mode défensive en posant sa serviette de table. Elle poussa son dessert à peine touché tout en ne lâchant pas son adversaire des yeux. « Mère, vous êtes ma seule famille, je vous en prie, ne me retirez pas votre appui. Je connais la douleur de mon sacrifice depuis bientôt une année et je l'fais pour vous…pour préserver votre réputation si précieuse. »

Jean-Marc serra les poings afin de contenir son émotion, inclina la tête, résigné à voir sa mère quitter sa table, mais elle ne broncha pas et reprit un regard plus conciliant. Jean-Marc lui décrocha un sourire d'enfant contrit et il appela le serveur. Il la reconduisit à sa porte de chambre et n'eut pas le loisir d'y entrer un pied, elle s'étira pour prendre une enveloppe et la lui remit, mais avant de la lâcher, elle lui souhaita un «joyeux Noël» et le «je te fais confiance» avait été prononcé assez fermement. La porte se referma aussitôt et Jean-Marc resta prostré un moment devant la porte close. Il se sentit coupable d'avoir trop parlé et une fade sensation de lâcheté du collégien ressortit, telle une vieille connaissance. Il méprisa cette femme tout à coup, sachant qu'il ne pouvait pas s'en séparer complètement. Le prix à payer pour la maîtrise entière sur sa vie, il n'était pas prêt à le subir, car cette mère en autorité le gratifiait de son admiration depuis qu'il était en âge de s'en souvenir. Le fondement de sa personnalité, son audace et sa combativité découlait de ce regard. Jean-Marc en avait besoin pour se convaincre de son identité et il la supportait par compassion envers sa vie antérieure, elle avait mâté sa vie de misère grâce à son courage et sa détermination et elle lui faisait grâce de cette même aspiration à vaincre, chaque fois qu'elle posait les yeux sur lui. Son œil, l'accompagnait dans ses combats. Mais, pour la première fois, il lui avait interdit l'entrée de la pointe de son cœur. Celle-ci, appartenait à Colette, la belle et grande femme châtaine l'avait ensorcelé lors d'une rencontre chez un ami commun. Enchaînée à un autre homme, Jean-Marc se satisfaisait de leurs instants volés, en cachette, toujours inquiet, jamais complètement tranquille. Une telle situation augmentait l'intensité de leurs ébats amoureux, des moments qui n'appartenaient qu'à lui.

Soudainement, Jean-Marc se précipita dans l'escalier et une fois dans le hall d'entrée, il s'engouffra dans la boîte téléphonique. Il composa les premiers chiffres du numéro salvateur, puis avant de laisser la roulette se replacer sur le dernier numéro, il raccrocha le combiné. Son amour secret n'était pas disponible pour lui durant ce temps des Fêtes. Il sortit lentement, la froidure hivernale lui sembla encore plus glaciale et son corps transis refusait de réagir pendant qu'il se dirigeait tel un robot vers le club. Là, le joueur de hockey était certain de trouver des gars comme lui, traînant leur vague à l'âme dans quelques scotchs bien tassés. L'euphorie artificielle leur était salutaire durant ces quelques semaines d'accalmie, le temps de la venue d'un Sauveur.

**

Entre Noël et le jour de l'An, Rose Emma s'immobilisa souvent devant son poste d'observation favori, bien qu'elle avait reçu plusieurs invitations de ses tantes. Elle faisait figure de veuve parmi sa parenté la plupart du temps et cette année particulièrement, elle n'avait pas le goût de la fête. Un soir, elle s'enferma dans son vivoir, verrouilla la porte, elle sortit l'enveloppe cachée dans la doublure de son sac à main. Rose Emma relisait et décortiquait chaque mot de ce billet d'André et conclut que ces courtes phrases renfermaient le libre arbitre durant cette attente volontaire. Cette drôle de sensation de se savoir aimée malgré tout, Rose Emma commença à l'entrevoir, car jamais auparavant, avait-elle consenti à s'y attarder volontairement. Était-ce possible qu'une personne aime ainsi, à distance, sans l'assurance de savoir cet amour sien un jour et surtout, sans se connaître?

André l'attendait patiemment avec le souci de ne pas l'inquiéter, de ne pas lui nuire. Un soupirant léger comme l'oiseau pensait à elle quelque part et Rose Emma entendit son cœur battre de ce fol espoir. Son intériorité implosa à la seule pensée qu'une telle chose puisse un jour lui arriver. Elle sortit du papier à écrire lorsqu'un bruit la fit réagir. Un vertige la paralysa quelques secondes, puis elle cacha son trésor dans un tiroir, déverrouilla la porte doucement et alla s'asseoir sur la chaise du petit secrétaire et d'une main tremblante, inscrivit sur la feuille blanche : chère Jacqueline, lorsque son mari entra. «T'es là! J'te pensais couchée comme d'habitude… pourquoi tu t'renfermes de même, la porte fermée?»

Sans se retourner, Rose Emma se pencha sur son papier. «J'essayais d'écrire une lettre à Jacqueline… d'ici, j'suis plus proche d'la p'tite. C'est tellement loin, sa chambre d'en bas.

—À l'âge qu'est rendue, as-tu encore besoin de la couver d'même ? Verrat, lâche-la ta fille pis vient m'faire à manger, j'ai pas soupé… y'avait trop d'ouvrage. Même pendant les Fêtes, c'te maudit garage-là dérougit pas. »

Rose Emma réfréna sa nervosité et suivit son mari vers la cuisine. Elle fonctionnait la tête vide, son cœur était figé autour d'émotions coupables pendant qu'elle préparait à manger à cette entité bien réelle devant elle, son mari.

Le repas grandiose chez les gens d'église approchait et madame Mayer avait longuement hésité avant d'y inviter son fils, mais comme ses deux autres enfants désertaient sa table, elle se sentit en devoir afin de taire les médisances si jamais et elle se contraignit à recevoir ce fils…telle une tache d'encre indissoluble. Adriane occupa une bonne partie du repas gastronomique préparé des mains expertes de sa grand-mère. Ainsi, les grandes personnes n'eurent pas à meubler les longs silences qui accompagnaient les manières guindées. Yvan trompait cette tension à sa manière en prenant charge de ce bon Bourgogne et se permettait le service aux convives tout en se soignant généreusement. Monsieur le maire commença à rire des fables quelque peu discourtoises d'Yvan, trop heureux de retenir l'attention du personnage de marque. Sa corpulente épouse, mal à l'aise, taraudait les tibias de son mari, petits gestes qu'elle croyait discrets sous cette table drapée d'une très jolie nappe de dentelle ivoire.

Alors, madame Mayer hâta le dessert et le café. Elle le servit précipitamment, car son plaisir avait été brisé et elle avait hâte de retrouver son intimité. Monsieur le Curé observait et emboîta le rythme de sa ménagère et entraîna ses convives au salon. Il prit Adriane dans ses bras et alla s'asseoir dans le fauteuil et s'y berça quelques minutes avec l'enfant, puis il s'adressa à Yvan, animé du regard brillant de l'ivrogne qui espère une autre liqueur alcoolisée dans la minute. «Je ne vous en voudrai pas de nous quitter tôt monsieur Mayer…visiblement, votre femme et votre fille sont très fatiguées. »

Il n'eut pas le temps de répliquer, car en se retournant vers sa femme, sa mère tenait l'habit de neige de la petite et lui signifiait de prendre sa fille. Rose Emma regarda sa belle-mère, la remercia du regard, son mari avait atteint le point critique à ne pas franchir. Si le geste sembla altruiste aux yeux de sa belle-fille, la femme agissait par égoïsme envers cet abruti d'enfant. Comme à son habitude, il avait eu le don de ruiner une réunion importante, autour d'une table raffinée de cristal d'Arques et de petits plats nombreux et savoureux, un repas très envié par les paroissiens.

La vie reprenait peu à peu sa routine tout de suite après la fête des Rois, dernière messe à grand frais du calendrier des Fêtes de Noël. Les paroissiens fêtaient l'occasion en maintenant cette tradition dans la plupart des foyers. Il s'agissait d'élire un roi et une reine pour celui ou celle qui trouvait le pois ou la fève dissimulé dans la part de gâteau qu'on leur servait au dessert. Si le hasard favorisait des adolescents, les adultes ne pouvaient s'empêcher de ricaner en supposant quelques fréquentions ultérieures et malicieusement les regardaient rougir. Le malaise s'en trouvait décuplé lorsqu'on avait prit soin de fabriquer des couronnes pour les heureux élus. Ce fut le cas de la jeune soeur de Rose Emma, Élaine, n'appréciant guère être jumelée à un cousin boutonneux ayant eu le malheur d'exhiber sa trouvaille pendant qu'elle espérait qu'aucun de ses cousins ne trouve quoi que ce soit. Élaine enleva sa couronne rapidement et prétexta de s'enquérir d'un surplus de crème dans la glacière et son absence à la table calma quelques peu les ricanements déplaisants. Rose Emma dînait seule, telle une veuve, préférant ce statut provisoire plutôt que les tensions constantes d'un mari saoul.

Un soir de grand vent de février, Rose Emma passait une autre soirée dans une solitude particulièrement pénible. Elle craignait de plus en plus les retours de son mari titubant et sur une gestuelle presque mécanique, elle sortit son papier à lettres et commença à rédiger une dépêche à un soupirant qu'elle connaissait à peine. Penchée sur son écriture, elle prononça le nom d'André en même temps qu'il se matérialisait sur le papier et soudainement, elle lâcha sa plume et sanglota tout en chiffonnant la feuille. Elle la déchira violemment. Un geste tangible, un exutoire à son sentiment d'impuissance devant la dualité de sa vie. Rose Emma ressentit l'urgence de prendre une décision finale. Une tension intérieure enveloppait sa morosité depuis des mois et cette anxiété destructrice dissimulée sous une nonchalante insouciance, l'exténuait. Elle ne possédait pas les réserves vitales suffisantes pour continuer d'élever sa fille sous un tel climat. Ne voulant pas se résigner à cette vie de soumission - servir de tampon envers les colères de son mari - se laisser envahir le corps contre sa volonté - ses devoirs conjugaux insupportables, en plus de craindre une grossesse durant les longs jours d'attente jusqu'à ce que ses menstruations lui permettent enfin d'expirer, soulagée. Les méthodes artisanales de sa mère ne la rassuraient qu'à moitié. Voilà, à quoi se résumait sa vie…la peur!

Rose Emma regardait le vent fouetter la neige en bourrasque à travers la vitre de son boudoir, alors un élan de survie la poussa de nouveau vers son secrétaire, elle se hâta et fit taire sa culpabilité toujours en veille au fond d'elle-même et elle poursuivit sa désobéissance parce que cette pulsion la replaçait dans la vie…

Bonjour André,

Cette rencontre dans le train est imprégnée en moi et de te savoir en pensée envers moi, me donne le courage de t'écrire. Je te donne une adresse, si tu reçois cette lettre, c'est que je m'y trouve parce que je me serai sauvée du domicile conjugal. Ce n'est qu'une question de temps, une longue agonie qui doit suivre son cours comme une mort et j'espère m'en aller vers une délivrance. Je sais que je risque une vie hors la loi, je la préfère, l'espère, plutôt que mourir à petit feu. J'ai le devoir de me secouer, de tenter d'être heureuse seule ou… peut-être… savoir que tu m'aimes autant, demeure un mystère pour moi. C'est aussi un bonheur secret, une motivation suffisante pour mettre le pied hors du lit le matin. Toi et ma fille…

De cette Rose que tu aimes…

Elle inscrivit l'adresse de Montréal au bas de la page, celle dont elle détenait la clef et Rose Emma se leva d'un bond et courut ouvrir la porte de sa penderie, agrippa le sac et y fouilla. Elle sentit le métal dans sa main afin de s'assurer qu'elle était bien réelle, cette chose qui représentait tout, le premier symbole de sa liberté. Elle la replaça à sa place avec la lettre bien cachetée, mais non adressée, referma la porte et s'en alla regarder sa petite soie dormir quelques instants puis elle descendit à la cuisine se faire un thé. Assise devant le liquide fumant, Rose Emma se détendit progressivement, soulagée d'avoir osé accomplir cet acte déloyal, le premier pas vers son exil volontaire. La porte de la cuisine s'ouvrit précipitamment et la pensive sursauta. «Verrat ma femme, t'as pas à avoir peur... c'est juste moé, ton mari.»

Yvan ricana de la frousse de sa femme et pendant qu'elle lui préparait à manger, elle se félicita du geste posé antérieurement. Rose Emma observait son jeune mari si beau, capable de séduire toutes les femmes alors qu'elle ne désirait qu'une chose, se séparer de lui. Incompatibilité de sensibilité aurait été la raison la plus valable si, la femme mariée avait eu le droit de l'exprimer publiquement. Yvan aurait sans doute fait le bonheur de bien des jeunes femmes qui aimaient se faire détrousser et se faire prendre comme une chose, sans tendresse, l'assouvissement d'une mécanique animale. Elle ne lui en voulait pas de s'approprier ce que la loi et l'Église lui serinaient depuis son plus jeune âge. Ses questionnements ne culpabilisaient qu'elle-même. Était-elle une femme frigide? Était-elle incapable d'abandonner son corps? Pourquoi les manières d'Yvan lui répugnaient à ce point pour qu'elle en soit si malheureuse? Toutes ces questions ne concernaient qu'elle-même et des réponses manquaient cruellement à son questionnaire. Mais, pour l'heure, la femme mariée monta vers sa chambre, en tentant d'enlever les mains de son mari fouinant sous sa robe.

CHAPITRE XIII

QUE TA VOLONTÉ SOIT FAITE !

L e printemps avait tenu sa promesse et se présentait à temps, se vantait de redoux et faisait fondre les glaces, libérant les eaux de la rivière. La dormante avait été réveillée sournoisement. Pressée de faire peau neuve, la rivière rejeta trop vite ses glaces et provoqua des embâcles très importants près du pont et les habitants eurent très peur de se retrouver isolés sur un versant de la rivière. Des demeures cossues eurent à éponger les dégâts laissés par la crue et chaque année, Léone se félicitait d'avoir préféré une résidence au cœur de la petite ville plutôt que le long de la belle aux eaux bleues foncées. Léone s'attarda sur la galerie de bréviaire, à peine délestée de ses amas de neige, la dame se réchauffait le visage quelques minutes sous un soleil radieux et goûtait au plaisir d'être dehors. De petites touffes de gazon vert pâle se dressaient déjà près des fondations de la maison. La vie se remettait vite sur ses pieds, chaque printemps envers et contre tout elle s'activait, bourgeonnait. Léone sursauta lorsque monsieur le Curé frappa dans la vitre, la priant de rentrer avant d'attraper un rhume. « Ce n'est pas le temps d'être malade. Nous avons un voyage à planifier. Vous me verriez très navré de devoir aller quérir mademoiselle Rita, sans vous.

— Le printemps me revigore toujours aussi intensément comme si… mon sang se remettait à circuler à son juste rythme. Il me fait faire des imprudences. Rassurez-vous, je suis plus coriace qu'il n'y paraît sous mon apparente fragilité.

— Puissiez-vous dire vrai. Vous êtes un membre prédominant pour cette grande maison et pour ceux qui y habitent. »

Monsieur le Curé regarda la frêle dame un instant et se retourna vers la fenêtre. Son malaise et la rougeur de ses joues le mirent mal à l'aise et il s'en voulut de se dévoiler ainsi, craignant l'ambiguïté sur ses véritables intentions. Léone ne profita point de son embarras et lui posa la question concernant leur départ vers les Laurentides. « Il me semble que le bedeau pourrait ramener cette femme à votre place. Vous êtes à peine remis du grand brouhaha des Fêtes et Pâques s'en vient à grands pas et le temps des retraites augmente vos heures de service même si un Père Dominicain vous enlève deux bonnes heures de sermon chaque soir. Durant cette semaine-là, vous devez l'héberger et l'entretenir de maintes façons… Vous cachez votre fatigue et tous les soucis de vos paroissiens deviennent des sources d'insomnie de plus en plus fréquentes. Sans parler, des tracas que vous cause cette troupe de marguilliers, tous plus empressés de mousser leur propre pouvoir lorsque les finances de la paroisse miroitent entre leurs mains. Dieu n'interdit point de prendre du temps pour soi que je sache !

— Justement, faire ce voyage d'agrément en votre compagnie madame Mayer, ce sera le bon moyen de m'éloigner de mes préoccupations et de m'aérer la tête. »

La ménagère, à court d'arguments, se dirigea vers sa cuisine en hochant la tête. Ila partirent tôt le jeudi matin, un petit vent frisquet et un ciel couvert n'empêchaient point la dame de se détendre, assise sur la banquette avant, elle profitait de la vue sur la route sinueuse. La discussion meublait suffisamment l'atmosphère et amena Léone vers un sentiment s'apparentant à de la joie. Ils s'arrêtèrent au chalet des prêtres, abritant deux vieillards durant la saison morte. Ils étaient heureux d'accueillir les visiteurs et d'égayer leurs repas plutôt monotones. Léone avait bénéficié d'une aile à part et ils quittèrent leurs hôtes le lendemain, après la messe de sept heures, suivi d'un bon déjeuner. La femme prodigue était attendue chez les Religieuses le vendredi soir, car les Soeurs avaient invité quelques amies de mademoiselle Rita afin de partager un souper de bienvenue pour le lendemain.

Effectivement, mademoiselle Rita les attendait impatiemment comme convenu la veille et après une collation et un bon thé, ils repartirent sans délai. Ils ramenaient une dame amaigrie à bord, mais ne cessant de sourire. Elle souriait à sa victoire sur son long séjour parmi les agonisants. Madame Mayer lui tenait compagnie sur la banquette arrière et se montra aimable envers cette femme, tellement admirative de son monsieur le Curé. Sa reconnaissance, maintes fois répétées envers son bienfaiteur agaça soudainement Léone. La dame Mayer s'emmura dans un silence coupable pendant que mademoiselle Rita s'adressait à son Curé comme si elle parlait à son idole. Des yeux observaient les deux femmes par le rétroviseur et perçurent ce quelque chose... se pouvait-il qu'une rivalité prenne naissance entre ces deux femmes ? Serait-ce de la jalousie qu'il décelait dans le regard froid de madame Mayer ? Un sentiment de déception, mais aussi d'inquiétude s'empara de lui et il le manifesta sur un ton engageant, espérant négocier une paix relative. « Je souhaite qu'une longue amitié nous liera. Nous profiterons ensemble de la joie de nous réunir. Rendons grâce à notre Seigneur pour tant de bienfaits dans nos vies. »

Mademoiselle Rita s'empara aussitôt de la main de madame Mayer qui sursauta, embarrassée d'être touchée. « Pardonnez mon geste madame Mayer, je voulais vous témoigner ma gratitude pour le dévouement que vous déployez au presbytère et pour vous offrir mon amitié inconditionnelle. »

La demoiselle osa un oeil vers le visage crispé, la dame releva à peine les commissures de ses lèvres pincées et mademoiselle Rita dissimula son malaise devant cette femme froide qui la dévisageait. Alors, madame Mayer entreprit sa tirade. « Je vous sais gré de tant de reconnaissance et croyez bien qu'il est tout naturel d'apprécier les personnes que monsieur le Curé affectionne. Soyez assurée de mon soutien et vous serez toujours la bienvenue dans ma cuisine mademoiselle Rita, au presbytère et dans ma propre résidence. »

Léone insista sur le mot « résidence » afin de se distancer de cette trop grande intrusion dans son intimité envers ce qu'elle considérait son territoire, versus son Curé. Elle se sauvait délibérément en manifestant haut et fort son indépendance. Elle possédait une propriété, elle. Le proclamer de cette manière lui redonna la maîtrise d'elle-même. Après une halte chez les Sœurs Grises à Montréal afin de se délasser les membres, un délicieux goûter en présence de Mère Supérieure leur permirent de reprendre la route, ayant meilleure disposition.

En arrivant au couvent, madame Mayer prétextant une fatigue et préféra se retirer dans sa grande maison. Désir, qu'elle n'avait pas ressenti depuis un fort long moment. Monsieur le Curé la laissa au presbytère, préoccupé par le comportement de sa ménagère. Avant de descendre de la voiture, Léone l'informa qu'elle irait se reposer chez elle. « J'ai quelque peu négligé ma maison et demain après le déjeuner, j'irai chez moi pour la fin de semaine. J'aurai loisir de m'y reposer…

— Faites madame Mayer…je ne voudrais pas abuser de votre dévouement. J'espère que rien ne vous a fait offense durant le voyage…

— Ne craignez rien monsieur le Curé, un peu de repos en retrait me sera salutaire, vous verrez.

— Je ne demande qu'à vous croire… Bonsoir. »

Pour la première fois durant tous ces mois auprès de cette femme, il était contrarié pour ne pas dire, en colère. Quelle mouche l'avait piquée pour se distancer de lui si brusquement, refusant l'invitation des Sœurs au couvent. Il se dirigea d'un pas ralenti vers l'immense galerie, traînait un cœur morose puis il se rendit compte de la présence qui ne le quittait pas des yeux. Se faisant violence, il se tourna vers la demoiselle et l'invita à le précéder devant l'entrée. Il présenta sa bonne figure lorsque la porte s'ouvrit en compagnie de la miraculée et devant l'accueil chaleureux, il oublia sa contrariété.

Léone, entra chez elle le samedi matin et elle fut accueillie par une musique assourdissante venant de la cuisine. Le bruit la mit de mauvaise humeur. Rose Emma dansait et chantait à tue-tête, tenant les mains de la petite qui riait aux éclats. L'entrée par surprise de Madame le faciès rageur, surprit Rose Emma. La petite, voyant le changement sur le visage de sa mère remplaça son sourire par une lippe persuasive. «Bonté divine ma fille qu'est-ce qui vous prend de faire jouer cette musique du diable pour tout le quartier. Cessez ce chahut et comportez-vous en femme respectable.

— Je ne vous attendais pas madame Mayer. Avoir eu vent de votre arrivée, j'aurais enfilé mon air d'enterrement.»

Rose Emma se dirigea vers le poste de radio et tourna le bouton à une tonalité raisonnable et continua de faire danser sa fille sans se préoccuper de sa belle-mère. «Cette musique de noirs en chaleur amènera le désordre et vous devriez avoir honte. Fermez le poste ou changez de station tout de suite, je ne tolère pas de l'entendre dans ma propre maison.

— Moi j'aime ça et je suis chez moi, aussi.»

La réaction de la dame ne se fit point attendre. La vigueur du geste envers le bouton de tonalité et le regard féroce vers sa bru en quittant la pièce, amusa Rose Emma. Adriane se rassura sur le visage de sa mère qui refoulait à l'instant quelques fantômes à la même saveur de hargne.

Rose Emma habilla sa fille et sortit faire une marche pour acheter des légumes sous le marché couvert, un lieu animé par des cultivateurs, hommes et femmes chaudement habillés aux mains rougies et gercées par le froid. Des gens pleins de vie s'animaient dans cet endroit bruyant. Du monde tout autour qui circulait dans tous les sens et des petits enfants qui transportaient les caisses pour aider leurs parents. Même Rose Emma se sentit requinquée au milieu de ces personnes semblables à ses parents qui trimaient dur pour gagner leur vie. Ils vendaient du vivant, des produits nobles et tout ce monde semblait satisfait de leur sort et l'on sentait sous cette atmosphère froide et très effervescente que leur place, ils ne l'auraient pas donnée pour tout l'or du monde. Elle mit les sacs au pied du carrosse et poussa sa promenade jusqu'au garage pour une courte visite à Yvan.

En entrant, le lieu semblait désert, mais elle entendit le ricanement d'une femme un peu plus loin et Yvan semblait de très bonne humeur. Elle s'approcha de l'auto légèrement inclinée sur un côté, la portière du conducteur était ouverte et elle entrevit la silhouette. Yvan sortit de dessous la voiture en glissant sur son banc à roulettes sur lequel il était couché et Rose Emma lui apparut. Yvan se leva d'un bond et entraîna sa femme à l'écart près du comptoir. «Verrat Rose Emma, que c'est qu'tu viens faire icite à matin? C'est pas chrétien de m'faire une surprise de même!»

L'homme, avait l'air d'un enfant que l'on prend sur le fait. «Rose Emma c'est pas c'que tu penses pan toute…

— Y'en as-tu souvent des grandes crinières blondes qui viennent te jaser pendant que tu répares leur char…Yvan Mayer?

— Commences pas tes jugements, c'est la femme d'un de mes chums… est arrivée à matin comme…j'étais pas pour la r'tourner chez eux. Pis t'as pas d'affaire icite, j'en ai pour l'avant-midi au complet. »
Rose Emma envisagea son mari. «Tu mens très mal mon mari.»

Elle s'empressa de sortir au grand air, dégoûtée. Tiraillée par le doute, sa colère se profila durant son retour et se transforma en une déception attristante devant ce qu'elle venait de vivre. Sauver son amour-propre en prenant la ferme résolution de ne plus se laisser molester par ce gigolo menteur, atténua légèrement l'humiliation qui rongeait ses entrailles.

Madame Mayer tiqua en regardant sa belle-fille aller et venir tout à fait à l'aise dans ses chaudrons. Elle réalisa combien le temps passé au presbytère l'avait complètement absorbée depuis des mois et elle ressentit cela comme une perte de pouvoir dans sa propre maison. La dame en était humiliée. Léone s'attabla devant la soupe aux légumes préparée par Rose

Emma. «Ce potage est trop gras, trop chargé ma fille. Vous gaspillez trop de légumes et la saveur s'en trouve affaiblie.

— Je prépare ma soupe comme chez nous, en faisant mijoter des gros os à soupe… je la trouve très bonne.»

Léone mangea du bout des lèvres et se leva de table sans attendre le plat principal. «Vous avez plus faim. J'ai un pâté chinois dans le four…

— Ingurgiter autre chose à la suite d'un tel potage?»

La dame quitta la cuisine, mais fit volte face et la froidure du ton résonna dans la pièce. «Je préparerai moi-même le repas du soir.»

Elle disparut sous la grimace de Rose Emma dans son dos et elle se servit une plus grande portion de ce pâté et mangea en souriant à sa petite soie toute beurrée de ketchup. Personne ne vint troubler la quiétude de Rose Emma durant l'après-midi, ni son mari, ni madame Mayer ne daigna se montrer et vers cinq heures, la belle-fille frappa doucement à la porte de la dame de fer sans obtenir de réponse. Elle était sur le point de retraiter lorsqu'elle vit un filet de la porte s'entrouvrir. «J'apprécierais une tasse de thé… préparez la théière pour deux tasses. Je ne descendrai pas. Faîtes… votre ordinaire sans moi… allez.»

La porte se referma aussitôt et Rose Emma ressentit une drôle d'impression vis à vis sa belle-mère. Elle avait vu une telle solitude dans le regard de cette femme qu'elle en fut toute retournée durant sa descente. Elle prépara le thé et plaça quelques tranches de gâteau dans une assiette et monta le cabaret. Elle entra sans frapper, déposa le plateau sur la petite table ronde près de la porte et la referma doucement. Un vague à l'âme s'empara de la fille sans qu'elle ne comprenne sa validité. Rose Emma téléphona à sa mère et personne ne répondit. Prenant sur elle de faire un «longue distance» comme disait son père, elle composa le numéro de Jacqueline puis se ravisa, replaça le récepteur et s'en alla devant sa fenêtre, engloutir son regard sur le gros arbre décharné.

Le militaire aimait particulièrement son travail car son jouet volant le gardait loin de la terre et André lorsqu'il planait, donnait du mou à son âme. La prisonnière s'évadait quelques heures. André travaillait trop. Sa santé se détériorait, il perdait du poids et les médecins décidèrent qu'il devait prendre une pause. Trois à six mois, ses supérieurs ne lui donnaient pas le choix de s'arrêter au nom de la sécurité et aussi parce qu'il constituait un élément important dans l'équipe d'aviateurs. Tous les officiers sur la base se demandaient comment il avait fait pour se rendre à la fin de ce cours très exigeant si tôt revenu d'Europe. Un entraînement rigoureux en plus des longues heures d'étude puis de pratique, avait eu raison de bien des aspirants pourtant doués. Maintenant, son but était atteint et les nuits du sommeil réparateur toujours aussi rares commençaient à peser sérieusement sur le bilan de sa santé. Régulièrement réveillé par ses propres cris, se pensant encore en enfer dans un autre cauchemar aussi atroce que le précédent. Par chance, Rose Emma son amoureuse secrète parcourait ses rêves éveillés. Que n'aurait-il pas donner pour retrouver la quiétude de son adolescence, au temps de sa jeunesse insouciante, au temps des petites hontes savourées comme de grandes victoires - prendre une brosse avec ses potes ou rêver aux belles filles du village et rougir honteusement en imaginant la forme du sein sous le chandail moulant. Personne ni aucun miracle ne pourra lui rendre ses pensées puérils sans conséquence autre que la banalité de sa jeune vie. Il avait vu toutes ces horreurs et aucun retour en arrière n'était plus possible et le fait de se savoir plus vieux d'expériences de vie que son propre père ne facilitait pas ses aspirations futures. Comment en retirer des appétences utiles et se persuader qu'elles valaient la peine ?

Combien de ses jeunes compagnons d'arme n'avaient pas supporté le retour à la vie dite normale. Plusieurs s'étaient suicidés peu de temps après leur retour. D'autres se tuaient à petit feu dans la boisson ou des drogues dures, non suffisamment puissantes pourtant, rien ne leur enlevait la laideur des combats de leurs têtes une fois pour toutes. La plupart, s'abrutissaient à longueur de journée, efflanqués un peu partout en ville sans avoir le cœur de rien entreprendre.

André Lacasse, lui, s'était jeté corps et tête dans l'étude jour après jour jusqu'à son terme final, le diplôme. Ses galons et ses ailes de pilote reluisaient sur sa jaquette militaire et confirmaient son exploit. Maintenant et depuis quelque temps, il se sentait très las, fatigué pour ne pas dire épuisé. Comme si, sa capacité physique l'avait abandonné au fil d'arrivée même si sa tête lui ordonnait de poursuivre sa quête. Devant le verdict qui ne lui donnait pas le choix, André voulait retourner en Beauce, il en avait besoin pour se ressourcer, pêcher la truite avec son père, manger les pâtés à la viande de sa mère, le goût lui venait à la bouche rien que d'y penser. Il avait acquiescé aux ordres de ses supérieurs et fait sa paperasse de sortie durant toute la semaine et mit la clef sur la petite porte de son casier postal une dernière fois avant son départ. Il accomplissait le geste machinalement sans regarder vraiment lorsqu'il l'ouvrit de nouveau. Une lettre personnelle s'y cachait, il s'était dit qu'elle devait venir de sa famille, mais aussitôt qu'il se douta à qui appartenait l'écriture et son cœur se mit à battre plus fort et sa main trembla en retournant dans son bureau. Assis depuis un moment, il fixait la lettre posée sur le bureau, gardait son coupe-papier dans sa main, incapable de se décider à s'en servir. Soucieux, il anticipait un changement imminent dans sa vie à cause du contenu de cette lettre. Agrippant l'enveloppe, il la cisailla d'un trait. André relisait et décortiquait chaque mot de cette lettre de Rose Emma, ayant peine à croire à sa décision terrible de conséquence. Pourtant, il ne pouvait s'empêcher de ressentir une pointe d'espoir concernant l'épilogue de sa propre histoire d'amour.

La disparité de ses questionnements l'embrouillait et il s'empressa de regarder la date de l'estampille postale sur l'enveloppe et ainsi, il parvint à mettre un peu d'ordre dans ses idées. Bien qu'il avait une adresse pour se repérer, aucun numéro de téléphone n'était inscrit et André souhaitait tant parler à Rose Emma, au plus vite. Avait-elle été victime de violence de la part de son mari pour arriver à une action aussi radicale ? Était-elle en sécurité et surtout son état moral était-il suffisamment lucide pour qu'elle accepte son aide ? Tant de questionnements pendant qu'il cherchait une solution et soudainement l'idée lui éclaira le visage. Il décrocha le récepteur et signala l'opératrice et demanda le numéro du relationniste du Club de hockey de Jean-Marc et ainsi, il obtint le numéro de téléphone de sa résidence. André avait eu recours à son statut de militaire en racontant un pieux mensonge à celui qui l'écoutait - l'ami perdu de vue et que l'on veut retrouver.

André regardait les chiffres du numéro de téléphone sans oser les composer. Il craignait un refus de la part de Rose Emma. Habitué de la rêver dans sa réalité quotidienne, maintenant il se tenait devant le téléphone avec la crainte de voir ses beaux espoirs s'évanouir. Il suffisait d'un mot de sa part pour tout anéantir. André se morfondit une bonne heure puis après qu'il eut regagné son appartement sur l'heure du souper, il composa le numéro en retenant sa respiration. La sonnerie de plusieurs répétitions lui parut une éternité avant qu'il n'entende la voix d'une femme au bout du fil. « Bonjour…c'est toi, Rose Emma…

— André ? C'est… bon d'entendre ta voix.

— Comment vas-tu ? Es-tu en sécurité ? Adriane est avec toi ? »

Une pause de la part de la femme le fit réagir. « Excuses-moi de te bombarder de questions, j'm'inquiète depuis que j'ai lu ta lettre.

— J'suis ben nerveuse, mais ça va…Jean-Marc est un gentleman, il m'a dit de me considérer chez moi…mais… »

Rose Emma s'arrêta de parler, sa peur morbide envahissait encore son échine et elle se remit à trembler. « Rose, me permets-tu de venir…je peux prendre l'avion militaire ce soir…dit un mot et j'arrive. »

Un silence s'étira en une telle langueur pour André. « Oui… »

La voix de Rose Emma s'étrangla dans ses sanglots, elle inspira profondément. Un court silence alerta le militaire. « Rose…t'es plus toute seule. Reposes-toi cette nuit, j't'appelle aussitôt que j'arrive à Montréal…inquiètes-toi pas… »

Rose Emma renifla et s'apaisa un peu sur ses paroles d'encouragement. « J't'attends…oh, je laisse sonner plusieurs coups avant de répondre, tu comprends…j'ouvre pas la porte à personne…appelle-moi, avant de sonner…j'ai tellement peur…

— J'arrive…pour t'amener déjeuner. »

André raccrocha, il ne perdit pas de temps et entra en contact avec ses co-équipiers en service. Il s'embarqua sur le vol le plus rapide, celui pouvant le déposer sur la base militaire la plus près de la grande cité. Jamais homme ne fut plus rapide à boucler son bagage. Il arriva au hangar une heure avant le départ. Le dernier vol était prévu pour onze heures trente. Il sera arrivé aux petites heures lorsque le nouveau jour l'emportera sur la nuit. Il s'impatientait d'atterrir à la porte de cette femme ! Elle lui ouvrira en chair et en os. Bientôt, dans quelques heures, il sera devant elle. L'anxiété avait été terrible à apaiser, il avait fallu cohabiter avec la bête. Difficile de la chasser de son corps cette onde de tremblements avant qu'elle n'arrive, qu'elle soit bien réelle, sa raison de vivre.

Yvan, ne s'était douté de rien rentrant aux petites heures de la nuit. Sa femme était couchée dans leur chambre et le dimanche, elle se prépara pour assister à la grand- messe pendant qu'il resta à la maison avec sa fille. Rose Emma avait même préparé un rôti de boeuf pour dîner et elle semblait de bel humeur, assez pour se laisser faire durant le dodo d'Adriane en après-midi. Puis le lundi soir, il trouva la maison vide, mais cette fois une lettre l'attendait adossée sur le plateau de fruits au milieu de la table. Le cœur en alerte Yvan décacheta l'enveloppe sans vraiment croire à la catastrophe qu'il se préparait à vivre. Il lut en vitesse comme si une vieille appréhension se matérialisait devant ses yeux.

Yvan,

J'ai essayé de m'adapter à ta vie, mais je n'y arrive pas. Je te quitte avant de descendre dans ma déprime qui me tue à petits feux. Je sais, tu penses que je t'appartiens, c'est faux, je suis la seule propriétaire

de mon corps et je le reprends. Ne me cherche pas Yvan, je ne reviendrai
pas. Je préfère le jugement et ta haine plutôt que l'esclavage dans ta mai-
son. Je tente ma chance vers une vie plus satisfaisante avec Adriane, j'ai
le devoir d'essayer pour nous deux. Yvan, oublies-moi et je te souhaite
d'être heureux. Laisse passer un peu de temps et nous pourrons trouver un
arrangement pour que tu voies la p'tite.

Rose Emma.

Yvan demeurait debout devant la table de cuisine, la lettre encore dans
la main. Un premier sentiment lui parvenait par devers sa stupéfaction et
c'était la honte de devoir avouer la fuite de sa femme à sa mère. Et ses
chums? Ils le jugeront inadéquat à garder une femme. Yvan connaissait
trop bien les insinuations subtiles dans le regard de ces bougres. Ensuite,
lui apparut la silhouette de sa femme si délicate, si belle et il ressentit
la douleur de sa défaite à travers cet orgueil mâle, habitué de dominer
les êtres et les choses qu'il choisissait s'asservir. Elle l'avait bien eu sous
ses dehors de timidité, elle cachait une soif d'indépendance semblable
aux putains qu'il côtoyait. Ces femmes avaient fait le deuil de leur réputation et leur dépit envers celles qui s'en souciaient, renforçait la valeur
de leurs pertes impossibles à racheter. Des femmes condamnées à l'exil
loin de leurs racines. Sa femme en avait décidé ainsi délibérément, une
vie dans l'illégalité, une femme séparée. Yvan commença à redouter un
rival incapable de concevoir sa femme assez forte pour agir seule. «Y doit
forcément avoir un autre homme pour la faire vivre…est tu seule sans
argent avec la p'tite en plus.»

Soudainement, sa fille lui apparut et la rage lui monta à la gorge. Yvan
venait de trouver le moteur pour nourrir sa hargne contre celle qui osait
encore se sauver loin de lui. Rose Emma avait commis l'irréparable et
puisqu'elle ne l'aimait plus, pire elle le quittait alors, cette sans cœur aura
la punition qu'elle mérite. Yvan alla se désaltérer chez l'hôtelier comme
à l'accoutumée et bien que ses chums le trouvait songeur, aucun ne vit le
désarroi dans les yeux de leur ami. Yvan attendit vers la fin de la semaine

puis il téléphona au presbytère pour demander audience auprès de monsieur le Curé.

Léone avait remarqué sa Cadillac stationnée et elle se préparait mentalement, adoptant son armure blindée, mais Yvan s'était dirigé directement dans le bureau des audiences. Intriguée par l'entretien porte close depuis une bonne demi-heure, beaucoup de scénarios s'élaboraient dans son cerveau avant qu'elle ne voie la massive porte capitonnée s'ouvrir. Yvan portait un habit et pour une fois malgré son air grave, son visage semblait plus reposé. Ce qui signifiait que le fils n'avait sans doute pas pris une cuite la veille. Cette déduction de Léone favorisa un meilleur allant vers lui. Il salua sa mère d'un signe de tête et sortit en vitesse. Décontenancée par cette attitude inhabituelle, Léone se tourna vers le Curé et l'interrogea de ce regard qui exige une réponse immédiate. « Qu'est-ce qu'il me cache encore celui-là ! L'avez-vous entendu en confession, sinon parlez monsieur le Curé. »

Le commandement déplut à l'homme mais il se détourna et entra dans son bureau sans refermer la porte. Léone se présenta dans l'embrasure et le Curé l'invita à s'asseoir. « Madame Mayer, votre fils est venu demander conseil à l'homme d'église d'abord et je vous avoue que je suis le premier surpris qu'il se soucie des préceptes de l'Église concernant son problème.

— Justement qu'est-ce qui s'passe dans sa vie pour passer outre mon autorité ?

— Avant toute chose, promettez-moi de ne pas intervenir dans sa décision et de le soutenir. »

Monsieur le Curé remarqua la bouche pincée et le regard quelque peu offensé de sa ménagère et il entreprit de l'encourager avant de lui annoncer la nouvelle. « Madame Mayer, j'ai une entière confiance en vous et j'aurai à entreprendre une démarche des plus délicates au nom de la Foi Chrétienne et je requiers votre support afin de la mener à bien.

— Vous m'inquiétez, qu'est-ce qui s'passe bonté divine ?

— Lundi dernier, votre…belle-fille a quitté le domicile familial amenant sa fille avec elle. Une lettre très explicative sur ses intentions ne laisse aucun doute quant à sa décision… de ne point le réintégrer. »

Le Curé s'arrêta pour donner le temps à son interlocutrice d'absorber ses paroles. « Naturellement, votre fils n'a même pas une petite idée de l'endroit que sa femme a choisi pour recommencer sa vie comme il est mentionné dans la lettre. Toutefois, il soupçonne qu'un autre homme serait à l'origine de sa fuite. »

Léone se cambra dans sa chaise comme si une entité obscure venait de lui enlever les clefs de son autorité sur sa famille. « En quoi cette catastrophe familiale vous concerne plus que moi la mère et chef de cette famille ? »

Ses paroles tombèrent sur le prélat telle une accusation personnelle, mais le Curé reprit le fil de sa révélation sans accorder d'importance au ton sec de la femme. « Parce que si tel est le cas, si un autre homme cohabite avec votre belle-fille, elle devient « adultère » et contrevient aux préceptes de l'Église envers cette enfant. Une innocente chrétienne dans un foyer de péché, cela est inadmissible, ne suis-je pas le Berger du Seigneur ? Je dois la ramener dans la Maison de Dieu, c'est mon devoir ! Et bien sûr, remettre l'enfant à son père légitime. Bien entendu, nous devrons faire preuve de vigilance et ne pas précipiter les choses. Un temps raisonnable devra s'écouler avant d'enclencher ce processus, surtout je dois absolument rencontrer la mère avant toute chose.

Léone se leva et sans un mot, elle quitta le bureau trop en colère, trop humiliée pour renchérir quoi que ce soit. Elle s'occupa artificiellement dans sa cuisine, incapable de se concentrer sur autre chose que la menace, un ras de marée menaçait la réputation de sa famille. Une belle-fille adultère, une petite-fille orpheline et un fils alcoolique, voilà de quoi entretenir les ragots suffisamment longtemps pour ne jamais s'en remettre. Monsieur le Curé n'eut point le plaisir de voir sa ménagère entrer dans le vivoir après le souper, il ne poussa pas plus avant la recherche de sa compagnie.

Le lendemain tout de suite après la grand-messe, Léone se pointa chez elle, laissant le Curé et ses vicaires se servir eux-mêmes leur repas du dîner. Yvan l'attendait dans le grand salon. Il adopta le comportement fielleux de celui qui ne se laissera pas sermonner. « J'vous l'dis mère avant de commencer votre sermon, j'm'en remets aux décisions de monsieur l'Curé, point final.

— Le point final mon garçon, ce n'est pas le moment de le tirer. Tu as beaucoup de démarches à faire pour sauver ton mariage et notre réputation et je n'ai pas l'intention de te laisser éclabousser notre famille, pas après toutes les couvertures que je t'ai fournies. Tu vas te remuer, trouves ta femme et demandes-lui pardon. Elle doit revenir au bercail m'entends-tu Yvan Mayer ?

— Si j'veux pas qu'à revienne… J'en ai assez de c't'effarouchée là… mais jamais à va garder la p'tite… ça jamais.

— Tu ne peux pas t'offrir le luxe de la vengeance. L'heure est venue de sauver notre réputation. Je te conseille d'y mettre tous tes efforts, ne me forces pas à fermer les cordons de ma bourse. Personne ne doit savoir que ta femme s'est volatilisée. Elle est chez une parente qui a besoin d'aide, trouves une bonne excuse, aucune allusion à ton statut provisoire ne doit transpirer ailleurs qu'ici.

— Vous voulez que j'mente quand ça fait votre affaire, mais c'est pas d'ma faute à l'aime pas ça les…rapports avec un homme pis j'suis trop en maudit pour le moment pour courir après elle. Si y'a un autre homme dans l'décor… j'la tue maudit verrat !

— Tes affaires privées, je ne veux pas les entendre. Ta femme était toujours seule avec sa fille, tu sais bien que c'est ta colère qui parle. Il n'est pas question que tu sois un homme séparé. Penses à ta fille justement…c'est toi qui vas l'élever ? Ne penses pas que je vais me sacrifier ou changer ma vie Yvan Mayer. Ta femme s'en tire très bien avec Adriane. Reconnais que tu ne fais pas figure de père exemplaire pour élever une enfant de cet âge. Tu as besoin de ta femme…trouves-la. »

Le regard sévère et sa façon de le dévisager eurent raison des nerfs du fils. Il avait peur et son insécurité monta d'un cran lorsqu'il vit sa mère faire volte face remettre son chapeau et s'apprêter à repartir « J'ai besoin d'encouragement aussi m'man… »

Ne recevant aucune réaction sur le « maman » fol espoir de toucher une corde sensible chez cette femme, Yvan se détourna, incapable de retenir sa supplique infructueuse en face à face. Il entendit la porte avant se fermer, Yvan demeura seul et désemparé, au milieu d'une maison immensément vide pour enfouir son angoisse.

Cécile Levèrs, reçut la nouvelle de la fuite de sa fille et l'inquiétude l'enveloppa, mais Cécile dissimula son angoisse sous un faux ton de fermeté.

« Voyons dont on s'sauve pas d'même chaque fois que les choses vont pas à not'goût ! Es-tu en sécurité ? Pourquoi t'es pas venue m'en parler Rose ? Sainte Vierge que j't'inquiètes ma p'tite fille !

— Moman si j'vous dis l'endroit…de ma cachette, promettez-moi de pas l'dire à Yvan, j'ai peur de lui… de ses réactions.

— On est là pour t'aider nous autres tes parents, on a besoin de se rassurer pis la p'tite ? J'peux la garder pour un bout d'temps…

— Moman, j'me séparerai pas de ma fille, merci de me l'offrir. J'habite dans l'appartement de Jean-Marc à Montréal. Il me laisse la place le temps que j'en aurai besoin, ça fait que j'suis toute seule avec la p'tite. J'manque de rien. J'avais ramassé un p'tit montant au fil des semaines pis des mois. J'vous tiendrai au courant, mais j'vous en supplie dites rien à Yvan. Y'est capable de toute pour avoir le dessus sur moi. Jurez moman.

— Te l'promettre devrait suffire, tu nous connais… tu fais une grosse erreur de t'sauver d'même. Pourquoi, tu t'en vas pas chez Jacqueline pour réfléchir han ? Promets-moi d'y penser veux-tu pis donnes-moi des nouvelles… j'va prier pour toé… pis la p'tite. »

Son cœur se serra en ressentant l'inquiétude voiler la voix de sa mère. Elle s'en voulait de lui causer du souci ne pouvant pas faire autrement. Sa voix inquiète, sans colère ni jugement et les larmes se mirent à tomber. Même sans être d'accord avec elle, sa mère s'inquiétait de sa sécurité d'abord. C'était réconfortant et culpabilisant aussi pour Rose Emma qui assumait une décision pour un mieux être futur. Juste avant de raccrocher : « Moman dites-le pas… à popa, y comprendrait pas comme vous pis j'veux pas avoir affaire à sa réaction pour le moment.

— Rose…les cachotteries à ton père, j'en ai pas fait souvent…mais… je consens jusqu'aux prochaines nouvelles. Penses-y comme il faut ma fille, l'indépendance ça jamais été la tasse de thé des femmes, tu l'sais ben han !

— Vous pensez pas que c'est assez moman ? »

Un silence s'ensuivit. « Merci de m'aider pis j'vous donne des nouvelles bientôt. Faut que j'raccroche… Adriane est réveillée. »

Le téléphone sonna au p'tit matin, Rose Emma se doutait de qui cette sonnerie de plusieurs répétitions était tributaire et très anxieuse, elle décrocha et reconnut la voix espérée lui disant de se préparer à répondre puisqu'il était en bas de l'immeuble. Elle courut ouvrir la porte d'entrée, entendit l'ascenseur amorcer sa montée et son cœur cogna très fort lorsque la lourde porte s'ouvrit, qu'elle le vit sortir et regarder dans l'autre direction avant de se tourner vers elle. Le visage de l'homme s'éclaira et il marcha d'un pas assuré vers ce petit bout de femme qu'il aperçut au fond du grand corridor. Face à face, ils se regardaient, souriaient puis André s'avança encore un peu et l'enlaça. Ses bras s'enroulèrent comme deux aimants autour de cette entité de femme tant de fois rêvée devenue réalité. Rose Emma, demeura dans l'étreinte, son corps se détendait sous la chaleur de ses mains dans son dos. En quelques secondes, le nœud oppressant bloqué dans son ventre depuis si longtemps, disparut. Rose Emma dégagea son visage du cou masculin, appuya sa tête sur le torse de cet homme matérialisé devant elle et André l'étreignit de nouveau et l'embrassa sur le nez pour la faire rire un peu afin d'atténuer leurs larmes et effectivement, Rose Emma avait souri. André lui encercla la taille et ils entrèrent à l'intérieur de l'appartement sans avoir prononcé une parole.

Il déposa son sac et la suivit dans la cuisine, Rose Emma était en frais de mettre la cafetière sur le poêle au gaz dont elle avait toujours la crainte du pouf et elle se recula en dirigeant l'allumette. Le geste fit sourire l'homme. La petite se pendit à sa jupe et Rose Emma la prit et s'avança fièrement tenant la prunelle de ses yeux dans ses bras. Assis face à face, espérant le café qui commençait à embaumer, enfin ils se reposaient, osaient dévoiler leur passion, en évaluait l'immensité, avant de goûter l'ivresse d'en être consumé. Brisant la communication de leurs sens, André lui prit la main et la serra doucement dans la sienne et sur une voix volontairement chuchotée, il rompit leur communication non verbale d'une si belle éloquence. « Que dirais-tu de fêter notre miracle par un grand déjeuner en tête à tête ?

— Les gargouillis de mon estomac m'ordonnent d'accepter. »

Ils se détendirent en riant tout en s'affairant à se préparer pour sortir. Ils entrèrent dans un petit bistro, ça sentait le pain frais sorti du four. André commanda du champagne jus d'orange, car « la » journée des espoirs fous appartenant au monde du rêve s'était matérialisée et cette fois, une allégresse sans nuage habitait Rose Emma et des pépites d'or scintillaient dans ses yeux. La tempête de sentiments contradictoires, nourrie par sa culpabilité s'était tue, car il se trouvait en face d'elle son utopie, l'homme qui lui avait mis le cœur en alerte. Et il l'aimait ! Ce « gentlemen » militaire, ne regardait qu'elle et il prenait son temps. C'était elle qui craignait les élans fous de son corps désobéissant et qui devait se discipliner aux délices de l'attente, la brûlure violente dans son ventre chaque fois qu'il la regardait ou lui frôlait la main.

Ce matin-là, omelette, croissants et marmelade avaient été consommés par deux êtres en totale symbiose. Ils déambulaient lentement sur la rue des grands magasins encore frileuse, André poussait le carrosse et tenait la main de Rose Emma sous la sienne et le peu d'affluence sur les trottoirs leur donnait cette impression d'être au centre du monde et il leur appartenait. Ils rentrèrent gorgés d'air frais, Adriane se réveilla à peine quand sa mère la déposa sur l'immense lit baldaquin de son oncle Jean-Marc. Rose

Emma le retrouva au salon, André lui emprisonna le haut du corps de ses bras. Il refit le tour de ce visage, effleura le contour de la bouche tant de fois rêvée et ce fut Rose Emma qui amorça l'élan, entoura ses bras autour du cou de l'homme et l'ardeur de la passion trop longtemps réfréné s'échappa, se sauva dans l'extase de perdre la notion du temps pour quelques secondes. Ils demeuraient soudés sous l'intensité du désir et ils roulèrent ensemble sur la moquette. Pour la première fois, Rose Emma vibrait dans l'état de grâce du plaisir de la caresse transformé en jouissance de tout son être, au diapason de son chef d'orchestre. Les muscles de leurs corps se détendirent suite à l'accomplissement merveilleux de se donner l'un à l'autre. Le cœur en vacance, ils se retrouvèrent à la table en train de boire un café aromatisé de cognac et de crème, André fumait une cigarette sans quitter le visage aimé. « J'suis tellement bien ici avec toi… mais va falloir que je sorte de ma tour d'ivoire. J'peux pas ambitionner sur l'hospitalité de Jean-Marc.

— T'as besoin de te reposer. C'est très dur pour les nerfs c'que tu viens de vivre. »

André regarda sa Rose droit dans les yeux avant d'avancer. « Y m'semble qu'une p'tite vacance…j'rêve éveillé peut-être, même pour moi, le mot « vacance » ça fait longtemps que je l'ai pas utilisé. J'sais que t'as bien des affaires à régler… »

À la surprise d'André, Rose Emma se montra intéressée. Elle s'avança un peu plus vers son visage. « Peut-être que j'aimerais ça voir ta tanière. Ça m'semble ben loin, mais c'est vrai que j'ai besoin de changer d'air. J'veux surtout pas te laisser partir maintenant. »

André se leva d'un bond et la souleva dans ses bras en la faisant tournoyer sur place. « J'te signe un bail pour la vie si tu veux… »

Ils faisaient des itinéraires de vacances, André voulait l'amener sur la côte ouest. Il voulait lui faire découvrir le Pacifique et la chaleur du sable chaud autant que le plaisir de prendre le « ferry » et aboutir sur l'île de

Vancouver. Il voulait faire le tour du monde avec elle. Rose Emma se mit à rire devant le long trajet de son amoureux «Veux-tu partir pour six mois mon ami ? On dirait que l'monde est petit pour toi André…moi…faut que j'sois raisonnable pour ma fille. Ha, j'ai la tête pleine de tellement d'affaires !

— Une p'tite semaine ailleurs, c'est-tu correct. »

Un signe de la tête affirmatif et ils s'enlacèrent les mains un p'tit moment. Ils décidèrent de partir avant la fin de semaine et André sortit faire quelques emplettes et louer une voiture. Rose Emma s'occupa de sa fille et retarda son appréhension de devoir retourner chez elle pour s'expliquer envers ses parents. Elle hésitait à faire garder sa prunelle par sa mère. Une petite voix intérieure lui disait de ne pas se séparer d'elle, mais grisée par sa métamorphose intérieure, un abus de confiance envers le monde entier ne lui était pas de bon conseil. Rose Emma sous-estimait les soubresauts de son mari pour sauver plus que son mariage. Gagner sur sa femme devint son carburant noirci par sa colère, car chaque jour au réveil Yvan actualisait sa vengeance dans sa pensée, répétant le nom de sa femme avec une hargne grandissante.

Rose Emma quitta son nid d'amour emprunté en compagnie d'André, elle tenait sa fille sur ses genoux pendant qu'ils longeaient la rivière et une crainte instinctive s'empara de la femme, le visage de son mari en colère venait de traverser sa pensée et elle prit peur. «On devrait partir dans l'autre direction. J'ai dont hâte de commencer à vivre tranquillement sans peur, sans craindre une catastrophe. J'pense…j'ai un drôle de pressentiment André !

— On peut l'amener avec nous autres la p'tite. Elle fait partie de ta vie… on est pas obligé d'aller par chez vous d'abord. »

Rose Emma lui décrocha un regard incrédule et lui sourit en guise de son consentement et l'automobile amorça un virage instantané. Aussitôt, le corps de Rose Emma reprit sa position de détente, elle serra la main de son amant et le rire sonore, inonda l'habitacle de l'automobile,ce rire particulier, le propulseur du frisson du bonheur. Dans ce cocon, des amoureux y touchaient à cette parcelle de félicité si rare par les temps qui couraient. Rose Emma se laissait entraîner sur cette route, elle se sauvait sans penser à autre chose que son bonheur naissant.

CHAPITRE XIV

LUNE DE MIEL...
RETOUR DE FIEL

Adrien Levèrs maniait la hache si habilement sur ces grosses bûches qu'on aurait dit qu'il coupait dans du beurre. Les quartiers de bois amincis tombaient par terre et s'en allaient élargir le tas près de lui. Cécile les transportait à pleines brassées jusqu'aux abords de la maison et finissait de compléter sa cordée de bois, quand elle se retourna pour voir arriver l'imposante «Monarch» noire de monsieur le Curé. L'auto emprunta l'allée de terre en anneau derrière la maison et compléta le cercle pour se stationner le nez de l'automobile piquée vers l'avant prêt à repartir. Le Curé Rolland sortit de l'auto et s'empressa d'aller ouvrir la portière du passager et madame Mayer apparut, ayant le maintien royal. Son chapeau de velours noir au large rebord légèrement incliné lui cachait la moitié du visage, si bien que Adrien se pencha de côté pour saluer la dame avant de lui tendre sa main. Léone se contenta de hocher la tête en se retournant vers le Curé, attardé auprès de Madame Levèrs, son foulard de flanelle carrelé noué sous le menton. Elle l'entretenait du redoux depuis quelques jours.

Ils entrèrent à l'intérieur et Cécile prit le temps de se laver les mains et de se passer un coup de peigne devant le miroir au dessus de l'évier avant d'offrir quelques rafraîchissements à la visite. Madame Mayer dédaigna la tasse de thé et préféra garder son manteau de loutre tandis que monsieur le Curé accepta de bon cœur le thé de Cécile déjà attablé auprès d'Adrien.

Le maintien frigide de sa ménagère commanda la rigueur au curé Rolland et le rappela à l'ordre. Alors, tout en se raclant la gorge, il se prépara tant bien que mal à annoncer ses couleurs. «Je suis investi d'une bien triste mission aujourd'hui. Je…connais vos cœurs fidèles pratiquants dans la foi catholique et sans aucun doute, souffrez-vous autant que moi, votre pasteur. Eh, oui! Votre fille s'est égarée sur la pente du péché depuis plus de trois semaines maintenant.»

Adrien Levèrs regarda le prélat d'un air ahuri puis il jeta un œil sur sa femme. «Comprends-tu qu'chose Cécile? Y'as-tu des affaires trafiquées en cachette ma femme?»

Adrien commença à changer de visage en lisant sur celui de sa femme comme dans un livre ouvert. Il détourna son regard et reporta son attention sur le Curé qui n'osa point envisager sa ménagère avant de continuer son amendement. «Monsieur Levèrs, votre fille Rose Emma a quitté le domicile conjugal, emportant sa fille avec elle. Cet état de fait dure depuis trois semaines et je dois intervenir au nom du père de l'enfant qui soupçonne sa femme d'adultère. Nous devons extirper cette enfant de ce milieu de péché et tenter de raisonner cette femme pour qu'elle reprenne ses devoirs conjugaux. Des devoirs qu'elle a bafoués plus d'une fois selon mes informations. Il ne peut être question de laisser ces âmes devenir des proies trop faciles pour le démon. Il n'attend qu'une faiblesse passagère pour s'emparer de l'âme de ses victimes.»

Le Curé fit une pause et constata l'effet de ses paroles sur ses paroissiens. Adrien bouillait de colère sous ses yeux fixés au sol tandis que Cécile humiliée, regardait madame Mayer emmurée dans un silence pompeux. «Nous sommes venus vous enjoindre de faire votre devoir… si vous savez à quel endroit se trouve votre fille donnez-moi l'information pour que je tente une rencontre cruciale pour elle-même. Elle risque de perdre la garde de son enfant si… elle persiste dans son état de péché.»

La menace tomba dans la cuisine des Levèrs comme un glas et le silence devint encore plus lourd. Adrien leva ses yeux incrédules sur ceux de sa femme. Elle semblait vouloir résister aux ordres ecclésiastiques et continuer de protéger sa fille. Ce fut la mère et non l'épouse qui baissa les yeux sans répondre à la supplique non verbale de son mari. « Cécile, connais-tu la cachette de ta fille ? Y faut l'dire pis en finir avec cette t'histoire là. Veux-tu qu'à vive dans l'péché comme une paria toute sa vie ? À va mourir de peine sans sa fille. Est comme toé, ses poussins c'est sacré. »

Adrien se leva de table sans regarder personne et s'en alla cacher la buée de son regard devant la fenêtre de la vaste cuisine. Cécile se leva et regarda madame Mayer qui la dévisageait sans pitié. Cécile présenta sa plaidoirie, braquée dans le regard noir de la dame. « Ma fille est traitée d'une façon immorale dans le régime de votre fils. Si y la traitait comme les commandements de Dieu l'demandent, Rose Emma y serait encore dans votre grande maison aujourd'hui, en train de prendre soin de sa fille. Parlez à ce maniaque-là avant de la condamner. »

La dame de fer répliqua sa tirade sur un ton peu convaincant. « Madame Levèrs, je souhaite le retour de ma bru au bercail le plus vite possible et je suis très mal avisée pour juger de la pertinence de vos propos. Gardez vos insultes pour votre écervelée qui provoque le déshonneur dans nos familles. »

Cécile Levèrs se fit couper la parole par son mari, il se retourna vers elle et son regard dur imprégné de résignation s'abattit sur sa femme. « Cécile pour le bien de notre fille si tu sais, parle… »

Cécile Levèrs regarda le Curé droit dans les yeux, ses joues se coloraient sensiblement sous la contrainte de son devoir, mais son cœur pleurait la trahison envers sa fille. Cécile livra sa hargne dans les yeux arrogants de la femme. « Rose Emma a trouvé refuge chez son beau-frère Jean-Marc à Montréal. Il a eu la bonté d'y laisser son appartement. »

Madame Mayer se leva de table en un éclair et pointa un bras vindicatif en direction de Cécile. «Quel mensonge n'êtes-vous pas prête à vomir pour innocenter votre fille? Jean-Marc ne se préoccupe pas des problèmes des autres, vous mentez!»

Surpris par la vive réaction de sa ménagère, le Curé se força de sourire avant de continuer son sermon. «Allons, n'oublions pas nos devoirs de chrétiens. Ces injures sont indignes de vos âmes. La confession demeure la seule voix pour la purifier de ces rancunes et de tout péché. Bien...je compte sur vous pour avertir votre fille...elle doit me contacter dans les plus brefs délais. Rappelez-lui qu'elle est en état de péché et je serais très peiné de devoir l'évincer de l'Église, car monseigneur notre évêque est très clair quant au sort de votre fille... sa mauvaise foi persistante ne me donne pas le loisir de l'indulgence! Puis-je me fier sur votre promptitude à lui délivrer mon ultimatum. Malheureusement, nous en sommes rendus à cette dernière instance.»

Monsieur le Curé se leva ayant l'air contrarié autant que navré et se dirigea vers la porte de sortie, madame Mayer y faisait le pied de grue depuis quelques moments. Le prélat salua ses paroissiens et Léone Mayer quitta la maison sans un mot ni un geste envers ces gens qu'elle méprisait depuis qu'ils avaient osé mêler son fils bien-aimé à cette sordide histoire.

Cécile replaça les chaises autour de la table et tenta d'attirer une réaction de son mari, mais Adrien se dirigea vers la porte arrière, y agrippa son «parka» au passage et sortit continuer sa besogne. Chaque coup de hache le calmait à mesure que les bûches tombaient de chaque côté de lui. Cécile demeura prostrée derrière une chaise, peinée de la froideur de son mari et le cœur désemparé d'avoir trahi sa fille. Elle courut au téléphone et fit un «longue distance» à Montréal, aucune réponse ne vint calmer la mère rongée par l'inquiétude et le remord.

Durant le trajet du retour au presbytère, le Curé Rolland savait sa ménagère piquée au vif par l'aiguille empoisonnée de l'orgueil envers ce fils, qu'elle vénérait. Il n'insista pas sur le point douloureux et se concentra sur la conduite de son véhicule pour distraire sa pensée de toute cette affaire. Ce n'est que lorsque sa ménagère se dirigea vers son escalier privé attenant à sa cuisine que monsieur le Curé s'avança et lui adressa sa recommandation. «Bien entendu… je compte sur vous pour me donner adresse et numéro de téléphone de votre fils à Montréal. J'apprécierais que vous lui rappeliez l'importance de sa collaboration dans les plus brefs délais.»

Madame Mayer continua sa montée sans daigner répondre aux prérogatives de son curé. Léone s'affala dans son grand fauteuil, renversa sa tête sur le dossier et retint son cri de rage parcourant son échine. Elle avait dû retenir cet exutoire prêt à sortir de sa bouche, l'obstrua de sa main, la maintenait fermement tant l'envie était oppressant. Cette petite garce était en train de salir sur son passage ce qu'elle avait de plus cher au monde, son enfant, son aîné qu'elle aimait sans comprendre complètement ce sentiment qu'elle éprouvait envers lui. Il la comblait, la consolait depuis qu'il était arrivé dans sa vie de misère. Il fallait agir au plus coupant et débarrasser sa famille de ce poison de bru qui souillait de sa présence la demeure de son fils, son cher Jean-Marc. Elle-même, n'y avait jamais mis les pieds, n'ayant pas reçu l'invitation tant désirée.

Léone se morfondit tard en soirée, échafaudant son plan sans pourtant y trouver quelques contentements ou l'amener vers le sommeil. Le lendemain matin tout de suite après avoir servi le déjeuner au curé et à ses deux vicaires, madame Mayer demanda à parler au Curé le plus tôt possible. Les deux jeunes hommes aux yeux intéressés par l'évidence d'un drame éminent, terminèrent leur dernière gorgée de café un peu à la hâte, un seul coup d'œil du Curé les sortirent promptement de la salle à manger. «Madame Mayer servez-vous une tasse de café et asseyez-vous je vous prie. Je vous écoute.

— Je dois me rendre à l'évidence, cette affaire me concerne directement et peut nuire à votre ministère. Sans parler des commérages… un seul ouïe dire peut ruiner de bien solides crédibilités, même les vôtres monsieur l'Curé. Je…vais prendre une pause pour mieux me consacrer à ma famille…nous vivons tous des heures difficiles. J'attendrai que vous vous réorganisiez avant de quitter mes fonctions auprès de vous.»

Cette dernière phrase, Léone la prononça lentement, laissant filtrer une bride d'amertume et la dame s'apprêtait à regagner sa cuisine lorsque la main du Curé se posa sur la sienne et retint son élan. Léone l'interrogea de ce regard fermé, résigné. «L'amitié, ma chère amie, ne serait point si précieuse si elle n'était partagée que dans les bons moments. Votre honnêteté vous honore, mais je crois que votre présence ici n'intervient nullement dans mes prises de décisions concernant mes paroissiens. Dans l'ombre de ces murs, votre dévouement me procure un soutien prépondérant dans mes fonctions de Serviteur de Dieu. Cependant, je comprendrai si vous maintenez votre décision. Ce litige concerne des paroissiens comme tout autre enfant de Dieu.»

Madame Mayer s'adossa tout en soupirant. Elle se sentit honorée de la confiance de son Curé, mais il lui sembla que sa tâche devenait insurmontable. Très vulnérable, Léone se redressa et pour une rare fois, elle consentit à demander conseil à cet homme. «J'ai…conscience que mon fils a prit des habitudes détestables… la boisson est devenu son mode de vie. Trop souvent, l'argent que je lui dispensais camouflait son problème, mais il taisait les mauvaises langues et je me rends bien compte que la vie auprès de lui se transforma en une croix. Ma bru a mis beaucoup d'efforts pour s'adapter. Pensez-vous qu'un séjour dans un endroit de tempérance serait une condition impérative pour sauver son ménage et sa réputation? Je vous demande de lui en donner l'ordre monsieur le Curé. Vous seul pouvez influer sur lui et l'obliger à se faire soigner. J'assumerai tous les frais et ce ne sera pas trop cher payé pour qu'il retrouve un peu de dignité. Sans doute, si Rose Emma savait qu'il revient d'une cure sérieuse, aurait-elle un élan plus favorable pour revenir dans son foyer?

—-Je reconnais la femme de décision positive que vous êtes. Effectivement, je connais une résidence pour traiter ce fléau. Je retiens l'information jusqu'au moment opportun. Je dois m'entretenir avec votre gaillard de fils. Donc, dois-je conclure que vous ne me laisserez pas tout seul, du moins pour le moment.

— Je demeure à mon poste. ».

Léone se releva tout en reprenant les tasses et disparut dans sa cuisine, satisfaite d'avoir pris les devants en impliquant le prélat sur le sort de son dernier fils.

Durant les quelques jours suivants, la maison des Levèrs resta silencieuse même autour de la table, Élaine gardait son opinion pour elle-même de peur d'envenimer la colère de son père. Les personnes attablées ne semblaient pas en appétit. Adrien passait le plus clair de son temps dehors à vaquer à des occupations diverses, emprisonné dans sa colère et toujours déçu de sa femme. Elle ne lui avait point fait confiance dans cette histoire. Il attendait d'avoir repris le dessus sur son cœur avant de reparler à Cécile. Il s'haïssait devant les tentatives qu'elle déployait surtout dans l'intimité du lit, l'endroit qui ne les avait point laissés s'endormir sur un désaccord. Il retenait son envie de se retourner vers elle et lui exprimer ce vertige encore inconnu, cette petite mort envers leur confiance mutuelle. Adrien pressentant un malheur pour celle qui avait marié un mieux nanti que sa condition. Il ressentait toujours un frisson malsain en repensant à cet endroit, cette maison que sa fille avait fui et il comprenait sa désertion sans l'approuver. Compliqué de mettre des mots sur une sensation qui vous traverse l'âme en un éclair. Il désapprouvait sa fille de s'enfuir ainsi, ce comportement ne figurait pas parmi ses principes de vie. Cécile se morfondait sur son côté du lit, espérant désespérément des nouvelles de sa fille, une lettre, un téléphone. Aucune consolation ne venait atténuer le mauvais sang de la femme depuis la désertion de son mari et chaque soir, Cécile s'endormait avec la désagréable sensation d'être incomplète.

De son côté, madame Mayer avait fait mander son fils aussitôt que la maison de traitement avait été trouvée. Un monastère perché dans le haut d'un massif, dirigé par des Pères Franciscains acceptait de faire une exception afin d'accueillir un laïc. L'établissement se mobilisait principalement envers des Religieux atteints eux aussi par ce fléau. Fallait compter deux bonnes heures en automobile pour rejoindre cet emplacement à cheval sur les lignes américaines. Le site se prêtait à la méditation et la réflexion car «pas âme qui vive» à proximité, protégeait ce havre de paix, loin des tentations terrestres.

À peine monsieur le Curé avait-il commencé son sermon, Yvan s'était raidi sur sa chaise, ses yeux se transféraient sur sa mère et sur le Prélat. Sentant la soupe chaude puisque jusqu'à présent, sa femme portait tout le blâme de l'odieux péché. Lui-même, n'avait point été obligé de faire quelques efforts pour aider à ramener son ménage. Lorsque le mot «alcoolisme» fut lâché suivi du mot «vice du démon» Yvan se leva d'un bond, interrompant le Curé qui respira profondément pour calmer le petit vent de colère montant en lui. «Monsieur l'Curé…j'trouve que vous y allez fort là…chu pas alcoolique pan toute. J'prends juste une coupl'de bières après la job, pas toutes les soirs à part de ça… j'peux m'en passer facilement.

— À la bonne heure, vous n'aurez aucune difficulté durant votre séjour parmi des gens que vous aiderez par votre exemple de tempérance. Je n'aurai pas à vous obliger de faire cette remise en question pour votre bien, ainsi que…souhaitons-le, ce geste de votre part pèsera dans la balance de vos nouvelles résolutions envers votre femme et votre fille.

— Non, non, vous comprenez pas…y'est pas question que j'm'en aille dans une maison de tempérance pour aller m'guérir de qu'chose que j'ai pas. J'ai le garage à faire rouler pis, j'ai pas de nouvelles de vous au sujet de ma fille. J'pense que c'est plus pressant que ma retraite dans l'fin fond d'un bois.»

Le Curé Rolland prit un ton très ferme en dévisageant son adversaire. «Vous n'avez pas le choix mon ami…si vous voulez la garde de votre fille bien entendu.»

Il fit une pause avant de poursuivre. «Sinon, vous me verriez dans l'obligation de refuser votre recommandation pour la garde de votre enfant. En ma qualité de serviteur de Dieu…c'est à prendre ou à laisser rien de moins.»

Yvan se sentit prit dans le piège tendu par le Curé et le visage décomposé, il regarda sa mère qui n'avait point intercédé en sa faveur depuis le début de l'entretien. «C'est ben sûr que vous êtes de connivence hein, trop contente de vous débarrasser du fils raté, la honte d'la famille. Ben vous m'aurez pas…j'va aller la chercher tu seul ma fille. J'ai pas besoin de personne.»

S'apprêtant à partir, Madame Mayer éleva une voix calme et froide. «Yvan Mayer, c'est ton devoir de chrétien de te débarrasser de ton vice. Tu veux devenir le tuteur de ta fille et garder tous tes avantages sur la grande maison, alors tu fais ce que monsieur le Curé te recommande. Sinon commence tout de suite à faire ton bagage, tu n'auras plus de place chez moi.
— Maudit verrat…verrat d'verrat!»

Yvan claqua la porte et dévala les marches comme si le démon le poursuivait. Un marathonien se sauvait de cet endroit, abandonnant la Cadillac derrière, il maintint sa cadence jusqu'à ce que son cœur lui commande de s'arrêter. Il respirait, sifflait comme un damné, ne sachant quoi faire ni dans quel endroit se réfugié. Il reprit sa marche rapidement jusqu'à l'hôtel et y entra…le fugitif avait trouvé son palliatif.

***

Ils arrivèrent dans la ville militarisée d'André, une ville ayant des solutions très pratiques avec des constructions d'habitations en rangées tous semblables s'échelonnaient sur plusieurs rues. Tout un segment de la ville était coupé par une haute clôture et seuls les militaires mariés pouvaient y habiter. Des célibataires ou des stagiaires habitaient à la méga structure, un grand édifice de plusieurs étages comportant tous les services sans avoir à sortir du monstre de béton. André jouissait d'une grande chambre bien moderne avec vue assez remarquable sur la ville, au dernier étage. Toutefois, un couple d'amis en stage à l'extérieur lui avait prêté leur maison afin de lui faciliter son séjour en compagnie de ses hôtes.

André avait conduit toute la journée, la fatigue se lisait sur son visage, mais ils se tenaient par la taille et entrèrent sur le palier de la porte. André avait la p'tite sur ses épaules tout en leur faisait faire le tour du propriétaire. Deux chambres situées à l'étage, en plus d'une salle de bain complète, Rose Emma ravie, s'assurait d'une proximité près de sa fille. André déposa Adriane sur le lit et pendant que l'enfant y sautait en ricanant, André et Rose Emma oubliaient leur appréhension face au futur, car pour le moment, ils s'enlaçaient bien collés l'un à l'autre. Ils goûtaient chaque seconde de ces instants de grâce même si leur avenir ensemble ne tenait qu'à un fil. Plus tard, au lit, ils se donnèrent l'un à l'autre activement passionnément et Rose Emma se sentit une femme complète sans fausse pudeur pendant que son homme l'attendait, lui-même à l'apogée de son plaisir avant de la posséder entièrement. Rose Emma arriva à cet endroit lorsque le corps cède et se laisse envahir par les vagues du plaisir. Apaisés, ils fuyaient dans un demi-sommeil puis une caresse relançait la bataille de leurs sens insatiables. Dormir nue, enlacée auprès de cet homme sans gêne et pleinement consentante s'était avérée une découverte magistrale pour la jeune femme. Elle y songeait, les yeux grands ouverts, cette simplicité dans l'intimité l'unissait à celui qui lui avait fait découvrir tout le merveilleux dans l'amour physique. Qu'un homme possède cette patience dans ses caresses émerveillait Rose Emma, jamais elle n'avait imaginé que son corps cachait un instrument si bien accordé pour le plaisir. Elle se tourna vers André, s'appropria une moitié de son corps pour s'y blottir et s'endormit tranquillement sur un léger grognement de contentement de son amoureux.

Ils passèrent ces quelques jours à faire des randonnées, Adriane, assise dans la « sleigh » bien emmitouflée, se laissait tirer par André. Ils n'allaient pas bien loin s'arrêtaient souvent pour s'embrasser ou fumer une cigarette, savouraient le paysage encore affublé de blanc ça et là. Les sapins se délestaient lentement des assauts de neige qui leur étaient tombés dessus et protégeaient les amoureux du vent encore frisquet aussitôt qu'ils arrivaient en terrain boisé. Un silence habité entourait leur aura, ils admiraient tel enchantement se présenter devant leurs yeux et s'imprégnaient du présent seulement sans l'entacher de choses du passé. Conscients qu'ils vivaient des instants empruntés sur l'éternité et il ne fallait pas en gaspiller la moindre parcelle. Parfois, André percevait ce regard lunatique chez sa bien-aimée quand elle était seule, il l'observait à son insu. Elle, après avoir entendu ce premier hurlement, un tel gémissement de peur en plein sommeil. Il se réveillait en sursaut les yeux hagards, André se frottait le visage vigoureusement et se recouchait, l'attirant dans ses bras. Il n'en parlait jamais et se rendormait sur ses chu, chu, qu'il se prodiguait autant qu'à sa bien-aimée.

Rose Emma ne pouvait s'empêcher de se demander qu'est-ce qu'il avait vu, subi de si horrifiant pour lui donner toutes ses sueurs froides nocturnes ? Il avait souffert durant cette guerre et en portait les stigmates, même son inconscient n'avait pas oublié. L'ennemi s'activait à l'insu du dormeur, le tourmentait et le rendait encore misérable, impuissant à se défendre comme dans sa réalité de jadis. Rose Emma veillait pendant que son soldat en profitait pour dormir du sommeil réparateur. Elle guettait la moindre réaction négative sur le corps de son amant et lui frottait le dos juste assez fort pour le ramener dans sa réalité tout proche d'elle, juste assez longtemps pour annuler l'activité de l'ennemi et renvoyer son bien-aimé dans les bras de Morphée, débarrassé de ses démons.

Un matin, ils flânaient à la table, André lui avait cuisiné une omelette au jambon assez volumineuse pour nourrir dix hommes comme lui, ils se tenaient la main et sirotaient le deuxième café de leur main libre. Rose Emma se crispa légèrement avant de lui annoncer sa décision. «André, il faut que je revienne sur terre…c'est dur, mais je dois téléphoner à mes parents. Y doivent être ben inquiets han ? Je n'ai pas donné d'nouvelles depuis qu'on est parti de Montréal. Ça crève un peu mon bonheur presque irréel depuis qu'on est ici tous les deux, mais j'pense à eux autres, j'ai pas l'droit de les inquiéter d'même.

— C'est arrivé ! La réalité nous a rattrapés…ça devait arriver un jour. Fais c'que tu penses être le mieux pour toi. T'es une mère pis les mères ça s'inquiète, contentes-toi, tu vas t'sentir mieux après. Du moins je l'espère…»

Rose Emma frôla les cheveux de sa prunelle en passant et se dirigea vers le téléphone. Lorsqu'elle raccrocha le récepteur, Rose Emma s'affala sur le plancher, le visage blanc comme une cire. André accourut et la releva sans rien lui demander et l'aida à s'asseoir sur la chaise la plus proche. Pas un son ne sortait de sa bouche et l'amoureux savait qu'une menace terrible avait changé cette femme douce en une proie aux abois. Elle ravala, avant d'articuler d'une voix blanche. «André, faut que j'm'en aille chez mes parents au plus vite. Y s'passe des choses terribles là-bas. J'ai peur André.»

Rose Emma regarda André. «Y veulent m'enlever Adriane…ma p'tite fille…»

Rose Emma se mit à trembler et les larmes tombaient les unes à la suite des autres. La femme mariée avait reprit son regard d'ailleurs pour fuir l'horreur de cette menace qui pesait trop lourdement pour le moment.

Les deux grands coups du téléphone avaient retenti dans la cuisine des Levèrs. Adrien devança sa femme et s'empara du récepteur et entendit la voix de sa grande fille, heureuse de lui parler, mais le père entendait aussi l'appréhension à peine voilée dans le ton de voix de sa fille. «Ma grande fille, y faut que tu r'viennes. On vit pus ici'dans depuis que l'curé pis son grand corbeau d'ménagère sont arrivés icite. Le Curé veut t'rencontrer au plus coupant. Y a été question de la garde de ta fille. Y doit y'avoir des commères sur la ligne, ça fait que j'te dis que l'heure est grave. Viens-t'en au plus vite. Si t'as un peu de considération pour nous autres, fais c'que j'te dis.

— Voyons popa, pourquoi que l'curé a parlé d'Adriane d'abord. C'est Yvan qui veut me l'enlever juste pour se venger. L'avez-vous vu ?

— Rose Emma, tu t'es sauvée du domicile conjugal pis à c't'heure, le Curé s'en mêle. Y veulent placer Adriane avec son pére pis y ont la loi de leur bord ça fait que, c'est pas l'temps de lésiner.

— Je pars dans l'heure popa. Dites à moman… »

Rose Emma, entendit l'au revoir de son père sans qu'aucun son ne sorte d'elle. Adrien se tourna vers sa femme et Cécile courut se blottir dans les bras du mari. Leur silence parlait fort et ils commençaient leur attente ainsi soudés l'un à l'autre.

Le lendemain midi, une automobile inconnue s'engagea dans l'entrée des Levèrs. Rose Emma avait insisté sur la présence d'André à ses côtés. Allait-on le considérer l'artisan du péché ? Allait-il subir la colère du père de sa bien-aimée ? André était prêt à tout pour soutenir cette femme qu'il considérait son unique amour, son épouse. De jeunes époux encore plus conscients unirent leur âme durant une dernière nuit, libérant les amarres de leur solidarité passionnelle. Cécile se rua sur sa fille et prit Adriane dans ses bras avant de regarder sa grande, encore imprégnée de l'aura amoureuse puis elle lui serra la main en signe de bienvenue. Adrien Levèrs salua le soldat qu'il reconnut et l'invita à s'asseoir. « On va prendre le temps de manger un morceau avant d'attaquer c'te maudit problème-là. »

Cécile et Rose Emma servirent un bol de soupe aux poix, coupèrent de pain de ménage, puis elles placèrent une théière pleine du bon breuvage ambré au milieu de la table. Elles découpèrent le gâteau à la mélasse frais sorti du four, il embauma la maison d'un arôme réconfortant. Tout en plongeant sa cuiller dans son morceau, Adrien avala difficilement avant de s'adresser à André. « Vous allez être obligé d'partir betôt parce que votre affaire avec ma fille ça va y nuire ben gros. Faut pas que l'curé vous trouve icite. Ça pourrait aggraver son cas… vous comprenez hein !

—J'comprends. Monsieur Levèrs, y faut que vous sachiez tout de suite que j'abandonnerai jamais Rose Emma. C'est ma femme même si aucun document ne l'atteste. »

Puis se tournant vers elle, il imbriqua son regard dans le sien. « Rose…j'serai à l'hôtel si t'as besoin, j'va m'languir sans nouvelles, mais j'ai confiance. »

Rose Emma sortit dans le portique froid imprégné d'odeurs d'étable, afin de retenir quelques instants d'intimité en compagnie de son amour. Il lui donna un baiser un tantinet vorace, la regarda intensément. « J'reste ici pour une semaine deux, trois, le temps qu'il faudra. J'suis là…t'es pas toute seule. Viens me rejoindre ou appelle-moi. Aies confiance. »

André se dégagea de l'étreinte et sortit en trombe et démarra rapidement. Rose Emma rentra mi-rassurée mi chamboulée, mais son père se chargea de la ramener dans sa situation bien précaire. « Bout d'ciarge Rose Emma, on dirait que t'es pas au fait de c'qui s'trame depuis que tu t'es sauvée ! P'tit Jésus d'plâtre, un enfant ça besoin de sa mére voyons dont ! J'ai parlé au notaire hier après-midi. Ta mére a aucun droit légal si à s'en va d'icite. Après toute la besogne... dans la loi c'est ça qui est ça ! Ben, on s'laissera pas plumer comme des poulets, même si c'est l'curé qui veut nous couper la tête. »

Adrien se leva de table et se dirigea vers la porte donnant au salon. « Rose Emma, j'ai affaire à toé. »

L'aînée suivit son père et disparut derrière la porte. Adrien se retourna vers sa fille et Rose Emma, craintive de la réaction de son père se laissa choir sur le grand canapé en velours. « J'entrevois un avenir ben sombre pour toé… c't'homme- là… le militaire… c'est un danger pour toé même si j'doute pas de ses intentions honorables. C'est de l'adultère pis s'sauver de son mari pour vivre avec un autre, une femme accotée comme on dit, ç'est une condamnation… punie sévèrement par l'Église. Te rends-tu compte qu'Adriane est considérée à risque ? Pour le Curé, à vit dans un foyer de péché… »

Adrien se braqua devant sa fille. «Y faut que j'connaisse tes intentions. Penses-tu que tu pourrais r'prendre la vie commune avec ton mari…pour le bien d'la p'tite.

— Popa, j'pense à son bien justement. C'est son père, mais y boit trop pis y s'sert d'elle… de moi pour avoir c'qui veut. J'en ai peur popa…j'pourrai plus tolérer sa présence proche de moi. C'est un alcoolique infidèle qui m'prend comme si j'étais sa putain…pardon, de parler de ça… quand j'vois la p'tite faire la lippe parce qu'à sent l'orage elle aussi, le cœur me fait mal… j'ai épuisé mes nerfs à faire le tampon sans jamais savoir c'qui va m'tomber sur la tête. Non popa, jamais je retournerai dans cette grande maison de malheur là.»

Rose Emma s'approcha de son père pendant qu'il réfléchissait. «Popa, si je dois m'sauver tout d'suite pour garder Adriane, j'suis prête. J'sais que vous allez être montré du doigt... vous allez subir les jugements des bons catholiques… ça m'peine ben gros…

— Les prêtres pis leurs lois, j'les ai jamais eu en odeur de sainteté.»

Et dans un sursaut de danger qu'il pressentit imminent. «Va-t-en Rose Emma va t'en loin…laisses r'tomber la poussière pis quand toute c'te mascarade sera oubliée, tu t'en reviendras. Appelles tu suite ton… pis, dis-y de r'soudre. Y faut qu'tu partes aujourd'hui ou demain matin de bonne heure.»

Rose Emma sentit l'urgence de ne point perdre de temps et elle embrassa son père en ayant conscience des ennuis qu'ils auront à traverser à cause d'elle. Adrien sentit ses yeux en feu avant de faire le geste d'ouvrir la porte des secrets. «C'est la p'tite qui a le plus à perdre dans c't'affaire là. Allons…»

Pendant que Rose Emma téléphonait pour activer le retour d'André, une autre personne se préparait à se rendre à la même adresse. Yvan avait eu vent de l'arrivée de sa femme chez ses parents, sa colère refoulée le guidait et aucune bride ne pouvait la retenir. Il sortit le mastodonte du garage et fonça aveuglément vers le rang de campagne prêt à assouvir sa vengeance. L'homme humilié s'en venait réclamer son bien. Rose Emma aperçut le spectre noir entrer en trombe dans la cour et elle courut s'emmurer dans la chambre de ses parents. Adriane y faisait son somme de l'après-midi et la mère n'osa point s'étendre auprès d'elle de peur de la réveiller par ses battements de cœur à l'épouvante. Yvan, frappa plusieurs coups de poing dans la porte, avant de voir Adrien lui ouvrir, agacé par le comportement de son gendre. Yvan salua son beau-père d'un signe de tête, son regard fouineur scrutait déjà dans la cuisine. Il y trouva Cécile en train de raccommoder des chaussettes et elle ne leva point son regard de son ouvrage. Adrien resta debout sans inviter l'intrus à s'asseoir. «Monsieur Levèrs, Rose Emma est icite avec la p'tite pis faut que j'y parle.»

Adrien appela sa fille et la victime apeurée se rangea près de son père lorsque son bourreau voulut s'approcher. Les dents serrées, Yvan agrippa une chaise et s'assit le dossier devant lui. Il s'y appuya et fixa sa femme en face de lui. «Rose Emma, j'sais que j'ai ben des torts dans notre mariage, mais j'suis prêt à laisser tomber la loi qui m'donne le droit de prendre la p'tite. J'suis prêt à faire un traitement dans une maison qui soigne la boisson. J'veux devenir un homme de tempérance ma femme pis la croix de tempérance sera ben en vue dans notre maison pour le prouver. Je l'sais que t'aimes la p'tite plus que moé… y faut que tu r'viennes ma femme… obliges moé pas à prendre les grands moyens pour avoir gain d'cause.»

Rose Emma fut d'abord surprise de l'intention d'Yvan de se faire soigner, toutefois sa dernière phrase l'alerta et à ce moment la femme échaudée douta des bonnes intentions du mari. «Yvan, notre mariage c'est une grosse erreur. T'avais peur de devoir mettre un uniforme pis t'étais sous la pression de ta mère, c'est elle qui t'a décidé à t'marier dis pas l'contraire. C'était des amourettes de jeunes…moi j'étais éblouie par ton allure, ta popularité pis ton sourire enjôleur. C'est fini Yvan, je t'ai écrit… la vérité… j'y avais ben réfléchi. Y faut que tu te fasses une raison, je reviendrai pas Yvan…jamais.»

Yvan accusa le coup la tête haute même si son cœur lui confirmait sa défaite. Pourtant, son sourire malicieux lui servit de couverture lorsqu'il se leva d'un bond et recula jusqu'à la porte. Yvan pointa son index vers sa femme et l'invectiva rageusement. «Même si y faut que j'me ruine... un jour Rose Emma Levèrs, tu vas ben être obligée de m'donner ma fille.»

Il cria encore plus fortement. «Tu gagneras pas sur la famille Mayer... jamais, jamais...ma femme!»

Il prononça le mot femme d'une telle rage, la maison en demeura imprégnée même une fois le forcené dehors. Les vitres vibrèrent à l'assaut brutal de l'homme. «C'est aussi ben qu'on sache à quoi s'en tenir à c't'heure que c'te fainéant-là nous a faits son numéro.»

Adrien regarda sa femme dont le regard décrivait son accord inconditionnel, un silence éloquent s'empara du cœur du mari et il éprouva une tendre fierté pour sa Cécile qui l'aimait, toujours, envers et contre tous. L'impact des menaces de son mari nécessita plusieurs minutes avant que Rose Emma ne s'apaise, sa fille s'était réveillée en sursaut et pleurait à gros sanglots pendant que sa mère tentait de calmer son état de nervosité extrême. Cécile prit les choses en main et sa petite soie se calma sous les petits soins de sa grand-mère. Rose Emma se pencha pour l'aider. «Moman, je m'en vais chez Jacqueline pour une couple de jours. Louis va être content de voir la p'tite pis j'suis certaine... proche de ma sœur, j'vais trouver du calme pour repartir une suite heureuse sur ma vie. André va avoir des grosses décisions à prendre aussi. C'est curieux moman, André est plus jeune que Louis pis moi... j'suis plus vieille que Jacqueline pis j'me sens avec un homme ben plus vieux. Y pense comme un homme mûr dans un corps jeune.»

Rose Emma effleura les mains rugueuses de sa mère : «Inquiétez-vous pas surtout...André, y m'décrocherait la lune si j'y demandais. J't'heureuse pis en sécurité avec lui.»

Cécile n'avait eu qu'à regarder les yeux de Rose Emma pour lui confirmer cette certitude. André entra dans la cuisine et Rose Emma était prête, elle mit son manteau et se tourna vers son père. « Qu'est-ce que vous allez faire popa…le Curé voulait me parler…vous allez avoir du trouble avec ça.

— Pars Rose Emma…ta mère pis moé, on s'arrangera ben avec ça ! J'te d'mande d'écrire ou ben téléphone. J'veux pas que ta mére s'inquiète inutilement. »

Cécile donna ses bisous et leur fit des sourires le cœur plein d'appréhension devant la fuite de sa fille. Elle pressentait que sa petite-fille n'avait pas terminé son ballottage et tous ces changements d'endroits n'auguraient rien de bien positif pour cette enfant et son cœur se serra tout en leur envoyant une main qui paraissait pourtant confiante.

Rose Emma s'enfuyait pour mieux se rapprocher des personnes aimantes dont le seul voisinage vous donnait envie de douceur, de paix. Pour l'heure, la femme tenait sa fille bien serrée dans ses bras, le cœur encore paralysé pendant qu'elle pensait…s'il fallait que je la perde…qu'il me faille la lui rendre…une terrible appréhension s'empara d'elle, Rose Emma pleura de colère et cette peur qui lui tenaillait le ventre. La justice des hommes ne reconnaissait point l'amour inconditionnel qu'elle portait à sa fille, l'amendement essentiel pour cette enfant. Pourtant, un homme lui tenait la main bien au chaud dans la sienne, un homme suffisamment crédible puisqu'il lui insufflait le goût d'y croire à cette utopie du bonheur. Le miracle, c'était d'y être malgré la loi, malgré tous les obstacles, ils étaient ensemble. « On va s'faire une belle vie ma Rose…tu vas voir… »

CHAPITRE XV

CONFIANCE FATALE

Jean-Marc, n'était pas d'humeur favorable pour écouter sa mère le sermonner à propos de sa belle-sœur. Selon ses dires, en lui permettant de demeurer chez lui, il avait protégé une femme adultère au détriment de son propre frère. Mère ne ménageait pas ses allusions concernant la filiation envers la famille. Elle devait prévaloir avant toute autre charité quel que soit le prochain à secourir. «Bien que je ne doute pas de tes bonnes intentions envers cette femme, je ne comprends pas pourquoi tu ne m'as pas averti?»

Léone visiblement, retenait sa colère d'éclater devant son fils bien-aimé. «Tu savais que ton frère se trouvait dans une position embarrassante.»

Jean-Marc se leva du fauteuil sans la regarder et tentait de retenir son mépris envers son jeune frère qu'il jugeait coupable sur tous les rapports envers sa femme et sa fille. «J'étais pas en air de penser à Yvan quand monsieur a décidé de se mettre dans le pétrin…j'avais moi aussi… une mauvaise nouvelle à digérer. Yvan Mayer! On entend que son nom dans cette famille…à croire que je n'ai pas de vie, moi!»

Madame Mayer se dirigea vers Jean-Marc debout devant la fenêtre, le seul moyen d'évitement dans l'immédiat. «Puis-je te demander ce que tu dois digérer?»

Jean-Marc se mobilisa devant elle, afficha un sourire dérisoire avant de lui annoncer : «Ma déception est bien insignifiante en comparaison au drame de ce cher Yvan...néanmoins...je suis très déçu, je ne peux pas jouer au hockey pour mon pays aux jeux olympiques.»

Jean-Marc s'arrêta un moment puis il déambula, les yeux rivés au plafond : «La nouvelle, est tombée après une «game» qu'on avait gagné d'ailleurs. Aucun joueur professionnel recevant un salaire n'est admissible. Le comité olympique requiert une équipe amateure. Voilà...mon beau rêve de médaille est terminé. Comme c'est puéril hein ! N'empêche que je songe à quitter la ligue pour devenir entraîneur de jeunes amateurs. Je songe même à m'en aller en Europe, de toute façon ma vie tourne en rond...la femme que j'aime n'est pas libre, je ne vis que des moments volés et...je n'ai plus le feu sacré. Y faut que j'accroche mes patins pendant que j'suis encore productif.»

Léone sentit la menace de l'isolement s'insinuer dans son cœur, une absence prolongée même si ce n'était qu'une probabilité menaçait sa famille. Devoir vivre sans lui, sans revoir l'admiration qu'il lui vouait à chacune de leur rencontre lui dicta la pente de la défensive de peur qu'une offensive trop directionnelle rebute son aîné. «L'Europe est en ruine et je t'assure que ce n'est pas le temps d'y mettre les pieds. Surtout, ce n'est pas le moment de fuir le navire lorsqu'il est menacé et crois-moi, il l'est mon fils...»

Jean-Marc ne voulut point se concentrer sur la manipulation à peine voilée dont sa mère était l'experte et riposta sous un ton de dérision. «Mère, la Suisse n'a jamais été aussi florissante et je dois vous l'annoncer...j'ai donné ma disponibilité pour l'année prochaine. Si mes services sont requis... j'irai sans hésitation. Ma vie prendra plus de consistance ailleurs, qui sait?»

Léone se cambra et dévisagea son fils puis elle se rassit sur le bord du sofa et se déroba à son regard. «Bon, si ta décision est prise sans tenir compte de tes compagnons d'équipe à laquelle tu appartiens… qui te soutiennent depuis des années…si tu préfères te sauver de ta vie, au lieu d'y faire face. Alors, fais comme Albert sauves-toi loin comme lui et ne donnes aucune nouvelle sauf des vœux impersonnels à Noël et à Pâques.»

La voix légèrement tremblante avait trahi la dame de fer qui demeura prostrée sur ses dernières paroles, un silence lourd teintait la pièce et il s'étirait. Jean-Marc mit un certain temps avant de se retourner et finalement il se dirigea vers sa mère le cœur affadi quoique tout de même sensible à son plaidoyer. «Voyons mère, je ne suis pas encore parti! Dieu seul connaît la couleur de notre destinée future, ne vous alarmez pas si tôt. Et puisque vous parlez d'Albert, je pense lui faire la surprise de ma visite à l'été. J'ai envie d'aller au-delà de Toronto ou Chicago, des villes dont je ne connais que le nom des amphithéâtres de hockey. Pour changer, j'aimerais bien «visiter» une ville en touriste. Vancouver me semble un bon choix pour commencer en plus de me rapprocher de mon frère… si ce voyage vous fait plaisir, venez avec moi!»

Léone l'envisagea très surprise par la tournure de cette conversation. «Bonté divine… que tu veuilles rendre visite à ton frère, en voilà une nouvelle? Tu t'intéresses à lui maintenant? C'est une belle initiative de créer des liens filiaux, j'en suis ravie…quant à ce que je m'en aille à l'autre bout du monde même si c'est en ta compagnie, j'en doute fort mon fils…j'ai des devoirs à remplir qui requièrent ma présence. Qui d'autre sera en mesure de dissiper ce nuage de calomnies qui plane au-dessus de notre nom! Non, c'est ici que je dois demeurer. Des bouleversements se produiront dans nos vies durant les prochains mois.»

La dame s'arrêta face à son fils et lui présenta un visage fermé. «Je compte sur ta discrétion concernant cette femme que tu vois…et je te prie de me prévenir si…des appels à l'aide de ta belle-sœur se répètent. Puis-je compter sur toi Jean-Marc?»

Jean-Marc failli faire le salut du bon soldat, mais il se contenta de lui faire un signe de la tête, tout en retenant sa réponse. «Bien, nous reparlerons de tout ça en d'autres temps, je dois me rendre au presbytère…alors je te laisse partir et penses à ta famille avant d'agir.»

Le ton de sa mère s'insinua dans le cœur du fils en quittant la maison familiale l'humeur morose, à cheval sur une culpabilité impossible à quantifier, mais quoique diffuse, elle se distilla lentement et colora ses heures durant une partie de la soirée. Jean-Marc composa le numéro du bonheur, celui qui lui permettait de trouver la même intensité que sur une patinoire. L'énergie du corps en sueur, le cœur qui débat jusque dans les tempes et vous fait vibrer à l'unisson au temps présent. Quelques heures durant lesquelles Jean-Marc se sentait puissant et heureux.

***

Depuis une semaine, Rose Emma et André avaient adopté le boisé derrière la demeure de Jacqueline et de Louis. Ils y faisaient de longues promenades et se confiaient l'un à l'autre. Durant ces instants d'intimité privilégiés, ils élaboraient les bases de leur future union. Leur amour indéniable se concrétisait dans leurs projets à venir et le fait de les entendre dans l'air frais, au grand jour, dissimulait tous leurs doutes concernant leur illégalité matrimoniale. Ils en étaient venus à la conclusion qu'ils devaient vivre leur amour en dehors des normes rigides de l'Église c'est-à-dire loin de la province de Québec et cela signifiait renoncer à leur langue maternelle. C'était un gros sacrifice pour Rose Emma de quitter ceux qu'elle affectionnait mais il valait mieux vivre sous cette contrainte dans un climat de liberté relative plutôt que de se soumettre à des lois totalitaires près des siens. Rose Emma avait déjà signé le document de sa séparation légale et le simple fait de l'exprimer à André lui procura un avant-goût de sa libération envers cet autre homme qui l'avait tant déçue. Ainsi, les amants avaient espoir de se marier civilement un jour et de connaître cette joie intense de vivre leur amour devant Dieu et les hommes. Jacqueline avait accepté de garder Adriane pour une petite semaine, le temps de trouver une maison aux alentours de la base militaire, en dehors du complexe clôturé. André tenait absolument à trouver un nouveau cadre de vie bien personnel pour y commencer la sienne avec sa Rose. L'amoureuse avait dû se faire tirer l'oreille avant de consentir à laisser sa fille sans sa protection et finalement, n'écoutant que son besoin exalté d'y croire à cette superbe chance de tout recommencer et bien que cet enchantement usurpait la place de sa lucidité, Rose Emma abdiqua et laissa sa prunelle à sa petite soeur pour aller jeter l'ancre sur un endroit porte-bonheur. Tous les deux voulaient en prendre possession à pied sec tel un bateau, vierge de tout mouillage et portant l'odeur de tous leurs espoirs.

Ils partirent le lundi très tôt après avoir partagé un petit déjeuner joyeux quoique des regards anxieux de Rose Emma vers sa fille, assombrissait légèrement l'ambiance. Ils partirent confiants la main de Rose Emma bien serrée dans celle de son amoureux. Il l'attira près de lui en maniant le volant de sa main libre. « On part pour revenir au plus vite Rose… »

Trois jours s'étaient à peine écoulés lorsqu'une grande automobile noire s'amena sur le chemin de terre jusqu'au fond de la rue et s'arrêta devant l'entrée de louis. Jacqueline était seule avec Adriane et elle devint anxieuse, car elle venait d'apercevoir le Curé Rolland et sa ménagère enfiler sur le perron prêt à frapper à la porte d'en avant. Instinctivement, Jacqueline s'en alla prendre Adriane dans ses bras avant d'ouvrir aux inquisiteurs. Le Curé Rolland salua la jeune femme et posa un porte-document noir sur la table. Sa ménagère refusait de s'asseoir et demeurait sur le pas de la porte. Le prélat se racla la gorge et lentement, sortit un document de son coffre mortuaire et le plaça sur la table face à Jacqueline. « J'ai la pénible tâche de vous présenter cette sommation de notre Évêque. Je suis le messager de notre sainte Église catholique qui influence les lois civiles également. Le péché d'adultère de votre soeur ayant été avoué par elle-même et bien que je redoute la complicité de vos parents dans sa fuite, mes tentatives de raisonner cette femme demeurent encore aujourd'hui, lettre morte. Alors, cette enfant ne doit plus être exposée au péché dans un milieu défavorable pour une baptisée et…je suis ici ainsi que la grand-mère de cette enfant pour la ramener auprès de son père. Monsieur Yvan Mayer a signé ces papiers qui attestent la séparation de corps envers son épouse et celle-ci ayant violé le sacrement indissoluble du mariage aux yeux des hommes et de Dieu, Monseigneur notre évêque dans sa bonté, attend un repentir signifiant de la part de cette femme pécheresse et il n'en tient qu'à votre sœur d'obtenir son absolution annonçant son retour parmi les enfants de Dieu. En attendant cet heureux événement, nous sommes ici pour ramener cette enfant à son père. Alors, veuillez préparer ses affaires tout de suite madame.»

Jacqueline regarda les documents d'un œil sans lâcher sa nièce qui jouait dans ses cheveux. Elle se sentit traquée et terriblement désemparée devant le prélat et ce flot de paroles qui brouillait son cerveau certes, mais il n'était pas question de laisser sa nièce puisqu'elle était sous sa responsabilité. «Sauf votre respect monsieur le Curé, je ne peux pas vous laisser partir avec ma nièce parce que j'en ai la responsabilité jusqu'au retour de sa mère. Je suis sa tante… j'ai aucun droit sur elle. Laissez-moi téléphoner à mon mari…je dois lui parler avant…»

Léone Mayer s'avança vers Jacqueline d'un pas assuré et le visage contrarié elle tenta de prendre l'enfant blottie sur l'épaule de sa tante. Jacqueline se déroba et recula de l'autre côté de la table. Elle resta prostrée du côté opposé de la femme. La table de la cuisine semblait lui offrir une protection bien précaire devant les yeux menaçants de cet apôtre de mauvais augure. Monsieur le Curé tenta de ralentir les élans précipités de sa ménagère par une diversion pour amadouer la rétive. «Voyons, ne soyez pas effrayée par notre mission. Nous ne sommes que les exécutants de la foi chrétienne qui vous ordonne de rendre cette enfant à son père. Si la mère consent à venir discuter avec nous, je suis certain que des arrangements favorables pourront aboutir et j'espère que cette brebis égarée réintègrera sa juste place auprès de son mari. Que le Seigneur lui vienne en aide et lui pardonne ses péchés… alors madame, veuillez vous conformer à l'autorité spirituelle que je représente et allez immédiatement préparer ses affaires. »

Le débit de la voix cléricale et le ton très ferme eurent pour effet d'endormir le bon sens de Jacqueline qui luttait intérieurement contre cette décision insensée autant qu'inhumaine. Elle pensait à sa sœur qui reviendra et trouvera une maison sans sa fille. L'envie de désobéir et de se sauver par la porte d'en arrière lui vint à l'esprit tout en se dirigeant machinalement vers cette tâche commandée. Soudain, Jacqueline sortit de la chambre en entendant sa nièce pleurnicher et sursauta en constatant que sa nièce avait déjà trouvé les bras de sa grand-mère qui s'occupait à lui mettre sa bonnette et la porte était déjà ouverte. Jacqueline lâcha le petit sac de linge et se précipita sur la femme pour reprendre la petite. Celle-ci lui barra le chemin de son bras avant de sortir sur la galerie et Jacqueline la vit courir vers l'automobile. Bousculant le Curé, elle tenta de l'arrêter dans son élan vers la portière. « Vous avez pas l'droit de faire ça…vous avez pas l'droit de m'enlever la p'tite. »

Jacqueline pleurait de désespoir, elle ne voulait absolument pas assumer la lourdeur de cette injustice. Le Curé Rolland démarra en vitesse et il vit dans son rétroviseur une jeune femme en larmes qui courait derrière son automobile. La scène lui parut une séquence au ralenti et quand l'image eut disparut du miroir, Rolland le Curé sentit une vague de honte lui envahir le cœur. Il la chassa subitement en se répétant qu'il avait accompli son devoir de pasteur.

Jacqueline s'était arrêtée, étouffée par ses pleurs et son essoufflement. Elle rebroussa chemin ayant l'impression qu'elle vivait un cauchemar, ces quinze dernières minutes n'étaient pas réelles tant son cerveau n'assimilait point cet enlèvement. Elle marchait dans la fraîcheur du matin comme un soldat désarmé et s'affala sur une chaise en arrivant chez elle, incapable de reprendre le contrôle sur elle-même et cesser de pleurer. Elle n'avait pas été en mesure de protéger sa nièce et la honte lui rongeait déjà le ventre. «Mon Dieu! Rose Emma...Adriane...mon Dieu...c'est pas humain ça...qu'est-ce que j'vais faire!»

Puis, dans un sursaut au travers de ses larmes, Jacqueline alla se rafraîchir le visage, enfila son manteau et s'en alla au village au pas de course chercher de l'aide auprès de son mari. Il devait être mis au courant au plus vite de la triste nouvelle. Lorsque Louis arriva du côté des bureaux de direction et aperçut sa femme assise dans un fauteuil à l'entrée, le visage blanc comme un linge et les traits tirés, il se précipita et la prit dans ses bras. Jacqueline s'accrocha à son mari comme à une bouée pour ne pas s'effondrer complètement. Elle resta soudée dans son cou bien décidée à y demeurer. «Voyons Jacqueline...chérie que c'est qui t'amènes paniquée comme ça?»

Jacqueline se détacha du corps de Louis et n'osa pas le regarder en face tout en sanglotant de plus belle. Il lui prit le bras et la conduisit dehors, embarrassé par les regards interrogateurs de la secrétaire et de la réceptionniste. Louis balaya de sa main un banc enneigé et fit asseoir sa femme. Il l'incita doucement à le regarder dans les yeux. « Jacqueline, arrête de pleurer pis dis moé c'qui t'arrives... j'suis mort d'inquiétude de t'voir comme ça. Que c'est qui est arrivé de si grave à matin pour que tu viennes me r'lancer jusqu'à l'usine hein?

— Louis...y sont arrivés avec des papiers de l'évêque j'pense pis...y ont emmené la p'tite...j'ai pas été capable de les empêcher...»

Jacqueline pleurait et parlait en même temps amenant une confusion indéchiffrable pour Louis. «Qui ça? Jacqueline parle!

— Le Curé pis sa ménagère madame Mayer!

— Quoi? Ils ont enlevé Adriane? C'est ça que tu m'dis?

— Oui, y sont arrivés vers neuf heures, le curé m'a présentée des papiers de l'évêque, j'ai pas eu l'temps de les lire, j'avais la p'tite ben serrée dans mes bras pis...la première chose que j'ai sue... j'courais en arrière de l'auto en criant qu'y avaient pas l'droit de faire ça…Y ont même pas attendu que je t'appelle pour que tu t'en viennes…c'est affreux Louis ! Jamais Rose Emma pourra m'pardonner ça… jamais. »

Louis enlaça sa femme pour la réconforter tout en ayant la tête dans le brouillard, incrédule du récit des événements vécus par sa femme durant la matinée. Il la laissa sur le banc le temps d'aller prévenir ses patrons qu'il lui fallait rentrer chez lui et revint vers elle, si désemparée, assise toute seule et versant toutes les larmes de son corps. Ils rentrèrent lentement et Jacqueline reprit un peu le dessus sur sa peine même si un terrible sentiment de culpabilité s'agglutinait dans son ventre. Louis décida de prévenir ses beaux-parents pour tenter de trouver une solution afin de rejoindre Rose Emma. Malgré l'hébétude de son beau-père devant l'énoncé de la nouvelle, Adrien promit de les prévenir si jamais Rose Emma s'arrêtait à la maison.

Le père de famille, décontenancé par l'intransigeant pouvoir que sa religion exerçait, s'en allait au presbytère demander des comptes au Curé.

Le trajet du retour fut infernal pour les passagers de la « Monarch » noire, car une petite fille pleurait à fendre l'âme réclamant « maman » et « Jadi » pour Jacqueline. Ses soubresauts entremêlés de ses pleurs faisaient peine à voir pendant que la grand-mère la berçait vigoureusement. Ces « ch-chus » ne faisaient aucun effet favorable sur l'enfant. Monsieur le Curé, ayant l'ouïe très agacé, regardait sa ménagère par le rétroviseur en s'efforçant d'afficher un visage débonnaire. Puis après une bonne demie heure de cris et de pleurs incessants, Adriane s'était assoupie dans les bras de sa grand-mère. Un sommeil entrecoupé de fréquents sursauts de respiration traduisait l'intensité de ses pleurs. Léone Mayer arborait un visage décontracté et bien que très fatiguée, elle ne cessait d'examiner les traits fins de cette enfant endormie. Elle s'étonnait qu'une petite fille si jeune puisse réclamer si fortement sa mère. Même à cet âge, le sentiment d'abandon semblait déjà si fort et Léone eut une pensée pour sa belle-fille et chassa aussitôt cette image culpabilisante en s'adressant à son chauffeur sur une voix en sourdine. «J'ai le bras engourdi…arriverons-nous bientôt bonté divine?»

Le Curé Rolland lui demanda de tenir encore une petite heure avant de voir son vœu exaucé.

Mademoiselle Rita avait été sollicitée en renfort pour remplacer madame Mayer, elle-même, réorganisait sa vie à la grande maison. L'ex ménagère ressentit un petit pincement au cœur en pénétrant dans son ancienne cuisine. Elle devait s'acquitter des repas seulement, son régime de repos strict était toujours en vigueur et elle poursuivait une médication ainsi que des visites trimestrielles au centre Pasteur. Son état demeurait stable et la demoiselle n'en était pas moins heureuse de changer ses habitudes de vie quotidiennes oisives pour reprendre son ancien travail. Monsieur le Curé l'accueillit chaleureusement, très reconnaissant qu'elle ait accepté de prendre la relève et le Curé Rolland sauvegarda sa quiétude quotidienne tellement précieuse lui semblait-elle, envers son apostolat. Il lui laissa le temps de se réapproprier l'espace et il l'enjoignit de ne point pénétrer dans les appartements de Madame Mayer, la dame les avait soigneusement cadenassés lors de son départ. La clef passe-partout se trouvait dans le premier tiroir du buffet et mademoiselle Rita se promettait bien de désobéir et de contenter sa curiosité.

Le repas du midi avait été succulent, celui du souper également. Les talents culinaires de son ancienne ménagère ne se démentaient point. Rolland se sentit un peu seul dans son vivoir pendant le rituel du thé, alors qu'auparavant, il le dégustait en compagnie de l'autre. Il souriait à l'invraisemblance d'imaginer cette demoiselle-ci au fait de l'entretenir et il pensait à ses fins de soirée en compagnie de son amie durant lesquelles, il avait le loisir de se vider la tête des soucis de la journée. Il discutait des affaires courantes et à venir avec ses vicaires et ensuite la détente l'animait à la pensée de terminer la journée en compagnie de son amie. L'omniprésence de Léone Mayer dans son quotidien palliait à son sentiment d'isolement qui venait justement de l'envahir. Une autre preuve infirma son déni par rapport à sa dépendance envers dame Mayer lui tomba dessus à la sacristie. En ouvrant le grand tiroir demi-lune contenant ses vêtements sacerdotaux pour la grand-messe, Rolland se surprit de devoir enfiler ses vêtements liturgiques en solitaire. Les Religieuses avaient été éconduites de la sacristie à l'arrivée de Léone Mayer. Le prêtre mal à l'aise avait dû se résigner et sollicita l'aide de sœur Claude qui se concentrait à remettre les saintes espèces dans son calice. Bien que le Curé semblait avoir perçu une lueur narquoise derrière le sourire de la Religieuse, il préféra en faire abstraction et s'empressa d'écourter cette proximité et du même coup fit taire ses conclusions ambivalentes.

Mademoiselle Rita revivait et souhaitait allonger ses journées progressivement avec la ferme intention de reprendre ses tâches une à une. Elle retrouvait ce bonheur de se savoir utile auprès de cet homme et la mademoiselle justifiait sa mauvaise conscience en se répétant qu'elle réintégrait sa place légitime. Désormais, personne ne viendra la lui ravir une seconde fois.

***

La visite d'Adrien Levèrs s'effectua à l'improviste et monsieur le Curé en fut grandement contrarié. Néanmoins, il l'introduisit dans son bureau lui signifiant qu'il n'avait pas beaucoup de temps à lui consacrer. Adrien le regarda directement dans les yeux avant de parler. « C'est parce que j'pense que vous êtes un homme bon que j'me donne la peine de venir vous parler. Quand vous avez enlevé ma p'tite fille, vous vous êtes pris pour Dieu monsieur l'Curé…pis l'bon Dieu, j'pense pas qu'y vous demande de prendre des décisions comme ça. »

Le Curé Rolland voulut riposter, mais Adrien lui coupa la parole. « J'vous demande de m'écouter encore un peu. Que c'est que l'enfant là va devenir sans sa mére ? Y'avez-vous pensé à elle ? Ma fille, est-tu plus mauvaise…que c'te femme de malheur…qui influence l'homme d'Église que vous êtes ? Tant qu'à moé, vous l'avez trop laissée faire pis vous avez commis une abomination au nom de l'orgueil de c'te femme-là…à juste peur aux commérages c'est pas pan toute au nom des principes de l'Église. Vous l'savez quel sorte d'homme vivait avec ma fille…si à s'est sauvée, c'est à son corps défendant pis pour protéger la p'tite. Ça aussi vous l'savez monsieur l'Curé. Rose Emma est arrivée hier… pis c'est moé qui a été obligé d'y annoncer c'te nouvelle-là. Si vous vouliez du repentir, ben vous êtes exaucé…parce que…ma fille quand à pleure pas, est pus avec nous autres. Est comme dans la lune… loin de nous autres. J'la laisserai pas dépérir à p'tit feu de même. Ça fait que j'vous d'mande d'arranger une rencontre avec c'te maudit sans cœur là. Y faut que Rose Emma y parle pis j'serai avec elle. Amener pas le grand corbeau en ma présence…j'aurais peur de pas pouvoir me r'tenir… j'vous demande d'être là vous aussi. Vous pouvez ben faire ça pour vous rach'ter un peu à nos yeux… nous autres, vos paroissiens. J'attendrai votre coup de téléphone monsieur l'Curé… »

Adrien Levèrs se leva péniblement, le Curé Rolland remarqua les traits tirés et le regard rempli de tristesse de cet homme qui tentait de sauver sa fille de la folie et il éprouva une grande honte devant ce père. L'homme le salua, tenant son chapeau de feutre à la main avant de s'en couvrir. « Je vous promets de faire en sorte que cet entretien ait lieu monsieur Levèrs. C'est le moins que je puisse faire n'est-ce pas…et prier ! »

Adrien Levèrs se contenta d'imbriquer son regard dans celui du prélat et celui-ci, avait fui les yeux de ce père accablé et Adrien sortit abandonnant le prêtre à ses inconforts de conscience.

Léone Mayer pensait tenir son fils bien en main, la mère le sermonnait sur ses responsabilités d'éducateur. C'était la troisième journée qu'elle observait, entendait cette petite fille chercher sa mère dans toutes les pièces et appeler mama, mama… Adriane refusait les bras de Léone, la petite avait adopté un coin du grand divan bourgogne. Elle s'y recroquevillait tout en suçant son pouce. Elle mangeait peu, n'acceptant que des desserts si la grand-mère lui laissait la cuiller sans l'aider.

Yvan avait fui la maison le troisième soir, il s'esquiva de la corvée du bain de sa fille ainsi que de la longue phase de la bercer avant qu'elle finisse par s'endormir. Toute seule, assise dans son fauteuil, Léone s'interrogeait sur cette décision qui l'avait motivée, cette fierté si chère à ses yeux, régissait tout et servait tous ses alibis. Avoir le dessus sur autrui camouflait ses lâchetés sous de nobles principes. Allait-elle pouvoir faire face et continuer son rôle de mère substitut alors qu'elle n'avait jamais désiré en être une pour ses propres enfants ? Léone entrevoyait ses futures années en une longue corvée d'abnégation quotidienne en plus d'endurer ce fils indigne d'elle. Assurément qu'il l'était parce qu'elle se considérait une combattante et gagnait ses combats, alors que ce fils avait hérité des vices de son père et il ne lui ressemblait en rien puisqu'il n'avait jamais eu le désir de l'accomplissement comme Jean-Marc et Albert. Il végétait, dépendant, incapable de gagner la plus petite bataille. À présent, ne se donnait-elle pas encore le beau rôle devant la communauté afin de conserver la dignité de son nom et par surcroît le sortir encore de son marasme qu'était sa vie ? Léone veilla tard et réfléchissait dans son fauteuil, elle entendit Yvan rentrer par la porte de la cuisine. Il avait enlevé ses souliers avant de monter et Léone ne se manifesta point sachant que tous ses arguments étaient épuisés et qu'ils étaient vains.

***

Adrien Levèrs attendit le téléphone du Curé qui ne vint pas. Il alla consulter un avocat et lui réitéra que même si sa fille était une maman exemplaire envers son enfant, le constat ne constituait pas un argument de poids devant la loi. Cette loi était formelle - lorsqu'une femme quittait le domicile conjugal et circonstance aggravante, se rendait coupable d'adultère, elle perdait tous ses droits. Même si le mari était un homme vil, ses manquements envers sa femme et sa fille ne constituaient pas un motif suffisant pour justifier le geste de la dite femme mariée. Il fallait des preuves solides pour renverser ce jugement impitoyable. L'enfant était placé sous la responsabilité du père et il ne subissait aucun questionnement sur sa capacité d'éduquer correctement ses enfants. Toutefois, Adrien demanda un acte officiel afin de se prévaloir de la garde de l'enfant en droit de parenté maternel de Adriane. Il tenait à le présenter devant un juge malgré le peu d'espoir qu'il en attendait.

Le père de famille déçu et ayant épuisé ses recours pour aider la cause de sa fille s'en retourna chez lui, redoutant les yeux anxieux de ses femmes qui l'attendaient. Comment redonner une lueur d'espoir aux siens alors que lui-même ne l'entrevoyait point au bout de ce tunnel de ténèbres. Il trouva Rose Emma prostrée sur la chaise berçante qui se balançait machinalement le regard ailleurs, projetée très loin en elle-même. Elle ne releva pas la tête quand il rentra. Cécile lui apporta une tasse de thé qu'elle déposa sur la petite table près d'elle et en offrit une tasse à son mari ayant le faciès du vaincu lorsqu'il rencontra celui de sa femme.

Voilà une semaine qu'André échouait à essayer de réconforter sa femme, devenue l'ombre d'elle-même. Il en éprouvait tellement de peine, impuissant à la ramener dans le monde des vivants. Son amoureuse le tenait à l'écart de son malheur lui interdisait le partage de sa peine et l'homme subissait le vertige de son indifférence. Il se refusait à envisager le pire. Il proposa d'appeler Jacqueline même si elle ne lui avait pas encore parlé depuis le drame. La petite sœur redoutait de la revoir et elle craignait son jugement, mais son ventre lui révélait combien sa grande sœur avait besoin d'elle. Cécile, remercia André qui utilisait son dernier recours en allant chercher sa belle-sœur, le seul espoir tangible pour sauver sa douce. Entre temps, Cécile demanda au docteur de venir examiner sa fille, car son état extérieur l'inquiétait énormément tandis que sa dévastation intérieure ne pouvait difficilement s'exprimer par des mots. Cécile, la mère, n'en trouvait pas lorsqu'elle regardait sa fille dans une telle précarité. Le docteur Millette l'avait trouvée très faible physiquement d'abord et connaissant le drame de sa patiente, il l'avait aidée par un léger tranquillisant afin d'engourdir son mal de vivre passager.

De son côté, monsieur le Curé sonna à la porte de Léone Mayer, bien décidé à obtenir une réponse favorable concernant la requête du père. Ce père meurtri ne quittait pas la pensée du prélat. Léone eut un sursaut de surprise et son plaisir devint évident lorsqu'elle répondit à la porte. «C'est très gentil monsieur le Curé de me rendre visite. Donnez-vous la peine de vous asseoir.»

Rolland redouta l'émotion subitement ressentie en entendant la voix de sa ménagère. Elle s'esquiva un moment le temps de mettre le canard sur le feu pour le thé. Pendant que le Curé patientait dans le grand salon, une petite silhouette le regardait d'un œil dans un coin de l'entrée et Rolland tomba sous un tel poids au cœur qu'il se leva et tourna le dos à son petit juge. Madame Mayer arriva avec un plateau dans les mains. «Viens Adriane, grand-maman t'a apportée une tasse de lait.»

Elle déposa le plateau et commença à servir le thé sans s'occuper de la petite. Après quelques instants, Adriane s'amena tranquillement, l'air sérieux et prit la tasse des mains de sa grand-mère et s'en retourna déguster sa boisson dans son coin. «Comme c'est navrant de voir cette enfant si accablée, ne trouvez-vous pas ?

— Elle s'habitue de plus en plus à ma présence vous savez…nous deviendrons de grandes amies, vous verrez. Alors vous-même…comment composez-vous avec votre nouveau personnel?»

Monsieur le Curé ne voulut point paraître en reste et répondit tout bonnement. «Vous savez, mademoiselle Rita, c'était l'âme de l'arrière maison pendant des années et je me suis très vite retrempé dans le quotidien de son «tourne main» chaleureux. D'ailleurs, je dois la surveiller, elle en fait beaucoup trop. Elle semble si heureuse d'avoir repris son travail et c'est bon de la voir aussi vigoureuse.»

Madame Mayer cessa de sourire progressivement devant l'éloge de cette intruse que son curé semblait tant affectionné. «J'en suis heureuse pour vous. Si vous voulez lui céder ma chambre, allez-y…je dois avoir la clef dans mon sac à main.»

Léone, s'en voulut de sa réflexion blessante, mais elle avait tant souhaité qu'il lui fasse une allusion…qu'elle lui avait manqué, un peu… «Nous n'en sommes pas là j'espère, du moins pas encore. Mademoiselle Rita est ma voisine, elle réside encore au couvent. Néanmoins…vous recevoir pour le thé du soir me ferait plaisir. Il ne faut pas abandonner une bienfaisante habitude trop vite n'est-ce pas?»

Rolland, soudainement mal à l'aise de la froideur de son amie, se leva après l'échange de quelques propos décousus et prétexta une autre visite à rendre sur son chemin de retour et prit congé. Il se retourna avant de sortir. «Madame Mayer, dites à votre fils Yvan qu'il doit me contacter dans les plus brefs délais. Demain, après son travail, ce sera parfait.»

Il la salua du regard et Léone demeura bouche bée devant le ton autoritaire du prélat. Le lendemain soir, personne ne se présenta au rendez-vous. Léone passa la nuit entière à ressasser tous les changements dans sa vie depuis peu de temps. Elle endormait volontairement son sentiment détestable face à cette injustice en sublimant sa coupable intervention dans cette affaire comme un moindre mal, nécessaire envers cette enfant. Surtout, depuis qu'elle avait cru apercevoir une silhouette tapie derrière l'arbre en face de chez elle. Léone redoutait l'affrontement inévitable avec cette femme aux abois. Il fallait tout réorganiser, tout réévaluer dans cette histoire. Son fils ne lui permettait aucun répit, multipliant ses lâchetés envers les responsabilités de sa vie. Il s'occupait de sa fille quelques minutes par jour pour la bercer et se pensait un bon père. Par contre, il investissait beaucoup de temps dans des paradis illusoires et fuir le plus souvent possible le moment présent résumait l'essentiel de son quotidien.

Léone donna congé à madame Guérard et se hâtait d'aller chercher la grosse boîte qu'elle présenta à la petite. Adriane y découvrit une jolie poupée au visage de porcelaine et l'air sérieux, elle s'en alla se bercer, pressant sa poupée toute neuve contre elle. Léone se sentit envahie d'une mission pendant qu'elle constatait le contentement de sa petite fille. À ce moment précis, elle éprouva une vive émotion, celle qui lui avait fait cruellement défaut envers ses propres enfants, l'appartenance maternelle.

L'inexplicable attachement de Léone envers cette enfant s'arrimait à une joie intense, semblable à sa fierté vis-à-vis de Jean-Marc. Inconsciemment sans doute, pensait-elle avoir trouvé sa mission de rachat en prenant sa petite-fille sous son aile et ainsi, remplir le gouffre qui l'avait invalidée durant toute sa vie. Léone crut découvrir l'inestimable cadeau de l'amour inconditionnel même si le trésor, elle l'avait usurpé à une autre. Le lendemain, le cœur encore en émoi, elle se concentra sur le pudding tapioca pour la petite qui en raffolait arrosé de sirop d'érable puis elle se surprit à la prendre sur ses genoux et le soir venu, elle la berça en chantonnant après qu'elle lui eut donné son bain. Léone demeura au pied du lit, admirant le visage angélique de cette enfant et pour une rare fois dans sa vie, il lui vint l'envie de planifier des vacances.

CHAPITRE XVI

L'AMOUR INCONDITIONNEL

Jacqueline était en chemin vers la demeure de ses parents sous la conduite d'André inquiet, découragé par le drame dans lequel son amoureuse était plongée. Il avait confié la terreur qui l'habitait à sa belle-sœur. «Rose Emma est comme dans l'coma…c'est comme si on l'avait amputée de son cœur. Ta sœur se défend pas, c'est ça qui m'inquiète…comment faire pour être heureux avec une plaie ouverte de même dans l'cœur?

— Faut pas sombrer avec elle André…j'ai tellement de remords quand je r'pense à c'te matin là, j'ai même peur de sa réaction quand à va m'voir, mais j'va la prendre comme une enfant qu'on berce… tant qu'à va en avoir besoin. J'pense que j'ai pas d'autre remède en moi.»

Jacqueline frissonna et retenait l'invasion de larmes qui voulait déferler. Elle prit une grande inspiration tout en fixant l'horizon et le visage de sa sœur s'imprégna au bout de sa vision puis elle expira longuement et remporta sa victoire contre l'émotion de peine menaçante. Elle tourna son regard vers l'homme aux traits tourmentés. «Faudra pas la lâcher, ça va prendre ben d'la patience dans notre tendresse, André…est pas sortie de c'te folie là, j'pense qu'elle en a pour un bon bout'd'temps…

— J'ai peur Jacqueline, j'ai peur qu'à m'aime pus. J'me sens un peu responsable de son drame parce que j'ai eu le malheur de l'aimer, pis…c'était défendu. Depuis que j'ai été d'l'autre bord, y'a pus grand-chose qui m'semble interdit ou péché, mais ici, les mentalités ont pas beaucoup bougé. La maudite religion, c'est elle la responsable du gâchis de briser nos vies.

— Ben, c'est notre patience qui va la sauver André. Y'a juste l'amour qui peut la sortir de sa folie. J'pense que ton amour pour elle va être ben éprouvé. Aie confiance, Rose Emma a plus que jamais besoin de toi. »

Lorsque les silences éloquents de leur communication non verbale furent épuisés à force de se morfondre dans leurs pensées respectives, l'automobile amorça son entrée dans la cour des Levèrs.

Les bras constamment croisés sur son gilet de laine bleu, Rose Emma se tenait ainsi, recroquevillée sur elle-même. On aurait dit qu'elle cherchait quelque chose dans son regard tourné par terre. La teinte des yeux gris clair s'était affadie par l'érosion prolongée de ses larmes et un voile imperceptible les couvrait dont une petite lueur réussissait à traverser dans le monde des vivants. Rose Emma avait perdu sa vitalité de jeunesse. C'était comme si tous ses mouvements suivaient un ordre calculé et le moindre bruit ou son de voix en perturbait la programmation. André se précipita sur cette femme, la voyant dans un tel état de dévastation et ses larmes lui brouillèrent la vue tout en la prenant tendrement dans ses bras. La femme aimée, acceptait ses marques de tendresse avec détachement qui peinait encore plus André. Jacqueline était restée sur le pas de la porte, elle n'osait pas bouger tant la vue de sa sœur l'avait figée. Puis, Rose Emma se détacha des bras de l'homme et se dirigea vers elle et s'arrêta tout près, éleva son regard dans celui de sa sœur et ne dit mot. Jacqueline l'entoura de ses bras, lui frottant le dos et Rose Emma appuya sa tête sur l'épaule aimée et les larmes se remirent à inonder les yeux déjà trop sollicités. Jacqueline l'entraîna dans la chambre de ses parents, elles s'assirent sur le bord du lit puis sans quitter la main de sa sœur, Jacqueline l'invita à s'étendre auprès d'elle. Rose Emma se retourna en boule tandis qu'elle l'enveloppa de ses bras et pour une rare fois depuis l'événement, la grande sœur s'endormit. André, désemparé, retourna à l'hôtel après avoir demandé à la famille de le prévenir si Rose Emma le réclamait.

Léone Mayer refusa d'ouvrir au père de Rose Emma, puis à sa sœur Jacqueline qui lui cria à travers la porte, après l'avoir suppliée de l'écouter. « Jamais vous trouverez le repos de l'esprit madame Mayer. Vous avez volé l'enfant de ma sœur avec la complicité du Curé. Personne peut acheter l'amour mauvaise femme ! Jamais j'vous pardonnerai c'que vous avez fait à ma sœur…jamais… m'entendez-vous ? »

Jacqueline avait mis fin à son guet devant la porte de la grande maison. Elle aussi se cachait, espérant apercevoir sa nièce, mais en vain et en désespoir de cause, elle avait osé emprunter la grande allée pour aller sonner à cette porte sacrilège.

Le Curé Rolland n'avait pas été d'une grande aide. Ni dans le réconfort pour les personnes éprouvées, ses paroissiens, car ses paroles n'avaient plus aucun poids devant eux. La famille Levèrs, de fervents catholiques pratiquants n'avait plus la foi pour le moment et personne ne les avait plus revus à l'église. Même si monsieur le Curé avait plaidé la cause de Rose Emma auprès de sa ménagère, il s'était vite rendu compte qu'elle gardait cette enfant comme une possession légitime. Le Curé se mit à douter du bien fondé de son appui dans cette affaire légale autant que chrétienne. Tellement de personnes souffrantes étaient impliquées dans ce drame. Même si la loi et les préceptes de l'Église lui avait donné un mandat clair, c'était le comportement glacial de son amie qui l'avait alerté et refroidi jusqu'au cœur. Il lui rappela sur un ton paternaliste, qu'elle devait honorer sa parole et faire en sorte que son fils, le père de l'enfant, fasse ce séjour en clinique pour le délivrer de son mal incurable. « N'oubliez pas que c'est vous-même qui avez proposé le traitement. Il ne serait qu'un moindre mal en contre partie de la douleur de cette mère, fautive certes, mais si vous aviez vu le chagrin et la dévastation qui ont résulté de toute cette opération. Je me sens honteux d'avoir été l'instrument de tant de désolations.

— Je ne fais que mon devoir en prenant cette enfant sous mon aile. Et j'ai sacrifié mon travail auprès de vous et fait le deuil de votre présence quotidienne pour me consacrer à ma petite fille. Mon fils n'a plus rien à voir dans ma décision. Ma présence à l'église édifie la plupart des consciences de vos paroissiens bien qu'une hostilité à peine voilée se lit sur d'autres visages. Bref, je dois prendre des décisions pour le mieux être de ma chère enfant. La plupart des paroissiens de cette ville comprennent les sacrifices que je m'impose pour protéger la réputation de ma petite-fille, plusieurs m'ont témoignée leur appui de vive voix, le savez-vous?»

Dans un élan du cœur Rolland s'avança vers son amie. «Léone, pourquoi ne pas rendre cette enfant à sa mère et… reprenez votre travail auprès de moi…»

Il articula chaque mot, dirigé directement dans les yeux de la femme. Léone se réfugia dans son maintien rigide, non sans éprouver l'envie d'abdiquer, mais elle tourna le dos à son ami, car elle était bouleversée par l'élan intimiste de son Curé. «Je ne puis nier que…l'invitation confirme la sincérité de l'ami que vous êtes… mais ma petite fille a besoin de moi maintenant et je dois assurer son éducation et son avenir.
— Je vois…votre décision demeure irrévocable!»

Monsieur le Curé se dirigea vers le vestibule lorsqu'il entendit Léone derrière lui. «Je vais m'absenter pour une longue vacance avec l'enfant. Suis-je assurée de votre sollicitude, autant en mon absence qu'à mon retour auprès de vous…?
— Vous pouvez l'être madame.»

Les joues du prélat se colorèrent à mesure que son regard se brouillait et il s'avança et viola la distance qui avait toujours prévalue entre eux. Rolland entra dans l'intimiste proximité et il la retint dans ses bras à peine quelques secondes, assez longtemps pour sentir l'élan du corps de la femme sur le point de flancher et celui de sa raideur lorsqu'elle se dégagea subitement, ébranlée. «J'espère que vous prenez la bonne voix. Que Dieu vous bénisse ainsi que cette enfant!»

Il sortit de cette demeure le cœur embrouillé. Il rentra dans son petit salon et un profond sentiment d'isolement s'empara de lui sans qu'il ne puisse le réprimer. Même en essayant de se concentrer sur la lecture de son bréviaire, le prélat expérimentait un état d'âme d'homme seul et il le ressentit un peu plus en pénétrant dans sa chambre bien rangée.

Quant à Léone, la perspective de recevoir une telle reconnaissance de la part de son ami, lui confirma l'obligation de partir même si l'envie d'y répondre lui titillait le cœur. Toutefois, elle savait qu'il lui serait toujours redevable, quoiqu'il arrive.

Jacqueline laissa sa sœur aux bons soins de ses parents. Elle venait de vivre trois semaines éprouvantes autant physiques que morales, mais sa grande sœur montrait des signes de vitalité au présent malgré plusieurs efforts infructueux. En chemin, elle se relatait des moments marquants en compagnie de cette femme désemparée qu'elle avait portée parfois contre sa volonté. Le rejet brutal d'Yvan, Rose Emma avait voulu lui faire entendre raison, elle l'avait relancé jusqu'à l'hôtel, essuyant un cuisant revers et Jacqueline avait eu peur de la violence de son beau-frère agrippé aux bras de sa sœur qui la poussait sans ménagement en dehors du club. Il l'avait même menacée lorsqu'elle voulut s'interposer pour défendre sa sœur. Et toutes ses tentatives pour voir Adriane pesaient encore dans le cœur de Jacqueline. Comment une telle punition était-elle possible parce que des liens indissolubles avaient été prononcés par ignorance ? Ils avaient préséance devant cette évidence - erreur sur la personne -. Comment ce béguin de jeunesse pouvait-il engendrer tant de souffrances et dégénérer en cancer, condamnant sa soeur à souffrir pour le restant de sa vie ? Le devoir et les préceptes rigoristes de l'Église avaient eu le dessus sur le courage et l'amour. Le courage de Rose Emma de refuser une alliance inadéquate qui la rendait malheureuse et l'audace d'aller vers l'amour inconditionnel d'un autre homme. La punition était injustifiée puisque l'enfant elle, n'avait rien à revendiquer si ce n'était l'amour maternel qui lui était acquis depuis sa naissance et paradoxalement l'amour de Rose Emma pour sa fille était devenu la pierre d'achoppement qui les punissait toutes les deux. Même la jeunesse n'était pas une bonne excuse et n'avait pas droit à l'erreur. Le paraître bien comme il faut avait tué l'amour véritable et Jacqueline se trouva tellement choyée d'avoir écouté son coeur en tombant dans la marmite amoureuse d'un Louis doux et sensible sous ses dehors virils. Comment un être humain pouvait-il faire pour passer à travers sa vie sans commettre d'erreur ? Ne faisait-on pas la guerre en sacrifiant des vies pour garder des convictions, des idéaux de liberté ? Cela semblait noble aux yeux des meneurs de la société, mais l'on privait des enfants de leur droit légitime dans l'intimité du foyer, à l'abri des regards d'une société endoctrinée qui fermait les yeux.

Jacqueline émergea à la réalité sans qu'aucun éclaircissement n'apparaisse sur ses questionnements. Elle se tourna vers le soldat, ce profil volontaire au front large et haut dénotait la grandeur de ses aspirations et le nez légèrement busqué en démontrait sa détermination. Cet être, aux allures encore si jeunes, était resté auprès de sa sœur un pilier bien solide aimait Rose Emma et Jacqueline éprouva une grande admiration envers celui qui avait vu trop tôt, les erreurs monumentales des plus grands. Brisant le silence et le fil de ses pensées envers son conducteur, Jacqueline prit sur elle de rassurer cet amoureux tourmenté. « Rose Emma a décidé de partir avec toi André et c'est tant mieux. Elle va reprendre goût à la vie avec un homme aimant comme toi à côté d'elle. Ça m'rassure ben gros qu'à soit avec un homme comme toi.

— J'ai pas grand mérite. Je l'aime dans le pire en espérant que le meilleur s'en vient pour nous deux…

— J'en suis sûre André. Vous allez vivre une grande et bonne vie ensemble parce qu'elle va être vraie pis c'est pas toujours évident de la reconnaître du premier coup…on est juste des humains qui font leur possible… »

Peu de temps après, Jacqueline se jetait dans les bras de son mari. Ils étaient enfin réunis et la femme retrouva son port d'attache, l'authenticité tangible de sa vie et c'était son Louis qui l'enveloppait de sens.

CHAPITRE XVII

BRANLE-BAS DE DÉPARTS

Léone Mayer sollicita sa femme de ménage pendant une semaine, le temps de tout ranger, abrier meubles et bibelots, en vue d'une fermeture indéterminée de sa grande résidence. Le temps de télégraphier à son fils Albert, lui annonçant son arrivée prochaine avec l'enfant. Elle ne se souciait pas de savoir si le fils désirait cette incursion dans sa vie. Pour Léone, il allait de soi que son fils l'accueille puisque la fidélité filiale ne se questionnait pas, elle était. Le temps de reconduire son fils Yvan à la porte avec ses boîtes bien rangées de ses effets personnels. Le temps de vendre le garage à l'employé toujours fidèle au poste chaque jour que Dieu avait fait sur les gueules de bois de son fils. Une condition avait été négociée. Que l'homme garde ce fainéant comme employé pour ne pas le démunir complètement. Le temps, de parler à Jean-Marc concernant ses plans de visiter l'Europe. Ainsi, Madame Mayer avait un rendez-vous avec son aîné au plus tard dans un mois. Ils devaient tous se rejoindre chez Albert. Léone en avait planifié l'itinéraire. Le temps aussi d'aller remettre la clef de ses locaux privés à son ami et l'informer de son départ dans les prochains jours. Qu'elle lui avait été pénible cette visite de ces anciens lieux, au temps de son règne dans cette maison. Ce lieu lui avait fait le cadeau de cette amitié envers cet homme d'Église et à présent, Léone devait sacrifier le confort de son cœur alors qu'elle avait goûté à la confiance dans l'amitié et devoir s'imposer la disette d'être privée de sa chaleur quotidienne afin d'accomplir sa mission envers sa petite fille lui apportait la preuve de sa pertinence.

Léone voulait en faire une femme forte, indépendante comme elle. Le défi, en valait le contentement qu'elle appréhendait glorieux autant que la reconnaissance sans borne de l'enfant envers sa bienfaitrice. Pour l'heure, bien qu'Yvan refusait de quitter ce qui lui semblait son bien, madame sa mère avait fait transporter ses effets personnels à l'hôtel et fait changer les serrures de sa maison et son mastodonte était cadenassé dans l'un des garages de monsieur le Curé. Seule, madame Guérard possédait un droit d'entrée pour veiller et astiquer les possessions de la dame de fer.

Léone, s'était embarquée à bord du train jusqu'à Montréal et bien que Jean-Marc s'était fait enguirlander par son « coach » de se soustraire à une pratique, finalement, il était à l'heure à la gare pour accueillir sa mère et pour la première fois celle-ci entra dans l'antre intimiste du fils. « Et bien…c'est un trop bel endroit pour mettre en place pareil coup d'état. Elle aurait mérité plus de misère. »

Voyant son fils s'occuper de sa nièce sans tenir compte de ses dires acerbes, Léone se résigna à faire de cette petite escale, un moment agréable avant le grand départ pour Vancouver. Jean-Marc ne questionna point les choix de sa mère, mais l'amertume transpirait dans son attitude surtout lorsqu'il regardait cette enfant privée sciemment de l'amour maternel. Une décision, prise d'un seul claquement de main par cette femme, omnipotente. Il lui était difficile d'imaginer un tel pouvoir sur les êtres. Jean-Marc eut un frisson et fuyait des yeux scrutateurs cherchant à lire en lui. « Êtes-vous bien certaine de vouloir une telle responsabilité et pour si longtemps, mère ?

— J'ai bien pesé ma décision en effet, alors soit tranquille. Cette enfant me fait le plus grand bien, elle rajeunit la femme qui a vieilli trop vite. Ne me trouves-tu pas bonne mine? Toi-même n'imaginais pas ta mère, avoir le goût de prendre des vacances, n'est-ce pas? Cette enfant, bien qu'elle me demande une attention continue, me le rend bien. Le bon Dieu voulait sans doute m'éprouver en m'envoyant cette enfant dont le sexe n'était pas conforme à mes prérogatives antérieures mais, j'ai fait un acte d'humilité et je me suis rendue à l'évidence, cette petite fille apporte beaucoup de bienfaits dans mon existence.

— En effet mère, vous semblez en grande forme. Je pense à Rose Emma dont vous admiriez le dévouement… »

Jean-Marc se fit couper la parole et se montra vexé de devoir encore subir cette habitude détestable qu'elle gardait, d'imposer son autorité afin de reprendre subito presto, le contrôle sur le sujet. «Dans la vie, il y a des règles et des lois pour empêcher les dérapages de toutes sortes. Cette femme est la seule responsable de son malheur et qu'elle s'estime heureuse que je m'occupe de sa fille comme si c'était la mienne. Cette enfant, née Mayer… porte en elle notre patrimoine et puisque ni toi, ni ton frère ne voulez y contribuer, c'est mon devoir de garder cette enfant dans ses racines. La discussion est terminée Jean-Marc. J'observe ton attitude depuis mon arrivée et je te demande de ne pas me juger, mais pense à ta nièce qui sera assurée d'une certaine aisance financière pour plus tard… cette option terre à terre n'est pas à négliger, ne crois-tu pas ?»

Et la discussion dévia sur le projet du fils de visiter son frère durant l'été. Jean-Marc regrettait de lui avoir fait part de son désir parce qu'il se sentait mal à l'aise envers tout le monde qui gravitait autour de ce futur rendez-vous. Obliger Albert à chambarder son mode de vie que nul ne connaissait d'ailleurs, pour satisfaire le plan ordonné comme un métronome de sa mère, lui déplaisait encore plus parce qu'il n'avait aucun moyen à sa disposition pour y faire obstacle. Il avait même pensé à annuler son voyage, mais il laisserait à son frère tout le poids de la tâche et Albert comptait un peu plus dans son échelle de valeurs familiales que son cadet. «Racontez-moi votre itinéraire, mère.

— Après demain, Adriane et moi, prendrons place dans une petite suite à bord du train pour un périple d'une dizaine de jours avec quelques escales dans les grandes villes sur notre parcours. Ensuite, j'ai demandé à Albert de me dénicher un pied à terre au bord de la mer. Il cherche un endroit un peu plus au sud, car je compte m'y reposer un bon trois semaines et mes vieux os requièrent un peu de chaleur, tu comprends. Ensuite, nous embarquerons sur un grand paquebot transatlantique je ne sais pas encore lequel. En tous les cas, il nous emmènera sur un des ports de la France. Je crois que nous débarquerons à Marseille. Puis, nous visiterons la France et sans doute, je ferai un petit saut vers Florence et Venise, les villes prédestinées des grands sculpteurs et que dire de tous ces peintres célèbres. Et je reviendrai chez moi lorsque ce vent de folie et d'agitation sera calmé pour de bon. Entre temps, les papiers légaux qui me nomment la tutrice légale de ma petite fille auront eu le temps de suivre leur cheminement. Je pourrai penser à une bonne école privée pour la petite et elle pourra faire des études avancées, si elle le désire. Le pensionnat de luxe ce n'est pas si terrible tu sais. Je reprendrai mes activités et ma vie, après avoir accompli ce pèlerinage en compagnie de ma future héritière. Voilà fils! Tu sais tout et j'ai gardé le meilleur pour la fin. Je t'offre de le faire avec moi ce pèlerinage et n'est requise que ta présence. Qu'en dis-tu?»

Les jambes de Jean-Marc s'étaient fléchies en même temps que sa bouche s'ouvrait sans qu'aucun son n'en sorte. Il s'affala sur le fauteuil, assommé par la proposition et fâché contre lui-même de ne pouvoir réagir à la vitesse désirée. Il reprit contenance devant son juge. «Je ne peux pas décider de partir, comme ça, aussi longtemps. J'ai des obligations, laissez-moi y penser…en tout cas, je vous remercie de la proposition mère.»

Le surlendemain matin, Jean-Marc embrassa sa nièce sur le quai de gare puis une autre fois dans la suite de sa mère. Malgré l'espace restreint, elle possédait tout le confort. Ils planifièrent leur rendez-vous et Jean-Marc regarda le train frémir puis avancer en saccades bruyantes jusqu'à le perdre de vue. Il s'en alla prendre un verre à son club, son rendez-vous des jours nébuleux, l'endroit qui ne le laissait jamais seul avec sa mélancolie. La place des copains.

Ce soir-là, le joueur de hockey avait dormi comme à son habitude, un petit bout de nuit dans les bras de sa douce amante, mais une fois dans son antre, son sommeil s'agitait autour de rêves qui opposaient le visage de sa mère à celui de sa bien-aimée et le combat se perdit dans le dernier décan de sa nuit.

Mademoiselle Rita ouvrit la porte aux visiteurs et alla s'enquérir si monsieur le Curé pouvait les recevoir. Le Curé Rolland cachait mal son malaise devant Rose Emma et André. Il tenta de ne point s'attarder sur les traits étirés et les yeux délavés de la jeune femme lorsqu'elle s'était assise, dévisageant le prêtre. «Est-ce que tout le monde est mort dans la maison aux horreurs ? Vous devriez l'savoir monsieur le Curé… qu'est-ce qu'elle a fait de ma p'tite fille ?

— Allons, ne vous tourmentez pas de la sorte! Votre enfant est en voyage avec sa grand-mère et elle va bien, rassurez-vous. Toute cette douleur vous est attribuable, ma fille! Vous osez… vous présentez ici, accompagnée de l'homme avec qui vous forniquez, alors ne cherchez plus mon enfant, c'est lui l'instrument de votre malheur. Je ne peux rien pour vous si vous ne vous repentez point… »

Rose Emma se leva et pointa le prélat de toute son indignation. « Je vous défends de m'juger après ce que vous avez fait… c'est vous qui devriez avoir honte devant Dieu… »

Elle s'appuya au dessus du lourd bureau afin de bien imprégner ses pupilles dans celles du Prélat. « J'ai entamé des procédures et la requête pour récupérer la garde d'Adriane est déposée. Je ne renoncerai jamais à ma fille. Transmettez le message à votre complice, monsieur le Curé et j'ai l'honneur de vous présenter mon mari, l'homme que j'aime… »

Elle regardait André et souriait, un sourire déformé par la peine, mais le prélat devint écarlate et se leva d'un bond afin d'ouvrir la porte. « Sortez d'ici sacrilèges, sortez de la maison de Dieu, adultères! »

Un sourire d'une telle fureur s'abattit sur le prélat, les yeux de Rose Emma reprirent leur intensité lumineuse, un regard à faire frissonner n'importe quel chrétien en état de grâce. Des amoureux endeuillés remontaient dans leur voiture et quittaient cet endroit, la petite localité de la jeune femme, le lieu de sa naissance, de ses racines. Le cœur handicapé, ils partaient pour un long voyage, Rose Emma tenait la main de son compagnon bien serrée dans la sienne pour ne pas sombrer encore dans son délire. Elle se laissait guider, porter par cet homme, sa bouée de survivance, celui qui possédait la foi dans leur amour, une foi à toute épreuve et il fallait y croire…coûte que coûte…

VACANCES SUR LE PACIFIQUE

Il avait suffi d'une dizaine de jours en train pour voir l'été apparaître comme par magie à leur descente sur le quai de gare. Léone suffoquait dans son tailleur de tweed gris souris et le manteau de laine vierge sur son bras l'encombrait passablement. La petite tenait son autre main valide et il avait fallu un certain temps à Albert pour apercevoir sa mère parmi la cohue des voyageurs affairés. Albert ressemblait à un vacancier, vêtu d'un costume de toile beige, chemise de lin et col dégagé, pieds nus dans des sandales de cuir. Le réflexe spontané de sourire et de lever le bras dans leur direction l'interpella, mais il se retint à temps et s'avança vers sa mère, la gestuelle légèrement affectée. L'imposant chapeau de velours noir donnait le ton à l'ensemble de la dame et le fils la salua furtivement et se pencha sur l'enfant afin de cacher son malaise devant la proximité soudaine par devers sa mère. La petite le dévisagea un instant et une lippe déclencha le rire du mon oncle. Les bras occupés avec Adriane, Albert se délia un peu et lui adressa un sourire figé de bienvenue. «Vous devez être fatiguée par ce long voyage, mère. Venez et ne vous inquiétez pas pour vos bagages, Peter s'en occupe.

— Qui… est Peter?»

Albert se sentit frissonner jusqu'aux orteils avant de répondre quelque peu embarrassé. «C'est un ami et mon co-locataire. Je lui dois mon emploi…

— Ce n'est jamais favorable de tout devoir à quelqu'un. J'espère que tu ne m'amènes pas dormir chez un étranger, mon fils. Si oui, je préfère m'installer à l'hôtel.

— Rassurez-vous ! Nous louons une belle grande maison près du port, de style « Queen Ann » bleue et blanche. Vous allez l'aimer, j'en suis sûr.

— Curieuses façons de faire de ce côté du monde ; comment demeurer dans une maison sans en être le propriétaire ! »

Essayant de cacher son malaise, Albert les dirigea vers la sortie et ils rejoignirent Peter au volant de l'automobile. Les présentations à la va vite, madame Mayer entrevit le profil, le cou et une paire d'oreilles de ce Peter qui conduisait silencieux, tout en jetant des petits sourires à l'enfant, assise sur son oncle. Léone Mayer, telle une grande dame, se prévalait de la banquette arrière et durant tout le trajet, l'on entendait des petits cris d'enfant entrecoupés de ricanements au travers du discours de son oncle.

Une résidence étagée, dotée de plusieurs toits et entre toits aigus, apparut à la vue de la dame. Cette maison semblait sortir du milieu de cette rue en pente abrupte dont l'entrée en détruisait l'aspect de descente. Le lieu, en y pénétrant, favorisa une bonne impression à Léone, mais elle se garda bien de l'exprimer et sollicita d'emblée le désir de découvrir sa chambre. Peter amena la petite dans la cuisine.

Une vue saisissante sur un bout d'océan attira le regard de Léone par la fenêtre à guillotine grande ouverte. Une brise saline faisait virevolter les pans de rideau de voile blancs et Léone inspira profondément et demeura ainsi, tétanisée. Son fils se contenta d'attendre sur le pas de la porte, regardant cette silhouette, guettant la réaction de sa mère sans en troubler ces instants de silence entre eux. La dame se retourna comme si elle reprenait pied dans la réalité et Albert perçut cette difficulté qu'elle avait de partager le plaisir et surtout de l'extérioriser. Durant ce moment, à la vue de ses pommettes légèrement colorées et son regard encore imprégné de contentement, Albert en éprouva un plaisir rassurant. « J'vous souhaite la bienvenue chez moi, mère. La chambre vous plait-elle sinon la grande chambre au troisième vous conviendra sûrement.

— Je me sens suffisamment dans les hauteurs merci et cette chambre me convient parfaitement. C'est une jolie résidence que tu partages. Je comprends maintenant ton peu d'empressement à revenir chez toi. Tu me sembles…bien portant.

— Je le suis et mon travail m'occupe énormément. Bon, je vous laisse prendre un peu de repos et ne vous souciez pas d'Adriane, elle nous a fait ses esclaves au premier regard. À tout à l'heure…»

Madame se présenta une heure plus tard dans une tenue plus légère, elle accepta une visite écourtée des lieux, car mademoiselle Adriane réclamait son souper en rechignant chaque fois qu'une nouvelle pièce apparaissait devant eux. Ils redescendirent et pendant que Peter servait un apéritif, Léone Mayer accepta la coupe de rosé qu'il lui tendit et son geste un peu trop révérencieux servit à cacher son embarras devant les yeux froids de la dame. Les deux hommes préparèrent le repas ensemble et leurs gestes coordonnés de va et vient durant ce rituel, confirmaient des habitudes maintes fois répétées. Léone se régala de saumon fumé en entrée et le repas s'échelonna dans une atmosphère presque détendue. Après le dessert, composé d'une coupe de fruits frais, accompagné d'un délicieux carré de gâteau moka, madame sollicita un entretien en privé avec son fils après avoir mis sa petite fille au lit.

Albert apporta le café au salon et attendit nerveusement que sa mère lui fasse part du propos de son entretien, mais elle se ravisa et préféra se retirer dans sa chambre et se mettre au lit tôt. Albert expira d'aise devant la décision de sa mère. Il retrouva Peter à la cuisine en train de ranger et ils se prirent les mains, heureux que cette journée leur ait fait grâce d'avoir été somme toute, supportable.

Du temps précieux à passer ensemble tout en sirotant leur café sur le petit balcon de la chambre tout en haut, avant de se résigner à se séparer. Durant le séjour de la dame, Peter occupait la grande chambre au dernier étage pour éviter d'irriter sa mère. Surtout, il tenait à garder sa vie la plus secrète possible.

Peter et Albert, avaient concocté un horaire chargé pour occuper la visiteuse et lorsque le télégramme de Jean-Marc arriva la troisième journée leur faisant part de ses excuses de ne pas pouvoir les rejoindre comme convenu à cause du calendrier de hockey le plus important de l'année. Les séries éliminatoires n'étaient pas terminées et son équipe y figurait encore. Madame Mayer perdit le goût de visiter cette ville étrange peuplée de totems d'Amérindiens et d'étrangers de toutes les nationalités, bien intégrés dans chaque recoin de la ville. Toutefois, elle consentit à prendre le « ferry » pour aller sur l'île de Vancouver. La grande ville de Victoria ne présenta point beaucoup d'intérêt pour la dame et Peter se dirigea tout de go sur cet endroit époustouflant : La forêt de « Cathedral Grove » l'impressionna vivement et elle s'y promena longuement seule parmi ces géants séquoias et autres espèces dont elle évalua la circonférence, même dix personnes se joignant les mains n'auraient pu en faire le tour. La lumière du jour ne parvenait pas à filtrer jusqu'à elle tellement ces géants là-haut, maîtrisaient un tissage serré de feuillage étroitement entrelacé. Léone se sentit insignifiante de petitesse sous leurs ombrages et des nuées en longues bandes de lumière semblaient descendre du ciel devant ses yeux et Léone eut l'envie de se laisser aller vers une communion mystique au milieu de cet endroit millénaire si paisible, mais elle y renonça, préférant son propre pouvoir, beaucoup plus tangible. La femme rebroussa chemin et rejoignit son fils qui tentait de rattraper sa nièce ayant fait d'un gros tronc d'arbre évidé sa tanière.

Tout de suite après une halte pour se sustenter, une partie de l'immense jardin « Boucher Garden » était aménagé et il leur apparut tellement grandiose sous toutes ces couleurs et formes de fleurs diversifiées. Les visiteurs entrèrent dans une sorte d'extase involontaire à mesure qu'ils avançaient sur les sentiers garnis de belles couleurs vives. Les tonnelles de roses entassées créaient un plafond odorant et par là, des remparts d'azalées, des coussins de pensées multicolores inondaient à perte de vue dans les rangées. Elles cédaient leurs places aux hortensias toutes bleues disposées en cercle sur des grands pans de gazon et semblaient rendre hommage aux fontaines d'eaux chantantes qui les gratifiaient d'une bruine de fraîcheur. Prisonniers de cet endroit enchanteur, les êtres humains goûtaient à l'ivresse du paradis, car le temps s'étirait dans une langueur éthérée, autour de tant de beauté. Chaque tableau contenait une telle harmonie d'aménagement de couleurs sous ces tonnes de fleurs assorties, Léone Mayer ressentit une vive émotion et elle avait dû s'asseoir sur un banc face à une de ces tonnelles de roses multicolores qui embaumaient. En arrière plan, des murettes fleuries entouraient une gigantesque sculpture de dauphins en tête à queue de granit noir. «Laissez-moi ici et continuez avec la petite, je vais me reposer. Toutes ces odeurs et tant de splendeur partout, c'est presque trop brutal pour tout absorber d'un seul regard!»

Léone s'affala et inspira longuement. «C'est magnifique Albert, je ne pouvais imaginer que de tels endroits pouvaient exister, ces artisans transposent si parfaitement le sens du divin et nous permettent d'en goûter une parcelle dans cet amphithéâtre à ciel ouvert. Qu'ils soient bénis de nous faire partager une telle félicité…allez… laissez-moi, j'ai besoin d'être seule.»

Albert en était médusé sur place d'entendre sa mère exprimer des paroles de paix sur un ton de voix adoucit et il avait fallu la petite tape sur l'épaule de Peter pour lui faire lâcher le visage de sa muse. Encore interloqué, il suivit son ami, heureux d'avoir été présent pour entendre le miracle que cet endroit avait opéré sur cette femme. Quand ils furent suffisamment éloignés et à l'abri dans un oasis de narcisses et de chrysanthèmes, ils s'enlacèrent et Albert se laissa aller et pleura des larmes de joie devant son amoureux. «C'est la première fois Peter, la première fois que j'entends des paroles de douceur dans la bouche de ma mère…as-tu vu comme son visage était détendu? J'suis si heureux…pourvu que le miracle continue !

— Albert, mon Albert si sensible…laissons-lui encore un peu de félicité puis nous l'amènerons prendre un bon thé sur la terrasse là-bas. Le blanc de ces clématites la gardera sous le charme.»

Ils s'amusaient à courir après Adriane qui voulait arracher toutes les fleurs à mesure que les couleurs changeaient et l'attiraient comme des aimants. Ils riaient, se regardaient et ils se tenaient encore la main lorsque Léone les surprit. Curieusement, Albert ne lâcha point la main de Peter et il la laissa venir à eux. Il lui proposa une halte sur la terrasse. Peu engageante, madame prit Adriane par la main et se laissa entraîner vers la blancheur aussi pure qu'une mariée de mai. Le massif immaculé opéra un bienfait sur la dame et elle se retrempa dans la contemplation devant les splendeurs sous ses yeux.

Une fois revenue à la maison du fils, épuisée par cette journée de marche et d'émotions, Léone laissa sa petite aux mains de ses deux esclaves et monta se reposer. Les émois de la journée l'avaient ramollie et elle s'empressa de prendre un bain afin de reprendre sa rigueur habituelle. Après avoir enfilé un peignoir de légère cotonnade garni de dentelle anglaise, elle s'étendit sur le lit. Les volets étaient grands ouverts et l'air salin envahissait la chambre. Léone inspira et expira d'aise et progressivement, elle s'imprégna de l'atmosphère apaisante et son regard s'embua, mais cette fois, elle ne réussit point à stopper le déluge qui déferla tranquillement de ses yeux. Le débordement coulait le long de ses tempes et s'insinuait dans ses cheveux, humectant docilement les rebords de son chignon. Léone pleura sur sa jeune vie qui avait été dépouillée de tout ce qui faisait tressaillir l'âme d'espérance. Elle pleura sur la veulerie des hommes tout-puissants de son entourage qui l'avaient avilie jusqu'à l'esclavage. Elle pleura sur son corps devenu froid et sourd devant toute attention de sollicitude jusqu'à ce que le Curé Rolland intervienne dans son coeur frigorifié. Sous la douceur du vent chaud flottant dans la chambre, elle en ressentit la bienfaisance sur sa peau et Léone se perdit dans son déluge et se laissa envahir, elle matérialisa sa pensée et dirigea sa main sur son sein et le caressa, continua son voyage en descendant vers son ventre plat et la femme frissonna, ressentant le plaisir de l'exploration de son corps. Elle effleura son mont de Vénus ayant le visage de cet homme au bout de ses doigts, puis elle se retourna brusquement, enfouissant son visage dans l'oreiller et freina ainsi son envie de crier. Elle frappa l'oreiller de coups de poing afin d'atténuer la douleur dans sa poitrine, son cœur, organe mécanique, fatigué de se serrer pour ne pas se trahir. Un peu plus tard, elle entendit de petits tocs et Léone fit semblant de dormir quand Albert bailla la porte. Le fils repartit à pas feutrés, conservant au plus profond de son intériorité la voix de sa mère, assise sur ce banc dans ce jardin enchanté.

Au matin, Léone Mayer avait repris son maintien de gouvernante, descendit avec Adriane qui chercha les bras de Peter en train de placer la cafetière au milieu de la table. Il la fit sauter dans ses bras et dansait dans la place tout en apportant les croissants bien chauds sur la table. La petite riait de plaisir et se laissait balader comme une poupée de chiffon, madame jeta un œil au danseur lui signifiant de cesser son numéro. Après le déjeuner, Albert annonça à sa mère, la nouvelle qu'il avait omis de lui dire volontairement, retardant l'échéance de peur de la vexer. «Mère, je prépare une exposition de mes œuvres avec la collaboration de quelques photographes sur les ravages de la guerre. Nous y centrons l'apport du corps humain, de ses pertes inestimables devant le spectre de la haine. J'ai avancé l'idée, si toutes ces photos s'étalaient bout à bout, elles provoqueront un impact marquant dans l'imaginaire de ceux qui les regarderont et le traumatisme demeurera un rempart contre la démence des puissants de ce monde durant les années à venir. J'ai reçu une invitation pour visiter les camps de la mort dispersés en Allemagne et en Pologne et je dois absolument partir. Peter et moi, serions ravis de vous laisser la maison jusqu'à votre départ pour l'Europe. Vous comprenez… je ne peux pas rater une telle occasion…»

Il cessa son discours, car sa mère venait de se lever et lui faisait face. Il attendait, anxieux, mais elle le regardait silencieuse et Albert aurait voulu rentrer sous le fauteuil tant les yeux de cette femme le bouleversait, mais il prit sur lui de rompre cette fixation malsaine. «Je suis tellement désolé de ce contretemps, vous n'aurez que quelques jours ici et la maison au bord de la mer, vous pouvez l'avoir ici aussi. On est à deux pas du «board

walk ». Vous pouvez dénicher d'excellents pieds à terre sur la côte californienne, vous ne trouverez pas autant de chaleur que chez moi. Aussi, je
n'ai fait aucune réservation, mais tout est encore possible…

— Je ne reconnais plus l'enfant sérieux et si peu loquace qui tenait un
garage, il y a si peu de temps…tu t'émancipes et je ne suis pas certaine que
c'est pour le mieux…quoiqu'il en soit, je te remercie de ton empressement
à me prêter cette maison. Je me trouve ni plus ni moins… devant le fait
accompli de tes décisions, me concernant n'est-ce pas ? »

Peter voulut intervenir, mais la dame lui ferma le clapet d'un seul coup
d'œil. Albert prit la relève. « Si vous acceptez… madame Mc Cleary, notre
voisine, serait enchantée de faire votre connaissance…elle viendrait vous
tenir compagnie et cuisiner pour vous. C'est une femme très cultivée qui
a beaucoup voyagé.

— Je constate, combien tu redoutais de me blesser devant tant d'efforts
à ne penser qu'à mon bien être…alors si je ne peux pas devancer mon
embarquement, je me vois donc contrainte d'accepter ton incitation
généreuse. »

Même si Albert espérait un léger redressement des commissures de
la bouche de sa mère, celle-ci demeura d'une droiture linéaire. Peter se
contenta de reporter leur départ au lundi et ils passèrent la journée du vendredi en compagnie de cette femme acariâtre et elle montra un certain sens
des civilités lorsque la voisine frappa à leur porte. Madame Mayer avait
constaté le bon français de la dame et elle se plut à converser avec elle,
oubliant parfois sa petite fille qui réclamait son attention en lui tapotant le
bras. Peter dirigea un clin d'œil vers son comparse, tous les deux soulagés.
Madame Mc Cleary avait passé le test haut la main et ils pouvaient partir
tranquilles.

Léone rejoignit Albert à la cuisine et l'avisa de ne rien changer à sa date
d'embarquement initiale, car elle entrevoyait une huitaine de jours des
plus agréables en présence de cette dame. Un itinéraire avait déjà émergé

au travers de leur conversation poursuivit au salon, dégustant un brandy à l'abricot tout à fait bienfaisant. La liqueur délia l'atmosphère aussi bien que les langues.

Durant ces journées fructueuses en visite et même en confidences, madame Mayer avait accueilli favorablement l'offre de madame Mc Cleary de l'accompagner durant son voyage pour faire office de nounou et aussi de dame de compagnie. Léone, se plaisait à penser que cette femme cultivée la considérait un tantinet au-dessus d'elle et la perspective de se reposer sur l'aide de cette femme empathique, la contenta suffisamment pour enjoindre la femme de s'enquérir si un billet de dernière minute pouvait être émis. Ainsi, quelques jours plus tard, madame Mayer, sa petite-fille et la dame de compagnie, s'embarquaient sur un grand paquebot sans au revoir à déployer lorsqu'elles s'attardèrent sur le pont, appuyées au bastingage. Elles observaient leurs voisins larmoyants, agiter leurs mains gantées en direction des proches demeurés sur le débarcadère.

CHAPITRE XVIII

RETOUR AUX SOURCES

Rose Emma ne s'en rendit pas vraiment compte, la température s'était adoucie, un ciel clair accompagné d'un vent presque estival jouait dans ses cheveux. Elle releva la tête, surprise que le printemps s'amène subitement et elle s'attarda sur le perron, se retrempa au temps présent. Difficile exercice lorsque sa notion en a perdu son sens.

Les amoureux avaient emménagé dans un grand appartement au cœur de la ville, car elle ne désirait plus de maison sensée devenir leur nid d'amour. L'amoureuse n'arrivait pas à arrêter son choix sur un endroit en particulier comme si cette tranche de vie demeurait provisoire et pour le moment, elle se sentait incapable d'y poser un pied solide, même pour encourager son galant. Tant bien que mal, André était retourné au travail à la base et sa compagne faisait des efforts pour s'habituer à toutes ces personnes portant l'uniforme bien « repassé » qui jalonnaient la ville. À l'épicerie, à la banque et sur la rue, partout des uniformes. Leur lieu de vie était encerclé de clôtures et de « gates » qu'il fallait franchir après avoir contrôlé leur identité. Bref, de longues rues asphaltées bordées de grandes étendues de gazon bien entretenues, lui renvoyaient son statut d'étrangère au cœur. Elle sortait peu, mais même lors d'un repas au restaurant, seuls à se servir du français, inévitablement interrompus par quelques connaissances qui venaient les saluer et l'anglais finissait par prendre le dessus vers la fin de la soirée. Devoir s'habituer et s'exprimer constamment dans une langue étrangère contribuait en bonne partie au fait que la femme se sentait déracinée, à mille lieues de toutes ses valeurs.

Rose Emma se languissait loin de chez elle et secrètement, elle espérait des nouvelles de sa fille quand elle téléphonait à ses parents. Peut-être, auront-ils du courrier pour elle. Ce document de cour qu'elle espérait tant qui leur rendra la garde de sa fille. Elle composa aussi le numéro de téléphone de la grande maison pour apprendre par l'opératrice, « qu'il n'y avait plus de service à ce numéro ». Rose Emma se sentit amputée d'une ressource tellement précieuse devant la confirmation, la grande maison était bel et bien vide et elle perdait progressivement la trace de son enfant.

La torture, jour après jour, minait ses énergies et son humeur et un beau jour, elle demanda à son prince de lui trouver du travail derrière la grande clôture pour occuper son corps et son esprit à quelque chose de concret durant la journée. Le soir, elle se blottissait tout près d'André et son corps s'abandonnait et commandait un peu de repos à son esprit tourmenté. Lui, la sauvait au début de la noirceur du soir et elle, le rattrapait au beau milieu de sa nuit noire de fantômes.

En revenant de la base comme à son habitude, André lui annonça qu'une place était vacante au mess des officiers. « J'ai parlé au capitaine et il aimerait te rencontrer au courant de la semaine. Qu'est-ce que tu en dis ?

— Tu viendras avec moi han ?

— Rassures-toi, je te suivrai comme ton ombre.

— C'est juste pour l'anglais…j'pas certaine…

— Tu t'débrouilles assez pour servir des cocktails pis de la bière à ces messieurs. Y sont tellement absorbés, ça va leur faire du bien de se forcer pour parler français ou bien y'auront juste à parler moins vite.

— Ça va m'faire du bien de changer d'air une couple d'heures par jour…

— C'est juste deux jours semaine, juste assez pour pas trop te fatiguer… t'es pas encore ben forte. »

Un éclair de tristesse passa devant les yeux de la femme, alors André lui tendit la main et Rose Emma se rapprocha de son homme, se laissa câliner le dos sans qu'aucune allusion ne vienne altérer ces instants d'intimité, ces moments si précieux remplissaient son trou noir ou voulait-elle s'en donner l'illusion ?

Deux nouvelles se succédèrent durant la même semaine, à quelques jours d'intervalle. Rose Emma commençait à dompter ses tremblements durant l'« happy hour » les officiers s'agglutinaient autour du long bar pour réclamer leur « drink ». Elle se sentait de plus en plus en contrôle parmi la cohue et cet état d'être lui plaisait. Un matin de congé, elle prenait son café après avoir embrassé son militaire et quelques minutes plus tard, le facteur frappa à sa porte et lui demanda de signer dans le grand cahier avant de lui remettre une grande enveloppe. Sa main recommença à trembler en ouvrant le document. Elle le lut et le laissa tomber à ses pieds avant de s'affaler sur la chaise. Rose Emma retrouva son regard lunatique sans bouger, ni pleurer. André la trouva en pyjamas, affalée sur un coin de la table et il se douta qu'une mauvaise nouvelle venait encore une fois perturber le frêle équilibre de sa femme. Il ramassa les papiers légaux et lut : Le tribunal, après avoir analysé toutes les options qui favoriseraient un meilleur encadrement pour l'enfant, accepte la requête de la grand-mère paternelle de l'enfant, madame Léone Valois Mayer et se voit confier la garde physique de Adriane Mayer, fille de monsieur Yvan Mayer, séparé de corps de madame Rose Emma Levèrs Mayer, mère de l'enfant. Encore une énorme tuile s'abattait sur le bonheur de ces deux personnes ayant commit le crime de s'aimer. La religion catholique et la société leur défendait. Elle accepta d'une main molle la coupe de vin qu'André lui présenta et il régna un silence respectueux devant cette fatalité intransigeante. Aucune larme n'avait émergé de ses yeux, ni la tristesse ne se lisait sur son visage presque serein. Le mal, s'était infiltré profondément dans tout son corps. De sorte que, Rose Emma avait abdiqué devant la souffrance de l'absence de sa fille.

Une seconde nature secrète, faite de souvenirs, de sourires de son enfant, quand elle se penchait sur elle le matin trempée jusqu'en dessous des bras. La texture de ses cheveux qu'elle caressait en la nourrissant de son lait, se souvenir de la sensation inexplicable d'avoir son enfant connecté à elle. Ils étaient tous là, enfouis en elle, au creux de son âme et la mère s'en abreuvait chaque soir que Dieu faisait tomber sur sa noirceur. C'était un rituel quotidien, ce besoin de ressentir une proximité avec sa fille et elle n'avait plus le désir de le partager.

Ce soir-là, les amoureux s'étaient offerts une grande marche et au bout de leur parcours muet, ils émergèrent devant la grille de la base et ce fut au mess des officiers devant un martini, Rose Emma brisa le silence et annonça à son homme que, selon toute   probabilité. «J'pense que l'bon Dieu a répondu à mes supplications André. Pas de la manière que j'voulais…j'pense qu'y m'envoie un autre enfant…»

La stupéfaction sur le visage de son amoureux amusa Rose Emma, obligée de lui faire un signe affirmatif, André expira un grand coup avant d'éclater du rire enjôleur et lui prendre la main tout ému. «J'suis… tellement surpris… j'ai d'la misère à imaginer qu'on va devenir un vrai couple, une vraie famille, c'est fantastique. C'est pas trop vite pour toi mon amour…j'va t'soigner aux p'tits oignons, tu peux en être certaine.»

Rose Emma s'identifia au bonheur de son amant, leva sa coupe et trinqua à ce merveilleux événement et reçut un baiser aromatisé de passion, les yeux admiratifs d'André ne la lâchaient pas. Rose Emma s'abandonna au bonheur de l'autre, s'y réchauffa suffisamment pour ressentir une tiède accalmie dans ce cœur désensibilisé à l'allégresse. Avait-elle, seulement une fois dans sa vie, vécut un moment d'allégresse sans que ses démons ne veillent au grain pour lui en gâcher une petite partie. Lorsqu'ils furent au lit, Rose Emma au lieu de s'étendre, plaça son oreiller pour s'y asseoir et se tourna vers André le visage très sérieux. André redressa son oreiller prêt à l'écouter quoique légèrement inquiet devant l'air grave de sa belle. «André, j'veux rentrer par chez nous auprès des miens, j'ai besoin d'eux autres. J'veux vivre ma grossesse en harmonie, en paix. Je dois y donner une chance à c'te p'tit être là. J'voudrais une maison qui sent le bran d'scie, une place flambant neuve, proche de Jacqueline. On va faire notre nid tout près des personnes qui respirent le bonheur André. Ça va nous porter chance, je l'sens mon amour. Y faut que notre bébé arrive dans une maison qui sent le neuf…

— Si j'comprends ton discours, ton mari va quitter son uniforme pour endosser un habit civil. Ouais, des gros changements hein…ça commence à m'plaire. Peut-être que j'suis partant pour l'aventure si c'est avec toi…»

Il l'enlaça et la berça doucement, ils savouraient ce moment de capitulation inconditionnelle et Rose Emma ferma les yeux sur l'admirable adaptabilité de son chevalier. « C'est si simple et merveilleux avec toi. Es-tu vraiment prêt à renoncer à ta carrière militaire pour redevenir un civil ?

— J'suis prêt, bien plus longtemps que tu penses. Depuis que j'me suis sauvé dans l'ouest du pays pour m'éloigner de toi, mais le temps est venu, j'pense que j'ai assez donné à ma patrie. J'veux que mon enfant me connaisse en homme de paix, débarrassé de ses anciens habits de combattant. Faudra que tu patientes un mois ou deux, le temps de tout régler ici. Après, on va mobiliser notre temps pour rechercher un beau terrain, ensuite on va la construire ta maison au bran d'scie…tu vas l'avoir ton oasis de paix, j'te l'promets Rose Emma… ça j'te jure que tu vas l'avoir ! »

Rose Emma se rapprocha et l'embrassa tout en promenant ses mains sur le torse musclé de son amant. Toucher sa peau éveilla son désir de le vouloir encore plus près d'elle et Rose Emma obligea ses démons d'attendre en dehors de ce moment unique, car leurs corps mettaient en scène l'unisson de leur désir réciproque.

La stupeur de ses supérieurs, essayant de le convaincre de réfléchir encore quelques temps, n'eut point de prise sur lui. L'homme était heureux de quitter ce symbole altruiste, générateur de tant de souffrances. Un symbole de survivance aussi, dans son audace d'entreprendre des études en travaillant comme un forcené et les Forces Armées l'avait supporté dans son ambitieux projet. À force d'acharnement, il était maintenant fier d'afficher ses ailes de pilote épinglées sur sa jaquette d'officier. Il regrettait pourtant de quitter son équipe et quelques uns de ses potes. Ensembles, ils avaient traversé l'adversité dans les tranchées, la fraternité, leurs encouragements quand il en manquait aussi bien de l'autre côté du monde qu'ici, dans cette enceinte bien rodée, réglée comme une horloge qui ne doit jamais retarder. Oui, André savait que le moment de retourner à sa vie de citoyen se présentait. Cet uniforme l'avait récupéré en concrétisant son but et il l'avait mené à bien, ayant le contentement d'accomplir un travail utile. Pendant toute la durée de cet accomplissement, l'image d'une femme avait nourri son âme d'un espoir malgré son improbabilité de le voir se matérialiser un jour. André l'avait maintenu brûlant, au secret, même si ses démons s'accaparaient toujours son sommeil, son cœur et son corps continuaient de vibrer passionnément pour cette femme. Il était temps à présent, d'affronter le monde sans armure et André avait confiance.

André partait vers une destination inconnue, en compagnie de sa femme, tous les deux animés de cette inébranlable espérance de croire en leurs chances de bonheur. Il la désirait si fort, cette vie de complémentarité tranquille sur un emplacement vierge, inconnu de leur passé respectif. La trame de leur amour se transportait vers un ailleurs et André y plongeait, éperdument confiant, sa Rose Emma à ses côtés.

FIN

TABLE DES MATIÈRES

CHAPITRE I   Marâtre et Cendrillon. 9

CHAPITRE II   Léone Valois Mayer. 31

CHAPITRE III   Le Baptême 41

CHAPITRE IV   Réjouissances aigres-douces 65

CHAPITRE V   Les entretiens 91

CHAPITRE VI   Le pèlerinage. 99

CHAPITRE VII   Nouvelle intendance 111

CHAPITRE VIII Les vacances 127

CHAPITRE IX   La désobéissance 151

CHAPITRE X   L'avilissement 169

CHAPITRE XI   Les grands déplacements. 183

CHAPITRE XII   L'amorce est enclenchée 205

CHAPITRE XIII Que ta volonté soit faite ! 217

CHAPITRE XIV Lune de miel...retour de fiel 239

CHAPITRE XV   Confiance fatale. 257

CHAPITRE XVI L'amour inconditionnel 275

CHAPITRE XVII Branle-bas de départ 281

CHAPITRE XVIII Retour aux sources 295

AUX ÉDITIONS
BELLE FEUILLE

68, Saint André
Saint-Jean-sur-Richelieu
Québec J2W 2H6
Tél. : 450 348-1681
Courriel : marceldebel@videotron.ca

POÉSIE

Fantaisies en couleur	Marcel Debel
Bonheur condensé	Magda Farès
Arc-en-ciel d'un ange	Diane Dubois
À la cime de mes racines	Mariève Maréchal
Un miroir sur ma tête	

NOUVELLES

Lumière et vie	Marcel Debel
La Vie	Marcel Debel
Quelqu'un d'autre que soi	Micheline Benoit
Une femme quelque part	Micheline Benoit

ESSAIS

Univers de la conscience	Yvon Guérin
Les Jardins	Pierre Angers
expression de notre culture	
Au jardin de l'amitié	Collectif

ROMANS

Méditation extra-terrestre	Olga Anastasiadis
Rose Emma	Gisèle Mayrand Desroches

HISTOIRES VÉCUES

L'instinct de survie de Soleil	Gabrielle Simard
L'insomnie une lueur d'espoir	Carole Poulin

FANTAISIES POUR ENFANT

L'anniversaire de Marilou	Hélène Paraire

CONTES

Le diamant inconnu	Pierre Barbès
Contes de guérison et de l'au- delà	

Marquis imprimeur inc.

Québec, Canada

2009